Förflutenhetens landskap

Historiska essäer

Peter Englund

Förflutenhetens landskap

ATLANTIS

TIDIGARE UTGIVNING

Poltava 1988

Det hotade huset 1989

ANMÄRKNING TILL DEN ANDRA UPPLAGAN

En del mindre faktafel som jag skam til sägandes
blivit beslagen med har rättats till och dessutom
har essän »Bröderna Marx i Petrograd« blivit
omarbetad. Det visade sig nämligen att verkligheten i
det fallet var mer bisarr än jag själv begripit.

P. E.

ATLANTIS, STOCKHOLM

© PETER ENGLUND 1991, 1993

© BOKFÖRLAGET ATLANTIS AB 1991, 1993

OMSLAG OCH GRAFISK FORM: CHRISTER JONSON

OMSLAGSILLUSTRATION: PHILIPS DE KONINCK,

»VIDSTRÄCKT LANDSKAP MED RUINER« 1655, (BESKUREN)

REPRODUCED BY COURTESY OF THE TRUSTEES,

THE NATIONAL GALLERY, LONDON

ANDRA UPPLAGAN, SJUNDE TRYCKNINGEN,

SEXTIONDE TUSENDET

TRYCKT I NORGE 1999

ISBN 91-7486-052-6

Innehåll

Till Anki och pojkarna

Förord

FÖR EN TID sedan besökte jag National Gallery i London.
Trots att jag föresatt mig att endast bese de avdelningar som
rymde fransk och nederländsk barock fylldes jag snart av mat-
tighet inför det flöde av bilder som omgav mig. Ymniga stille-
ben, myllrande genremålningar och pompösa scener ur mytolo-
gin blev inför mina ögon till en storslagen och orolig helhet.
Satyrer, små knubbiga amoriner och allvarliga män med hög-
modiga ögon och plymagerade hattar virvlade förbi i ett tempo
som ökade i takt med mina allt snabbare steg genom de tysta
salarna. Men så såg jag en målning som fick mig att stanna upp.
Och inför den blev jag stående.

Det som slog mig var tomheten.

Tavlan var målad år 1655 av den nederländske konstnären Phi-
lips de Koninck. Det är en typisk de Koninck. Från en hög ut-
siktspunkt blickar man ut över ett platt landskap i vilket en flod
söker sig i långa bågar bort mot synranden. Kanske är det en av
de allra första dagarna i september då sensommaren just står
redo att förbytas i tidig höst. En frodig grönska klär ännu träden
som dignar av frukt, och avmejade åkrar lyser gula i fjärran.
I den höga, klara skyn förnims en svag känning av höstlig kyla.
Bak en kulle i förgrunden göms några byggnader och en ruin.
Hus skymtar också längre bort, bak de ridåer av träd som
strimlar upp de platta fält och sanka ängar som omsluter flodens

vattenspegel. I fjärran en stad, krönt av kyrkspirornas fint mejslade siluetter. Därefter börjar havet som en strimma av silver och bortom det, kan vi tänka oss, en ny värld.

Landskapet är nästan helt tomt. I förgrunden sitter en ensam man invid en av de sandiga niporna ned mot floden, uppflugen på en sten i den väl avbetade marken; det går att ana doften av jäst fallfrukt och fårspillning. En spårig hålväg löper fram ur sänkan bakom mannen. Vägen är också tom, så när som på några vandrare. »Så här måste det ha sett ut«, tänkte jag, »detta är förflutenhetens landskap. «

Jag blev så stående och undrade vad det var för något som dolde sig nere i svackan, vem det var som just stod i begrepp att stiga in i bilden via hålvägens stigning. Den ensamme mannen väntar på något som strax skall ta denna till landskap omklädda scen i besittning, så mycket var klart. Problemet var bara att jag inte kunde bestämma mig för vad. Det skulle kunna vara några kvinnor i kapott och grå klänningar uppflugna i en grönsakslastad oxkärra på långsam färd till marknaden. Det skulle också kunna vara ett kompani soldater tungt klivande i kragstövlar och blanksvettiga remtyg, med vitt damm i hår och ansikte och hakebössor gungande över axlarna, på väg att belägra stadens kastell.

Båda dessa grupper av människor är lika sannolika och lika värdiga besittningstagare av detta förflutenhetens landskap. De står för två olika poler i historien som gärna ställs mot varandra, trots att ingen av dem går att stryka bort med mindre än att vårt förflutna blir obegripligt. Soldaterna representerar det vi skulle kunna kalla för Den Stora Historien: krig, kungar och storpolitik, de brakande jordskreden och stora upptäckterna. Kvinnorna får här representera Den Lilla Historien: vardagslivets tysta gång med dess lugna rytmer och nästan omärkliga skiften som ofta ändrar våra liv mer genomgripande än månget sedan länge glömt fredsfördrag.

I denna bok återfinns ett knippe essäer som behandlar både den ena och den andra delen av historien. De sträcker från slagens och revolternas spänningsfyllda dramatik ända till de allra mest undanskymda delarna i vår gemensamma förflutenhet. Alla tidevarv är berörda, men jag tror att det skrivna i någon mån avslöjar min svaghet för den så kallade tidigmoderna epoken, det vill säga de dryga trehundra åren mellan medeltidens ände i slutet av 1400-talet och den franska revolutionen år 1789. Jag tänker inte ge sken av att denna samling är resultat av någon större planmässighet. Essäerna är tillkomna under en längre tid och berör helt enkelt sådana motiv och frågeställningar som intresserar mig. (Publiken uppmuntras också att låta sin läsning av dessa stycken styras av samma stjärna: samlingen behöver alls icke läsas i ett sträck utan man kan gärna plocka i den efter eget skön.) Somt är nyskrivet men huvuddelen bygger på artiklar som publicerats på annat håll – då framför allt i Expressen, på vars kultursida jag har förmånen att skriva, men även i tidskriften Moderna Tider och i Månadsjournalen – eller på hållna föreläsningar. Jag skriver »bygger på« för allt är bearbetat på nytt, genomgånget och omskrivet. (Ett tack för hjälp och uppmuntran i detta arbete riktas härmed till Ola Larsmo, Moa Matthis och Anders Florén.)

Detta är essäer i ordets ursprungliga betydelse, alltså »försök«. Med många av dessa punktvisa nedslag hoppas jag att glänta något på dörren till ett antal nya forskningsfält inom dagens historieforskning, och kan någon på det viset tubbas till att läsa mer skulle det glädja mig. Många är skrivna helt för min egen skull, för historien handlar ju, som Sten Lindroth en gång skrev, ytterst om mig själv och min egen gåta. För ställd inför tavlan av de Koninck dyker frågorna upp. Vem är mannen på stenen? Var han jag? Och i så fall: när gick han förlorad i mig?

Gåvsta, en varm natt i slutet av juli 1991

PETER ENGLUND

Bakom oss förlorar sig vårt förflutna liv
i ett avlägset fjärran. Där slumrar det likt
en i töcken insvept stad, som vi rest ifrån.
Några höjder begränsa och dominera den.
Några viktigare handlingar resa sig där likt torn,
somliga ännu upplysta, andra nästan ruiner,
som under glömskans börda luta mot sitt fall.

MAURICE MAETERLINCK

Jord och himmel när alltjämt
de tiotusen tingen.
Knotorna multnar i djupet.
Men andedräkten stiger i höjden
och flyter som ljus, i vilket ni en gång,
o gamla mästare, i stort lugn gick fram.

PETER HUCHEL

Myten om fältherren

EFTERÅT VAR ALLA de inblandade överens om att det hade varit en sällsynt förvirrad affär. Den ägde rum vid den lilla floden Katzbach i sydöstra Tyskland den 26 augusti 1813. Napoleons stjärna var då i dalande, och på den tyska krigsskådeplatsen ansattes hans styrkor av preussiska, ryska och svenska härar. En fransk armé gick den dagen över Katzbach för att gå emot de preussiska och ryska enheter som stod på andra sidan floden. Chef för fransmännen var Macdonald – vilket skall erkännas är ett något osannolikt namn på en fransk marskalk –, en man med ett utseende som en något robust Shelley, bördig från en familj landsflyktiga skotska jakobiter. Själv hade han tidigt slutit an till den franska revolutionen och sedan dess krigat sig fram: sin marskalksstav hade han vunnit vid Wagram 1809, där hans tre divisioner sprängt den österrikiska centern. Anfallet över Katzbach var hans egen idé. De förenade preussiska och ryska styrkorna hade under de föregående dagarna råkat ut för flera bakslag, och de led brist på det mesta från proviant och ammunition till kläder. Macdonalds tanke var att pressa dem än mer genom ett slag mot deras flank. Kruxet var bara att hans motpart på den andra sidan floden vid samma tidpunkt fått för sig att göra precis samma sak mot fransmännen.

Den motparten var Gebhard Leberecht Blücher, en högst ovanlig människa och militär, som börjat sin karriär som 16-

åring genom att rida som husar åt svenskarna under sjuårskriget. År 1813 var Blücher strax över sjuttio år gammal, lättsinnig, obildad, skrytsam, psykopatisk och tid efter annan ansatt av anfall av senila irrbilder. Bland annat var han ett tag helt övertygad om att fransmännen mutat hans tjänare att hetta upp hans rum så att han var tvungen att hoppa fram över golvet eller att gå på tåspetsarna för att inte få fotsulorna brända. Men när Blücher inte var förlamad av dylika spännande fantasmagorier var han en självsäker man, populär bland sina soldater, orädd, envis, full av kraft och fantasi och mycket begiven på djärva och oväntade tilltag. På porträtten möter man en äldre karl med hög panna, bakåtstruket kort grått hår, en ymnig valrossmustasch och mörka, stirrande ögon, där galenskapen skymtar som glöden under askan. Det var typiskt honom att nu i det här svåra läget inte sitta på stjärten och skyggt invänta motståndarens nästa drag utan istället rusa till aktion.

Macdonald delade upp sin armé i tre kolonner som började att korsa floden på tre olika punkter. Vädret var det sämsta tänkbara. I spöregn letade sig fransmännen framåt, på samma gång som preussarna kom traskande som en våt hjord från det andra hållet. Överraskningen blev total för båda sidor när de snubblade in i varandra. Franska förband som haft fullt sjå att ta sig uppför de svampiga flodsluttningarna kom i oordning och kastades tillbaka efter en hård närstrid. Anfall och motanfall korsade varandra i vinden och regnet. Till slut bröt några ryska skvadroner genom. Det franska rytteriet bröts bakåt, törnade ihop med det egna infanteriet, och hela den oordnade horden ramlade så iväg, utför de slippriga hålvägarna och hala niporna, ned mot vattnet. Preussarna fick kanoner på plats uppe på flodplatån, kanoner som hamrade på de panikslagna franska massorna när de försökte ta sig tillbaka över den rusande strömmen. Skriken och skotten fortsatte till dess natten och mörkret äntligen satte stopp för det hela.

Varken Macdonald eller Blücher hade begripit vad som egentligen hade skett. De hade förstått att det man i vardagslag brukar kalla för ett slag hade gått av stapeln, någonstans inne i de fjärran grå skyarna av regn och rök. Mer var det inte. Det visade sig att fransmännen blivit av med runt 15 000 man och 100 kanoner under dagen och kvällen. Blücher kunde, icke utan förvåning, konstatera att han nog hade vunnit. Han var segrare i en batalj som han knappt visste mer om än att den ägt rum. Det var rena turen, det erkände han för sin stabschef Gneisenau: »Vi har vunnit slaget, det kan ingen neka oss; men nu undrar jag hur vi skall få folket att förstå hur sinnrikt vi planerade detta.«

Blüchers ord från 1813 kan ibland vara bra att ha i bakhuvudet när man sitter och bladar i något tungt och omfångsrikt krigshistoriskt opus. Allt verkar så klart och välordnat där. Man viker ut planschen och följer de mångfärgade pilarna runt i vad som verkar vara ett slags kartografisk spagetti. Förtrollad glömmer man nästan bort den fula och kaotiska verklighet som här blivit destillerad till rena penndrag på en bit utsökt kolorerat papper. Det finns vissa typer av skeenden och händelser som det är oerhört svårt att göra verklig rättvisa som historiker, och krigiska ting hör till dem. »Skriva en historia om ett slag?«, sade en gång Wellington, segraren vid Waterloo och Blüchers vapenkamrat, »man kunde lika gärna skriva historien om en bal.« Bakom detta yttrande låg delvis hans kända klentrogenhet gentemot historieskrivning över huvud taget; till en av sina självutnämnda levnadstecknare – av vilka det ett tag gick tretton på dussinet – skrev han en gång spydigt att om historikerna bara följde den gyllene regeln att enbart skriva sådant som de visste var sant, så skulle de sannerligen inte ha mycket att berätta. Men när han likställer drabbningen och dansen så bygger det också på ett tvivel över huruvida det verkligen är möjligt att fånga vad som sker på dessa i hög grad oordnade tillställningar. I synnerhet för ett ögonvittne, som just i sin egenskap av ögonvittne är bunden till en enda synvinkel, ett enda brottstycke av verkligheten, måste det ibland vara hart när omöjligt att bringa ordning i vad som verkar vara en helt slumpmässig och högst förvirrad ström av händelser.

Denna känsla av vantro och tvivel infinner sig inte sällan när man som historiker går till källorna och där söker bringa reda i vad som ofta är ett kaos av motstridiga och virriga vittnesmål. Jag själv drabbades av denna förnimmelse när jag för första gången gav mig in i den rika brev- och dagbokslitteratur som finns kvar efter det svenska stormaktsväldets sista apokalyptiska strid, det stora nordiska kriget 1700–1721. Ofta kom den där känslan inte så mycket ur källorna. Nej, inte sällan uppstod den istället ur mötet mellan standardverkens rakt skurna teser och den verklighet som dagböckerna visade upp. Jag förundrades över hur historiker kunde skriva om en sådan gräslig händelse som ett slag utan att en enda gång bruka ord som »blod« eller »rädsla«, som tveklöst var ofrånkomliga inslag i ett dylikt evenemang; bergen av lik försvann liksom bakom de snygga ordbroderierna, dolda av täckord som »fallna« och »tapp«.

En annan sak som slog mig var historikernas stora upptagenhet med den så kallade skuldfrågan. Det var särskilt tydligt när jag började att ägna mig åt ett enskilt slag, det vid Poltava 1709. Gång på gång ställde de samma fråga: vem av generalerna var Den Skyldige? Vem hade fattat Det Ödesdigra Beslutet som välte allt över ända? De källkritiska koblafforna ven genom luften och träffade än den ene, än den andre av de guldtränsade potentaterna. På 1800-talet var det ofta Karl XII och framför allt fältmarskalken Rehnsköld som fick bära hundhuvudet. (Den sistnämnde hade bland annat avbrutit den lovande förföljelsen av det upprivna ryska kavalleri som man kastat över ända under slagets första timmar; han hade också stoppat en likaledes lovande attack mot det befästa ryska lägret.) Sedan kom det tidiga 1900-talets Karl XII-renässans. De föregående årens rätt kritiska attityd till den skägglöse dunderguden kom att vändas i en devot dyrkan. Den stackars kungen blev shanghajad av en punschimmig grosshandlarhöger (och icke sällan brukad som ett tungt tillhygge mot allt som bar odör av arbetarrörelse och lika rösträtt). Carolus kom att förvandlas till en Fältherre av Guds nåde, den främste av dem alla. Slaget den 28 juni 1709 var inte alls en förtvivlans handling av en kung som målat in sig själv och sin här i ett strategiskt hörn. Nej, mittåt, det var en genial fälla, som syftade till att göra kål på hela den ryska hären i ett enda dånande slag – om det var någon som var i nöd så var det tsar Pjotr Alexejevitj. Karl XII och hans närmaste man Rehnsköld blev förklarade för ofelbara. En ny syndabock fick framletas i en hast och det blev chefen för infanteriet, generalen Lewenhaupt. På något mysteriöst sätt gjordes han till ansvarig för praktiskt taget allt som gick överstyr den där miserabla sommardagen 1709. Så gick tiden. Vid slutet av 50-talet, efter ännu några varv av vetenskapligt handgemäng, var Rehnsköld tillbaka som syndabock, hans befälsföring ansågs inte ha hållit måttet. Och för Gustaf Petri, som skrev det senaste viktiga inlägget i den långa diskussionen, liksom för alla hans företrädare, spelade Foten en stor roll: om inte Karl XII råkat få en kula i sin kungliga fot ett antal dagar före slaget hade han själv kunnat föra befälet, och då hade nog allt slutat helt annorlunda.

Att man varit så maniskt upptagen med att finna Den Skyldige har delvis att göra med att man länge ansåg att detta var en viktig del av historikerns bestyr. Denne skulle vandra genom förflutenhetens landskap och *döma*: goda skulle skiljas från onda, framstegsmän från bakåtsträvare, får från getter. Världshistorien var, med Schillers kända ord, en världsdomstol. Det gick självklart troll i denna sysselsättning efter ett tag. En period var det högsta mode bland historikerna att omvärdera – själva ordet sände nästan pornografiska rysningar genom kåren – det vill säga förklara att en som alla hittills trott var en Rysligt God Kung egentligen var en Rysligt Dålig Kung eller vice versa. Nu förekommer det rätt lite av det här moraliska frihjulsfilosoferandet. (Kanske alltför lite.) En nutida historiker strävar i första hand efter förståelse – förståelse i meningen att göra begripligt, inte att urskulda – istället för fördömelse. Men när jag själv ställer mig en aning frågande inför detta idoga letande efter syndabockar på Poltavas dammiga fält beror det inte på att detta skulle vara ett uttryck för en något patinerad syn på historien. Jag anser istället att det i mycket bygger på felaktiga förutsättningar, främst på en skev bild av vad som egentligen försiggick på slagfälten under den tidigmoderna epoken.

Frågan är nämligen i vilken mån de högsta krigsherrarna under denna tid hade något verkligt herravälde över det som skedde under drabbningarna.

Låt oss för en stund glömma den moderna topografiska kartan och dess snygga fågelperspektiv – även om det kan vara nog så svårt för den genomsnittlige fåtöljstrategen där han sitter framför brasan, med kartverket i knät, konjakskupan i den ena handen och huvudet i den andra. Istället skall vi söka sänka oss ned till marken på valplatsen, ned till den verklighet som den högste befälhavaren hade att verka i. Vi skulle då genast bli varse två fenomen som ställde till med stora bekymmer för en fältherre under en slaktning.

För det första var det sikten. Från 1300-talet till in på andra hälften av 1800-talet använde arméerna svartkrut i sina kanoner och handeldvapen. Detta krut gav ifrån sig en kraftig, vit rök (mängden rök är ungefär fem gånger större än den som kommer av modernt så kallat bomullskrut). När vapnen fyrades av uppstod stora svällande bankar av rök som snabbt svalde både vän och fiende, bankar som var så täta att man i regel inte kunde se en utsträckt hand framför sig. Detta försvårade eldgivningen och tvingade de skjutande att tid efter annan hålla upp och vänta tills alla dunster skingrats i vinden. Om det var vindstilla blev det stora problem, för då kunde en hart när ogenomtränglig slöja av bolmande vit rök täcka fronten och göra det helt omöjligt att se vad som egentligen hände.

Under årets torra period tillkom ofta dammet. När tiotusentals män och hästar rörde sig över förtorkade fält och vägar kunde de röra upp rent otroliga mängder stoft: i vissa väderleksförhållanden kunde en marscherande armé vara krönt av en hög, svävande pelare av damm som var synlig på många mils håll. Skyar av krutrök och kringflygande stoft gjorde att en så pass enkel uppgift som att skilja vän från fiende ofta blev till ett konststycke i den högre skolan. Damm och vasst svidande rök murade snabbt igen ögonen på de stridande, och krutslagg och ett fint lager av stoft lade sig över deras ansikten och kläder. Röken efter svartkrutet avsatte dessutom en svart, fet film på svettig hud, som förvandlade de stridandes ansikten till mörkfläckiga masker. Det var därför rätt vanligt att motståndare blandades upp med varandra i en förvirring som ibland har rent surrealistiska drag. Vid Poltava gick svenskar rakt genom ryska enheter, där marscherade svenska bataljoner sida vid sida med ryska bataljoner och där hände det också vid minst ett tillfälle att ryska soldater prydligt ställde upp i svenska förband.

Framåt hösten slapp man i regel allt damm, men då fanns där alltid risken för dis och dimma. Kombinationen av rök och dimma var också helt fatal för allt som hette ordnad krigföring. Det finns gott om exempel på detta, från Lützen 1632 – där den grå höstdimman gav upphov till en förvirring som senare tiders historieforskning knappt lyckats tränga igenom – över Lobositz 1756 – där preussiska styrkor under Fredrik den store vann över en österrikisk styrka i vad som var en serie av konfysa och högst osamordnade krockar mellan regementen och bataljoner som irrade runt i den täta morgondimman i Böhmisches Mittelgebirge – till Talavera 1809 – där engelska, spanska och franska soldater gjorde kål på varandra i en nästan unik soppa av rök, dimma *och* damm.

För det andra var det stridslarmet. När slagen inleddes på allvar blev de stridande dränkta av ett mycket högljutt buller och gny. Där fanns ljuden av trummor och trumpeter, rop och skrik från människor och djur, och över allt detta det tjocka, öronbedövande dånet från skottlossningen – som ibland var så kraftigt att det bokstavligt talat kunde beslå människorna med dövhet.

När vi ser en drabbning framför oss skall vi alltså föreställa oss ett fält invärvt av tjock rök och enorma dammskyar, där sikten stundtals är mindre än en meter; där ljudnivån ibland är så outhärdligt hög att en skrikande man knappt kan göra sig förstådd; där allt smälter samman till ett rapsodiskt kaos av rasslande salvor mot en motståndare som knappt kan anas, utom då och då i form av de väsande projektiler som ögonblickssnabbt klipper genom det täta töcknet och i ett vimmel av blodstänk och kroppsdelar fäller klungor av män till marken; där man inte vet om den förvirrade sammanstötning man nyss var med om var en egen »chock« som misslyckats eller om det kanske var ett fientligt »motanfall« som lyckats. Det säger sig självt att på ett sådant slagfält är det oerhört svårt, för att inte säga nästan omöjligt, att agera fältherre. För hur får du in underrättelser om vad som sker och hur styr du dina trupper?

En fältherre under denna tid hade grovt räknat fem metoder till sitt förfogande:

För det första hade han sina ordonnanser. De höga krigsherrarna var i allmänhet beroende av olika typer av budbärare för att överföra order. Scenen är välbekant: »Rid genast till den och den, och säg att han måste göra så och så«; adjutanten svarar med en snabb hälsning, vänder på sin löddriga springare och galopperar iväg med fladdrande peruk, in i de virvlande revorna av rök, bort mot ljudet av rullande salvor. Att vara en sådan här budbärare var dock en av de allra farligaste sysslor man kunde ha under ett slag. De blev ofta dödade eller tagna till fånga. Lika ofta red de fel i röken och förvirringen. En erfaren befälhavare nöjde sig därför aldrig med att sända iväg en ensam stackare med order, han sände istället en hel grupp – förhoppningsvis kom ju någon fram. Inte ens det gick alltid. Vid Poltava misslyckades den svenska ledningen att få kontakt med Roos avskurna bataljoner, trots att den sände iväg skurar av adjutanter. Detta var en osäker metod.

För det andra använde man repetering. Under strid var förbanden ordnade i linjer, under marsch trampade de fram i kolonner. Båda dessa formeringar lånade sig till överföring av order från mun till mun. Detta hade dock den självklara nackdelen att budskapet lätt blev förvrängt allteftersom det gick som ett eko längs de täta kedjorna av män. (Det förstår var och en som någon gång lekt barnleken »Ryktet går runt staden«.) Det var en metod som bara lämpade sig för högst enkla instruktioner och som man därför mest verkar ha gjort bruk av i lägen av nöd eller då det inte fanns tid till något annat. Det var vanligt med missförstånd när man sökte ge order genom repetering. Detta var också en osäker metod.

För det tredje gjorde man bruk av ljudtecken. För både trummor och trumpeter fanns det väl inövade signaler som kunde användas för att ge order som »anfall«, »reträtt« och »marsch överallt«. Särskilt trumpetsignaleringen kom att elaboreras mycket genom åren. När tyska armén år 1918 använde trumpeter under sin stora offensiv i mars stod detta system på sin spets. Varje kompani hade en trumpetare som behärskade 24 olika signaler. Genom att lägga till vissa särskilda toner kunde man ge trumpetstötarna adress, så att till exempel vissa kompanier kunde beordras att gå rakt fram, medan andra manades att gå åt höger eller vänster. Hur dessa signaler kunde låta får man en uppfattning om av följande enkla ramsa, som brukades när man lärde in signalen för »framåt«:

Potatissoppa. Potatissoppa.
Hela dagen, potatissoppa.
Potatissoppa.

Sedan kunde man alltså lägga till några toner, som exempelvis
»Och inget fläsk«, vilket betydde att det ännu fanns fientliga sol-
dater framför dem. Detta instrument användes i strid även efter
1918. Sista gången det skedde var sannolikt under Koreakriget,
då den kinesiska arméns anfall alltid signalerades av stötar i
trumpet – ett ljud de amerikanska soldaterna snart lärde sig att
både frukta och avsky.

Dock var både trumpeten och trumman främst avsedda för
överföring av order inom bataljonen och skvadronen. Enklare
anvisningar riktade till en hel grupp av förband var också möj-
ligt. Emellertid föll dessa kommunikationsmedel ofta bort när
slaget väl inletts på allvar. Visserligen kunde mässingsinstru-
ment på grund av sin tonhöjd ibland höras genom dov skott-
lossning, men det oerhörda larmet gjorde i regel alla kommu-
nikativa ljudsignaler mer eller mindre meningslösa. Ibland fanns
det också klara problem att i larmet skilja fientliga ljudsignaler
från egna. Detta var också en osäker metod.

(Det bör dock nämnas att denna vägg av ljud faktiskt kunde
vara en källa för underrättelser. För ett tränat öra kunde nämli-
gen skottlossningens omfång och rytm ge en vink om vilken
typ av strid som pågick var, och även i viss mån hur den gick:
ett glest knatter av musköter visade på att de egna styrkorna nått
kontakt med fienden, långa rullande salvor visade på att de kom-
mit i närstrid; rop och skrik från eget folk kunde tyda på att de
var pressade – svenskt infanteri var annars känt för sin absoluta
tystnad under anfall, något som inte sällan satte motståndarnas
nerver i dallring.)

För det fjärde hade man vad vi skulle kunna kalla för optiska
signaler. Under tidigmodern tid handlade det i första hand om

att kunna identifiera förband genom att betitta deras fanor och uniformer. Den stora färgglädjen i de gnistrande fanorna och uniformerna var inte bara ett försök att försköna ett smutsigt hantverk, den aristokratiska drömmen om det vackra kriget inkarnerad i siden, tyll och taft. Det var också för att det skulle vara lättare att känna igen förbanden på långt håll. Den nyss nämnda tjockan av krutrök och damm som täckte dessa slagfält gjorde dock även en sådan simpel sak som att se huruvida ett förband hundra meter bort var eget eller fientligt till ett vågspel. Därför säger det sig självt att även detta var en osäker metod.

Den femte metoden var den personliga övervakningen. Ofta var dessa fältherrar tvungna att själva rida ut med order till lägre befälhavare och själva övervaka att de blev rätt utförda. I dess ideala form innebar det att den högste befälhavaren svävade runt en bit bakom stridslinjen, gärna uppe på någon lämplig liten höjd, där han lät sig ses med det långa perspektivet fastklistrat för högra ögat, på en stegrande eldig arab mot en bakgrund av plymagerade adjutanter. (Vissa slagfält kunde därför vara extra intrikata rent ledningsmässigt, eftersom de var svåra att överblicka, antingen för att de som vid Breitenfeld, Lützen och Poltava var platta och saknade större åsar eller höjder, eller för att terrängen var alltför kuperad och uppbruten, som till exempel vid Nördlingen, Jankowitz och Lund.) När så en kris uppstod nånstans i det rökiga vimlet förpassade han sig strax dit och gjorde vad han kunde, pekade, röt och strödde knippen av flotta och eggande floskler runt sig, allt medan kulorna pep ilsket runt epåletterna.

Att befinna sig i den främsta stridslinjen var alltså ett oslagbart sätt att både hålla reda på vad som skedde och snabbt agera på detta. Det är många som inte riktigt har förstått det här. Man har sett diverse tämligen feta kungar och andra vispa runt med värjan i hand och i detta bara skådat ett utslag av en ren och vitfradgad krigarlusta. Under denna tid var ledarskapet i hög grad heroiskt till sin natur. Många av de mest framgångsrika ledarna var starkt karismatiska personer som behärskade en rad dramatiska knep att ta till när man behövde höja knektarnas vilja att slåss en smula. I Sverige har vi våra berömda krigarkungar: Gustav II Adolf, Karl X Gustav och givetvis Karl XII, alla män som brukade slagfältet som teaterscen. Dessa heroiska fältherrar som fyller vår svenska stormaktstid är också skapelser av en klass som hyllade ideal som mod och tapperhet. Dock måste det betonas att krigarkungarna var krigarkungar också därför att egen närvaro längst fram i striden ofta behövdes om man skulle kunna ha någon kontroll över det som skedde.

Det fanns dock ett antal nackdelar med denna metod. Fältherren kunde lätt bli så djupt indragen i någon lokal fäktning att han helt tappade möjligheten att ingripa någon annanstans. Ett exempel på detta finner vi i slaget vid Lund 1676. Då gav Karl XI sig hals över huvud in i förföljelsen av danskarnas slagna vänstra flygel och försvann helt enkelt bort från slagfältet under några kritiska timmar.

En annan nackdel med denna metod var att den också var bokstavligt talat livsfarlig. Det mest berömda exemplet hittar vi givetvis i slaget vid Lützen 1632. Där tog Gustav II Adolf strax efter klockan tolv själv befälet över Smålands ryttare och de illa tilltygade östgötarna och förde dem genom den grå höstdimman, över vägen som löpte till Lützen, fram till anfall mot de kejserligas högra flygel. Anfallet hade precis inletts när de möttes av Piccolominis tunga kyrassiärer, som kastade dem tillbaka över landsvägen. Ett skott snett bakifrån, troligtvis skjutet av en dragon, gick in i kungens vänstra armbåge. Med benpipan stickande ut ur den blodiga ärmen var han tvungen att tygla sin nötbruna hingst Streiff med den högra handen. Hästen blev i den stunden sårad av ett skott ur en pistol, vrenskades och skenade iväg med Gustav Adolf. I dimman, röken och förvirringen blev den närsynte kungen skild från sin svit. Åtföljd av endast sin livknekt försökte han finna en väg bort från striden, men en grupp kejserliga ryttare omringade dem. Ett pistolskott från nära håll – avlossat av en överstelöjtnant von Falkenberg – träffade kungen i ryggen, under det högra skulderbladet, och han föll dödligt sårad av hästen.

Förutom att den egna närvaron i den främsta linjen, som i fallet Gustav Adolf, lätt kunde ända i förskräckelse, var det till yttermera visso också en mycket tidsödande teknik. Det gällde i synnerhet i de fall när det handlade om större ingripanden. Då kunde den högste befälhavaren tvingas till ett otal ritter kors och tvärs över fält och hagar. Och om det var något man inte alltid hade i en batalj så var det just tid.

Detta var alltså också en osäker metod.

Det är inte alls nödvändigt att utsätta slaget vid Poltava för ett särskilt ingående studium för att bli varse att den svenska ledningen hade en allt annat än god kontroll över sina trupper och över händelsernas gång. Ändock har jakten på Den Skyldige som fattade Det Ödesdigra Beslutet varit en i grund förfelad sysselsättning. De fel och missgrepp som Karl XII, Rehnsköld, Lewenhaupt och Creutz begick den där dagen är lätta att peka ut så här långt efteråt, när man sitter där i lugn och ro vid sitt breda skrivbord, petar i fossilerna som blivit kvar i förödelsens slam och har en månad på sig att reda ut ett förlopp som kanske tog tre minuter. (Det må låta som en paradox, men en hyfsat inläst historiker vet ofta mer om vad som verkligen hände på detta slagfält än en genomsnittlig deltagare, som kanske mest bara såg rök och de dammiga ryggtavlorna på sina kamrater.) Vad man måste minnas är dock att många av de felaktiga besluten syns ha varit riktiga just då, utifrån den information de högste hade vid just det tillfället.

Ingen av de utpekade svenska befälhavarna går att hänga för nederlaget vid Poltava. Det svenska ledarskapets sammanbrott under slaget var alls ingen unik lapsus, den var en följd av tidens dåliga system för kommunikation och kontroll, ett system som i bästa fall fungerade dåligt och i värsta fall inte alls. Fältherrar hade under denna tid i regel ett mycket skralt grepp över det som skedde på slagfälten. När striderna väl brakat i gång ledde det nästan oundvikligen till att de högsta generalerna tappade sin kontroll över trupperna och över händelsernas gång. Och hur skulle det kunna gå på annat vis? Den ytterligt dåliga sikten gjorde att de stundtals inte visste ett dugg om vad som höll på att ske på de rökinsvepta fälten framför dem. Och när de mot alla odds fick en klar bild av händelseutvecklingen saknade de pålitliga medel att styra den. Små lokala ingripanden låg visst innanför det möjligas gräns, men några invecklade mästarplaner fanns det självklart inte möjlighet att spela ut. Ofta kunde generalerna göra mycket lite, förutom att se på. Slaget fick ett eget liv, drevs framåt av en egen inre logik; vi som kommer efteråt kan bara se hur fångade de varit,

> hur handling gett handling
> i mönster, i zick-zack
> mot undergången.

Generalerna under denna tid visste givetvis om det. Detta att slaktningar var högst kapriciösa tillställningar gjorde också att många, för att inte säga de allra flesta, helst undvek dem. Fredrik den store liknade slag vid kräkmedel: något otrevligt som det då och då tyvärr var nödvändigt att ta till. Det fanns även olika militära tänkare samtida med Fredrik, som till exempel William Lloyd, som menade att man helst skulle föra krig utan att någonsin ställa till med ett enda litet slag. (Att det också var fullt möjligt visas i de krig som bedrevs under en period av drygt 100 år från 1525 då det knappt förekom en enda större drabbning; det var en epok formad av de hyrda kondottiärerna och militära entreprenörerna, folk som var högst ovilliga att riskera sina dyra härar i ett osäkert slag.)

Men varför har man då så ofta i historieskrivningen kommit att överdriva fältherrens roll på slagfältet?

I första bandet av *Krig och fred* beskriver Tolstoj en episod från 1805 års fälttåg i öst, då ryska och österrikiska härar gjorde ett enat försök att hejda Napoleons »grande armée«. Kampanjen gick tämligen klent för Frankrikes fiender. I början av november hade Napoleon ridit in i ett oförsvarat Wien och hans motståndare var på reträtt. Den ryska hären drog sig bakåt, tätt följd av en stor fransk styrka. En mindre kår på 6000 soldater under Bagration kommenderades då att ta upp ställning vid Hollabrünn, fyra mil norr om Wien. Dess uppdrag var att söka fördröja de franska förföljarna så att resten av den ryska armén skulle få tid att hinna undan. De franska styrkorna var numerärt vida överlägsna – vissa uppgifter talar om att de räknade uppåt 120000 man. Striden blir hård. Tolstojs hjälte furst Andrej är med på slagfältet som medlem av Bagrations svit. Allteftersom den vita krutröken tätnar nere i dalen framför dem och det dova smattret från musköter fyller luften lyssnar Andrej nyfiket på samtalen mellan den ryske överbefälhavaren och hans underlydande chefer. Han gör då en häpnadsväckande upptäckt.

Det visade sig att den som alla tror är spelets herre, Pjotr Ivanovitj Bagration, har mycket lite grepp om det som sker. De virriga rapporterna från slagfältet möts i regel bara av ett frammumlat »det är bra, det är bra«. Andrej inser häpen »att Bagration egentligen inte gav några order alls«. När striden är till ända har ryssarna förlorat hälften av sina soldater. Den illa tilltygade kåren lyckas ändå slinka undan i mörkret och förena sig med Kutuzovs armé. Fastän han knappt lagt två strån i kors där han suttit på hästryggen har Bagration ändå haft en betydelse. Hans gestalt har nämligen skänkt sammanhang åt det skedda. Bagration har genom sitt uppträdande lyckats att göra det »troligt att allt det som skedde av omständigheternas makt utfördes på hans order, eller åtminstone stod i full överensstämmelse med hans avsikter«. Det som i förstone såg ut som ett elakt och dånande kaos blev så i deltagarnas ögon till en tryggt ordnad historia, med Bagration i huvudrollen.

Tolstojs bild av det som skedde den där dagen vid Hollabrünn kan synas vara en fantasifull frihandsteckning, men den skall jämföras med Blüchers ord efter debaclet vid Katzbach. Fältherrarna har i många fall brukats till att göra något till synes obegripligt begripligt. Att just den ensamme mannen på hästen valts att vara den ordnande principen har flera olika orsaker.

Under detta skymtar vi en vanlig och egentligen rätt banal drift till personifiering. Olika sammansatta skeenden och företeelser görs begripliga med hjälp av dem som tycks vara dess förgrundsgestalter. Detta är i bästa fall ett snyggt retoriskt grepp. (Jag tror det kallas för metonymi.) Tyvärr urartar det hela lätt till historiefilosofi för fyraåringar – ni vet, Hitler skapade nazismen, Stalin stalinismen och Per Albin folkhemmet. Och när man skriver, som det till exempel står i Svensk Uppslagsbok, att vid Katzbach »slog Blücher i grund Macdonald, gick sedan över Elbe och förenade sig med Karl Johan, varpå följde Napoleons nederlag vid Leipzig«, så får man känslan att den retoriska figuren har blivit förväxlad med verkligheten och börjat föra något av ett eget liv.

Överbetoningen av fältherrarnas betydelse skall också ses som en del i en militaristisk mytologisering av kriget. Vi skymtar en bild av slaget som ett slags schack, där den skarpaste hjärnan vinner och där soldaterna krympts samman till små och stumma spelpjäser som skjuts hit och dit på brädet; och den gestalt som hade någon vikt här var givetvis spelaren, som framträder som en av upplysningstidens dyrkade Genier, som dragit på sig guldtränsar och uniform och blivit till Fältherren – snillet och hjälten gjutna samman till en. Denna bild är i mycket en skapelse av 1800-talets olika militärideologer, som byggde upp tron på kriget som ett i grund rationellt politiskt instrument. I detta ingick det som en viktig del att framställa krig och slag som mycket mer välordnade och framför allt mycket mer kontroller- bara än de i verkligheten nånsin var. Särskilt under seklets senare hälft blev militärhistorien ett redskap för dessa män. Många var de som liksom krönikörerna av 1849 års fälttåg i Österrike satt och putsade och suddade och fick olika högst slumpmässigt uppkomna strider att se ut som om de egentligen var planlagda långt i förväg. Och där inga geniala planer stod att finna kunde man alltid med hjälp av diverse sökta konstruktioner alltid des- tillera fram ett par ur röken och förvirringen. Denna jakt på en ofta inte existerande ordning blev än viktigare då det blev en vogue bland alla de europeiska officerare som i preussaren Hel- mut von Moltkes efterföljd kom att betona, för att inte säga överbetona, slagets betydelse i krigföringen. För dem och många andra blev den väl planerade och väl utförda drabbning- en något av en dogm, en trossak dyrkad i de militära akademier- nas tempel.

Henry Miller har sagt att förvirring är ett ord vi uppfunnit för en ordning som vi inte begriper. Förvisso kan det vara så. Det kan också vara tvärtom: att ordning är något vi hittar på för att dölja en förvirring som vi inte härdar ut att se. Myten om fält- herren syns mig vara ett uttryck för en dylik längtan efter sam- manhang och planmässighet, en längtan som ingalunda bara finner sitt uttryck i krigshistoriska opus. Den bygger på ett tan- kefel, där man letar efter den eller det som styr ett visst förlopp på den plats som verkar mest uppenbar, utan att alls fråga sig om denne »orörde rörare« verkligen har all denna makt i sin hand – som i fallet med Bagration vid Hollabrünn. Många av de som bevakar nutida politik tycks vara fast i detta feltänkande. Man sysselsätter sig med presskonferenser, s.k. utspel och diverse tomt riksdagsmummel som transmogrifierats till hyllmil av ar- kivbeständigt papper. Dock frågar man sig inte var den verkliga makten finns och varför det kommer sig att regering och parlament visserligen kan bestämma om detaljer men för det mesta gör fiasko när de vill styra de stora skeendena. Vi har sedan länge lärt oss att inte förväxla makt med vare sig storhet eller vishet, och det är nog minst lika viktigt för oss – och för dem vid makten – att inte förväxla förmågan att starta ett skeende med förmågan att kontrollera det.

Med detta vill jag inte komma med en ny variant av den gamla sucksamma visan att »ingenting-vi-gör-spelar-någon-roll-för-allting-är-ju-redan-bestämt«. En enskild person kan ännu ha en enorm betydelse bara han eller hon befinner sig på rätt plats vid rätt tidpunkt. Och slagen – för att återvända till dem – är alls inte ovidkommande. Många drabbningar, kanske de flesta, har utan tvivel haft liten eller ingen effekt på historiens gång, förutom att de ökat på den sammanlagda summan av elände och lidande. Det finns dock en del slag som haft stor betydelse i och med att de inträffat vid en tidpunkt i ett krig då det hela stått och vägt på en svärdsegg. Som exempel på detta kan nämnas Blenheim 1704 och Poltava 1709, som var viktiga vändpunkter; för både Frankrike och Sverige innebar dessa slaktningar att krig som börjat som framgångsrika, offensiva företag i riktning mot total seger kom att vändas i en defensiv kamp för att avvärja ett totalt nederlag.

Väl att märka är att när jag talar om fältherrarnas gravt överskattade betydelse talar jag framför allt om den lägre taktiska nivån: striden, slaget. De hade betydligt större inflytande på de högre operativa och strategiska nivåerna. (Men inte heller här var det hela bara frågan om ett parti schack, där den snillrike gjorde som hans genius manade honom. Arméernas gång över provinser och länder skedde innanför krigsfinansieringens, försörjningens och logistikens trånga bur av järn.) En skicklig general kan sägas vara en man som låter sina trupper gå i strid på bästa möjliga villkor samtidigt som han tvingar sin motståndare att slåss på dåliga. En skicklig general kan göra lokala ingripanden och i bästa fall upptäcka en blotta hos sin fiende och sedan utnyttja den. Men när slaget väl inletts på allvar är det maskinen – soldaterna och befälen med allt vad de bär med sig av utrustning, träning, erfarenhet, moral och viljestyrka – som utkämpar slaget, som vinner eller förlorar det. I det skeendet är fältherren i regel intet annat än en hjälplös liten åskådare på en kulle, som kisar på det bullrande spektaklet i sin kikare, och, som Blücher 1813, kanske grunnar lite på hur i hela friden han skall förklara vad han gjort för att vinna.

Slaget vid Svensksund

I

JUST DÅ, den morgonen, verkade folk på båda sidor vara rätt övertygade om att Sverige stod inför ännu en stor militär katastrof. Uppe vid det svenska högkvarteret i Kymmene gård var man redan i full gång att förbereda reträtten. Tälten bröts och hästarna samlades ihop på ängarna. Broarna över Kymmeneälven fylldes med ris, halm och tomma tunnor för att de snabbt skulle kunna brännas. Allt möjligt tingeltangel bars i land från kungens skepp Amphion, bland annat bordsilvret, kläderna, ett helt ekipage och till och med ett par stora väggfasta speglar. Folk frossade i gåshalvor och kringlor och sköljde ned dem med vin, hämtat från kungens taffel. Ju mer man kunde stoppa i sig desto bättre: då blev det mindre över till fienden som byte. Hos vissa av de småfulla kringelätarna gick det att ana en bister belåtenhet över att det egna nederlaget i kriget nu var nära.

II

På ytan handlade det här kriget om att ta revansch på ryssen för de plågsamma nederlag som Sverige hade lidit under 1700-talet; förlorade områden i öster skulle återtas. Ytterst var dock kriget en enda mans verk. Den mannen var Gustav III.

Gustav III var en högt begåvad fantasimänniska med smak för

politik och våghalsiga företag och fallenhet för önsketänkande;
i Erik Lönnroths lysande biografi över kungen träder han fram
som en egocentrisk hysteriker, som tid efter annan helt förlora-
de kontakten med verkligheten men som alltid förr eller senare
belåtet dunsade ned på fötterna igen. Han var lidelsefullt intres-
serad av dramatik och litteratur och formade mer eller mindre
medvetet sin gärning efter olika historiska förebilder som Gus-
tav Vasa och Gustav II Adolf.

Mycket av detta verkar ha grundlagts i hans barndom: han
formades i korstrycket från, å ena sidan, officiella uppfostrare
som ville få honom att spela rollen av låtsaskung i en låtsasmo-
narki där statschefen tid efter annan var degraderad till en fjantig
liten namnstämpel, och, å andra sidan, en begåvad och makt-
hungrig mor fullkomligt uppumpad med idéer om kunglig
makt och storhet. Resultatet blev förställning.

För honom var kungagärningen i mycket ett slags heroiskt
maskspel, och krig hade han sökt länge då det skulle låta honom
spela den mest åtråvärda rollen av dem alla: hjälten. Med vem
kriget blev utkämpat var i det sammanhanget mindre viktigt.
Det såg ett tag ut som om han skulle söka erövra Norge, och han
skisserade strax upp ett företag som skulle vara våghalsigt på
gränsen till absurt. Ett tag gick han och grunnade på ett litet
blixtkrig mot Danmark men lät sig högst motvilligt övertalas
att avblåsa det hela. Hjälten var dock på envis jakt efter en arena
att uppträda på och när krig 1787 bröt ut mellan Turkiet och
Ryssland såg han sin stora chans. Aha! Han skulle gå i härnad
mot den gamle arvfienden ryssen!

Hans bedömning av de utrikespolitiska förutsättningarna var
utan tvivel skarpsinnig. Det galna låg istället i hans envisa strä-
van att blunda för alla hinder och istället förlita sig på en mäktig
Försyn. Kungen drev själv igenom sitt beslut med en febrig en-
vetenhet som gränsade till mani. Problemen var legio och förbe-
redelserna inför kriget präglades av fusk, improvisationer och

lättsinne. Flottans folk avrådde kategoriskt från krig, och arméns män skruvade oroligt på sig och gjorde svårigheter. Men när rådgivarna – som Gustav III inte drog sig för att villa bort med vilseledande upplysningar och falska dokument – kom med olika näsvisa invändningar blev de avpolletterade och nya, av mer ja-sägande typ, söktes fram i en hast.

Inte ens när krigsplanens grundpelare – alliansen med Storbritannien – föll undan lät han sig rubbas. Dessutom läckte det snart ut att svenskarna höll på att göra sin flotta färdig för krig, vilket hotade att omintetgöra den enda fördel svenskarna ännu kunde räkna med: överraskningsmomentet. De främmande makterna iakttog mycket riktigt de svenska rustningarna, men här räddades Gustav av sin egen våghalsighet. Den enda enkla tolkningen av dessa flottrustningar, det vill säga att Sverige förberedde ett krig mot Ryssland, verkade så vansinnig, så helt igenom korkad att de styrande i S:t Petersburg inte kunde tro sina ögon – för hur i hela fridens namn skulle Sverige kunna anfalla Ryssland helt på egen hand? Därför gnuggade de ryska makthavarna bara sina ögon, skakade på huvudet och återgick med liv och lust till sina eviga palatsintriger.

Ännu ett litet problem för Gustav var att han måste få det hela att se ut som ett ryskt anfall, dels för att inte Danmark skulle komma störtande till Rysslands undsättning, dels på grund av att regeringsformen ej gav honom rätt att starta anfallskrig utan att först höra riksdagen. Han försökte därför att piska upp en stämning av hat mot Ryssland och aktade icke för rov att förfalska en del aktstycken för att få det att framstå som att ryssarna hotade Sverige, vilket icke var sant. Som stilenlig final följde så de ökända skotten vid Puumala, natten till den 28 juni 1788. För att skapa en förevändning för ett anfall på Ryssland sattes svenskar, klädda i kosackuniformer sydda av operaskräddaren Lindblad i Stockholm, att skjuta på en egen postering.

Äntligt fick så kungen sitt krig. Det gick dock inte riktigt som väntat. Motgångarna hopade sig, krigsfolket dog i tiotusental i tyfus, hästarna föll samman av svält, officerarna gjorde myteri och en brydd Gustav III rådfrågade en madam Arvidson som spådde i kaffesump. Kriget till lands hade strax gått i stå på gränsen mellan Finland och Ryssland. (Kungen gjorde dock det mesta han kunde av sin futtiga lilla seger vid Uttismalm.) Kriget till havs blev desto mer livligt. Den svenska flottan, under befäl av kungens bror Karl, hävdade sig väl och lyckades på olika vis hämma de ryska motattackerna till lands. Gustav III blev dock avundsjuk på sin brors oväntade framgångar till sjöss och ville själv styra flottan. Snabbt omsminkad till amiral satte kungen i gång en djärv operation på försommaren 1790. Den syftade till att utsätta S:t Petersburg för ett direkt hot från havet. Den höll strax på att sluta i en total katastrof. De svenska sjöstridskrafterna blev inneslutna i en vik utanför Viborg. Läget var mycket allvarligt, men man lyckades till slut slå sig ut.

III

Det var för sex dagar sedan. Fredagen den 9 juli 1790 var nu inne. Klockan var sex på morgonen.

Den illa tilltygade örlogsflottan låg för ankar drygt 12 mil västerut vid Sveaborg. Skärgårdsflottan hade samlats i ett sund strax väster om Fredrikshamn på den finska sydkusten, Svensksund. Här hade den fått förstärkning från Pommern och från Stockholm. Vid denna tid bestod alltså den svenska marinen av två helt självständiga grenar: örlogsflottan – som bestod av vanliga linjeskepp och hade det fulla ansvaret för sjökriget ute till havs – och skärgårdsflottan – som hörde till armén och enbart förde krig i kustbandet.

Skärgårdsflottan var försatt i ett svårt läge. Missnöjet med kungen och hans krig var vid det här laget närmast epidemiskt. Vid ett krigsråd hade perukstockarna i högkvarteret med en mun yrkat på att man skulle bränna de skepp man inte kunde ta med sig och sedan segla bort, fort. Det gällde att komma iväg innan ryssarna hann ikapp och stängde inne dem i sundet. Men en reträtt mot väster skulle rädda skärgårdsflottan, javisst, men den kunde också förlora kriget. Fartygen som låg i Svensksund var faktiskt den enda styrka som stod emellan den ryska flottan och deras vidare anstormning mot väst. Kungens skarpsinne fick honom att se klart på den strategiska situationen och inse att skärgårdsflottan måste göra ett sista förtvivlat försök att få stopp på ryssarna; kungens böjelse för önsketänkande gjorde att han trodde att det var möjligt. Gustav III hade mot alla råd beslutat att satsa allt på ett kort och ta upp strid med ryssarna på denna plats. De flesta hade lämnat mötet med bister uppsyn, det fanns till och med de som grät öppet.

Men kungen hade bara visat upp en förtätat martialisk min – alltmedan han skalv av oro inombords.

Det var en diger samling fartyg som nu låg och vaggade bland skären i Svensksund och väntade på sina ryska motståndare. Där fanns runt 190 bestyckade slupar, jollar och barkasser: små enkla båtar, 12–20 meter långa, utrustade med både segel och åror, beväpnade med en eller två tunga kanoner. Där sågs dessutom 16 galärer, en gammal fartygstyp: drygt 40 meter långa och främst avsedda för rodd, beväpnade med ett par tre tunga kanoner och med en bemanning på uppåt 240 man. Till sist låg där också flottans hårda kärna: de 5 stora skärgårdsfregatterna.

Skärgårdsfregatterna var en helt ny typ av fartyg som skulle ersätta de gamla galärerna som bara hade tung beväpning i fören och alltid kom till korta i eldstrid. Skärgårdsfregatten var ett slags korsning mellan en galär och ett vanligt krigsfartyg. Den hade dels ett ovandäck där de många roddarna satt sammanklämda runt sina åror, dels ett lägre batteridäck där kanonernas stela, långhalsade odjur stod uppställda. De allra största skärgårdsfregatterna – som var 43 meter långa och hade en besättning på över 300 man – bar med sig 26 tunga kanoner. Dessa tremastade skepp kunde ta sig fram med antingen segel eller åror. Väl i sjön visade de sig vara snabba men inte helt lätta att hantera: någon har sagt att »själva namnet skärgårdsfregatt angiver ett mellanting och ansågs med skäl betyda ett oting«.

Förutom de drygt 210 stridsfartygen fanns där också ammunitionsbåtar, proviantfartyg, jakter, sjukbåtar och transportskepp. Mellan skären kunde man se allt som allt 254 skepp: en skog av master, en sky av flaggor.

Men flottan var inte bara fartyg, den var också människor. Den sammanlagda besättningsstyrkan bestod av 14 180 man. Cirka 1 200 var ej stridande, som hantlangare, drängar och tjänstefolk av båda könen. Runt 8 000 kom direkt från arméns förband. Där fanns folk från alla hörn av riket: livgardister från Stockholm, ryttare från Småland, knektar från Uppland, finska dragoner och tyska kanonjärer. Det var i regel arméns mannar och de indelta båtsmännen som satt vid årorna och som utförde det tunga grovgörat vid kanonerna. Andra hade som uppgift att sitta uppflugna med gevär högt upp i masternas tackling och skjuta prick på de ryska besättningsmännen – om man kom nära nog.

De mer krävande sjömanssysslorna sköttes i huvudsak av värvat folk. Huvuddelen av dessa hade blivit lejda under senvintern och var ofta vanliga enkla mannar från kustbygder och hamnstäder i både Sverige och Finland. (Många var före detta arbetslösa och beskrevs som fattiga, illa klädda och utsvultna.) Andra hade värvats utomlands på så fjärran platser som London och Amsterdam och kom från uppåt tolv olika länder. (Deras lön var måttlig. En duktig överstyrman fick tio riksdaler i månaden, en skicklig matros fyra; detta vid en tid då en liter brännvin kostade mindre än en halv riksdaler, ett får en riksdaler och en tunna råg tre.) Det var en högst brokig skara, där bohuslänska fiskare och ostindiefarare stod invid engelska marinofficerare. Där fanns också små pojkar – skeppsgossar, vars främsta uppgift under strid var att bära fram ammunition – och åtminstone en kvinna i en stridande befattning: hon hette Brita Hagberg. Hon hade klätt ut sig till man och tagit värvning för att leta reda på sin make, en livgardist som hon inte hört av sedan kriget börjat. Hon fick senare en pension av tre riksdaler om året som tack för sin insats.

Det var mycket trångt ombord på fartygen. På de flesta av dem fanns det inte utrymme för sov- och matplatser, varför man i regel både åt och sov i land, och var vädret uselt led folket mycket av köld och väta. Livet ombord var enformigt, trist och noga reglerat. Disciplinen var hård: den som vägrade lyda order eller rymde blev arkebuserad.

På fartygen hade man varit redo för strid sedan kvällen innan. Allt som var i vägen för folket ombord eller som kunde öka den ryska eldens splitterverkan hade stuckits undan. Eldsläckning var förberedd och stora nät uppspända ovanför däcken för att fånga upp delar av riggen om den sköts ned. Ammunition var framburen ur durken och kanonerna var laddade. Manskapet hade intagit sina i förväg utsedda poster; artilleristerna sov invid sina tunga pjäser. På de större skeppen var förbandsrummen klara för att ta emot sårade. Och sand hade spritts ut på däcken för att man inte skulle halka i blodet.

Klockan sju hissades signalen »Klar till aktion« upp i morgonljuset. Natten hade varit vindstilla men nu låg en svag bris på från sydväst. Mumlet av fjärran årslag – stillnat nästan till en viskning av avståndet – fördes av den ljumma sommarvinden fram till de väntande männen i fartygen. Ryssarna fanns någonstans där ute, vid den smala rand där vatten och luft rör vid varandra.

Officerare som spanade mot söder i sina kikare hade kunnat se ryska fartyg på långt håll ända sedan solen spelat upp röd över horisonten. I timme efter timme hade ett otydligt vimmel av segel och master legat stilla i fjärran, alltmedan fartygen makats hit och dit under ständiga omflyttningar. Efter fyra timmars rangering hade den ryska flottan blivit färdig. Vid pass halv nio kom de: 32 större fartyg (22 skärgårdsfregatter, 3 bombfartyg och 7 tungt bestyckade pråmar och flytande batterier), 36 mellanstora fartyg (26 galärer, 6 skonare och 4 kuttrar) samt 206 mindre båtar (198 slupar och bestyckade roddbåtar samt 8 små bombfartyg). Det var en mäktig samling på 274 strids artyg, ordnade i fyra långa kolonner. På den ryske chefens flaggskepp, en fregatt vid namn Sankta Catharina, flög stridssignalen i vinden och invid den lyste kejsarinnan Katarinas egen fana gul med en stor svart örn. Brisen från sydväst var en slängkyss från vädergudarna: den gav dem god fart in i sundet. De ryska fartygen stävade alla mot norr.

De höga cheferna ombord på de ryska fartygen var yra av segervisshet. Ilskna över att den svenska flottan tagit sig ur fällan vid Viborg var de nu otåliga att reparera misstaget. Den ryske befälhavaren, den tyske prinsen av Nassau, var något av en internationell äventyrare: en mycket ärelysten man, tapper, beslutsam, hetsig och snabb till strid, men utan något mer överväldigande militärt snille. Han var kittlad till att söka ett raskt avgörande av diverse sura depescher från Katarina. (Det sades också att han valt just denna dag, den 9 juli, för sin attack, då det var 28-årsdagen för kejsarinnans tronbestigning.) Hans plan var enkel. Han skulle sätta in hela sin flotta i ett samlat anfall från sydväst. Den svenska skärgårdsflottan skulle då vara fångad, intryckt med ryggen mot de smala sunden i nordost, och dess reträttväg västerut skulle vara avklippt. Den svenska skärgårdsflottan skulle nu krossas en gång för alla.

De svenska fartygen låg redan på plats, väntande för ankar. För det som timade var en strid mellan två skärgårdsflottor, och sådana skilde sig mycket från örlogsflottornas yviga sammandrabbningar till havs, i det att fartygen i regel låg prydligt för töjda i raka linjer och att alla manövrer brukade vara högst enkla och utförda under rodd.

Den svenska flottan låg på en bruten linje tvärs över sundet. Denna linje var starkast i mitten. Där fanns alla de tunga skärgårdsfregatterna och galärerna. De små sluparna och jollarna låg utsträckta i långa linjer på sidorna. Den svenska linjen var formad som gapet på ett vilddjur, vitt uppspärrat mot den anryckande ryska flottan; de två långa flyglarna med jollar och slupar svängda nedåt mot syd var käkarna, den tunga centern svalget. Linjen slöt an till skären på båda sidor om sundet och gick inte att gå runt. En fjärde grupp av fartyg var den s.k. tyska brigaden, som bestod av 48 slupar och jollar. Den låg i nordost och vaktade flottans rygg.

Vid niotiden gick de till synes ändlösa kolonnerna av ryska fartyg under full rodd och med bukiga segel förbi Vikarholmens norra udde. Nu var avståndet mellan de två flottorna cirka 3 000 meter. Kursen var rak mot den svenska linjen. Stormanloppet hade börjat.

IV

Vad männen i den svenska linjen kände i det ögonblicket kan vi bara gissa. Stämningen i flottan hade tidigare varit dålig och rymningar förekom ofta. Men de hade alla skänkts en tid av återhämtning och var utvilade. Nu stod de än en gång inför fiendens vajande skog av riggar. Deras vilja att slåss var uppstöttad av den hårda disciplinen (soldaten visste att om han lämnade sin post under strid så kunde han dräpas av vem som helst som ertappade honom), den rena självbevarelsedriften samt med all sannolikhet också av en hel del sprit. Brännvin var något som pytsades ut i stora mängder i flottan, både i vardagslag och – i synnerhet – före och efter slag. Det är rimligt att anta att de flesta av de män som denna soliga morgon väntade bakom åror och

kanoner hade fått sin värsta skräck dövad av ett par stadiga
supar.

De gungande kolonnerna kom allt närmre. Med runt 2000
meter kvar till den svenska linjen började de ryska skeppen och
båtarna att sprida sig i solfjädersform över vattnet. De större far-
tygen lade kurs mot mitten, de mindre skickades ut på kanterna.
Men nu stod det klart för ryssarna att utrymmet mellan skären
var för trångt. Det fanns inte plats för att samla alla de 274 farty-
gen på en rak linje, utan flyglarna måste dras tillbaka.

En halvtimme senare rev ljudet från de första skotten upp ett
hål i luften. Det var båtar från den vänstra ryska flygeln som
kommit inom skotthåll och som nu öppnade eld. Men avståndet
var stort och kulorna studsade bara fram över vattenytan.

Några försiktiga stötar och motstötar slogs ut, detta medan
den ryska linjen på andra sidan sundet sakta tätnade till en tjock
barriär av skrov och höga riggar. Pjäs efter pjäs föll in i kanona-
den, och de brummande projektilerna spände sina valv av järn
allt tätare över sundets vatten. Runt de båda linjerna växte de
ulliga molnen av krutrök: deras svällande former dolde alltmer
av fartygen, bara de vassa vimpelklädda riggarna som stack upp
ovan den vita tjockan visade var de låg. Kokande uppkast av vat-
ten slog upp runt fartygen. Avståndet mellan de båda linjerna
var runt 1000 meter. Sannolikheten att på detta avstånd träffa ett
större fartyg med en 24-pundig kanon var cirka 45 procent.

Klockan tio brakade det och small längs hela linjen. Från de
stora svenska skärgårdsfregatterna sköt de dånande bredsidor-
nas vassa kvastar av eld ut över vattnet. De små jollarna låg och
kajkade med den kanonbestyckade aktern riktad mot ryssarna;
var gång kanonen sköts av gjorde hela båten ett litet skutt bakåt.

Dånet steg

... till ett larm som oupphörligt kretsar,
likt sand som släpas runt av virvelvinden.

Det vältrade sig vidare som ett tätt, mörkt moln av ljud fram och tillbaka över skären. Det kunde höras ända bort till det 19 mil avlägsna Petersburg. Och uppe vid Kymmene gård åt man kringlor och drack vin och väntade på den katastrof som skulle sätta punkt både för kungen och för hans förhatliga krig.

Allt fler ryska båtar skiftades från linjens högra del till dess vänstra kant. Den pressade sakta mot den högra svenska flygeln. Det var här Nassau hade bestämt att genombrottet skulle ske. De svenska sluparna och jollarna bet ifrån sig, men trycket på dem blev gradvis hårdare.

Vinden ökade från sydväst. Tunga moln började spännas upp över himlen och vågorna blev högre. Kolonnen med de stora ryska segelfartygen började klumpa ihop sig. Vädret såg ut att försämras. Men Nassau vädrade seger och tog ingen notis om detta. Det var hans första misstag.

Vid elvatiden kom de ryska fregatterna på plats i mitten, men i det trånga utrymmet och den allt högre sjön uppstod det trängsel i deras linje. Den fortplantades ut mot kanterna. Båtar stötte ihop och åror knäcktes. Vid det här laget hade den högra svenska flygeln fått förstärkningar. Flygelns chef, Törning, såg oredan bland motståndarens skepp. Order gick ut om ett omedelbart anfall. Den högra delen av den svenska linjen började dra sig fram över vattenytan under häftig eld. Männen som satt vid årorna i de ryska småbåtarna hade fått ro hela natten och var nu mycket trötta: de vek bakåt i röken och förvirringen.

Törnings jollar och slupar fortsatte sitt anfall. Framför dem vinglade de ryska småbåtarna bakåt: några drev med sönderbrutna åror och stötte ihop med andra fartyg; ett ryskt flytande batteri strök flagg. Med den vänstra ryska flygeln driven bakåt kunde nu Törnings små fartyg börja skjuta mot de stora skeppen i den ryska centern, som nu började få ta emot eld både framifrån och från vänstra sidan.

Nassau och hans chefer gjorde allt vad de kunde för att avhjäl-

pa bakslaget ute på vänstra kanten. Än fler fartyg skiftades ditåt
från den högra flygeln. Vid pass klockan ett hade en ny vänster-
flank vuxit fram. Linjerna med skepp stod än en gång stilla, frus-
na i en artilleristisk clinch med kanonernas eldgap vidöppna och
rytande – men överkäken på vilddjursgapet hade slutit sig en
aning.

För dem som gjorde tjänst vid kanonerna bestod slaget av ett
tungt och monotont upprepande av ett litet antal noga indrillade
grepp. Kanonen halades in från sin glugg vid relingen med hjälp
av speciella rep och taljor som var fästa vid lavetten. Kanonens
lopp gjordes rent med en långskaftad viskarborste – man måste
få bort all glödande slagg ur pipan innan nytt krut kunde stoppas
in. Kanonen laddades: en kardus med krut fördes in, följt av en
förladdning av torr halm och så en kula. Kanonen halades ut
igen till sin glugg, där den riktades in av kanonkommendören
och avlossades. Männen under däck i de stora fregatterna arbe-
tade i ett svettigt dunkel, halvt blinda av den svidande och fräna
krutröken. Vad som hände ute i ljuset, hur det gick i slaget, hade
de ingen aning om där de rev och slet med de heta eldrören. Så
fortsatte det, timme efter timme efter timme.

Vid tretiden gjorde svenskarna en smart manöver. Chefen för
fartygen ute på svenskarnas vänstra kant, Hielmstierna, sände
då iväg hälften av sina fartyg in i det smala och grunda sundet
mellan öarna Lehmäsaari och Kuutsalo. När de nu gick runt
Lehmäsaaris södra udde dök de upp rakt i ryggen på den ryska
linjen! En avdelning från den ryska högra flygeln – som redan
var försvagad av detacheringarna till den egna vänstra flanken –
sändes bakåt för att möta det nya svenska hotet. Det var nu det
skedde.

Männen ute på den vänstra ryska flygeln hade fått ta emot en
rasande storm av svenska kulor men till liten eller ingen nytta,
för deras egen eld hade gett få synliga resultat. Den skarpa sjö-
hävningen hade nämligen gjort det mycket svårt för dem att sik-

ta. När de utmattade männen nu såg båtar till höger gå mot söder blev det i deras hårt prövade sinnen till en reträtt. En lavin av skräck svepte fram, spräckte upp linjen och förvandlade den till en kaotisk ström av båtar som ivrigt arbetade sig ut mot det öppna havet. Paniken spred sig till den försvagade högra delen av linjen. Inom kort var båda de ryska flyglarna på väg bakåt i en oordnad flykt, i trots mot officerarnas skrik och rop. Lavinen gick inte att hejda.

Men den ryska centern, alla de stora fartygen, låg ännu kvar. I vad som uppenbarligen var en blandning av mod, ursinne och mycket dålig fantasi vägrade Nassau att ge order om reträtt. Det var hans andra misstag. Glömsk av kulornas singlande kast lät han istället ro sig på en slup fram och tillbaka mellan fartygen och ropade hela tiden de enda ord han kunde på ryska: »Gå på! gå på!« Skeppen låg envist kvar och släppte lös sina mullrande salvor mot de svenska linjerna av fartyg runtom – gapets bägge käkar slöt sig nu sakta om dem.

Kungen hade än så länge flyttat runt mellan olika fartyg, men ungefär vid denna tid gick han i land på den lilla holmen Kuusinen. Orsaken till detta var inte rädsla – Gustav III var allt annat än feg – utan nog helt enkelt att han fick en bättre överblick av slaget från holmen än från de krutdimmiga fartygen.

Det blev sen eftermiddag och vinden från sydväst ökade i styrka, sjögången blev allt högre. Den vind som från början varit ryssarnas hjälp blev nu deras bane. Det blev hart när omöjligt att hålla de ryska fartygen på plats. Sakta förvandlades centern från en stram linje till en rykande gyttrig klunga. Det blev allt svårare att rikta för de ryska kanonjärerna, fartygen gungade häftigt i de höga vågorna och de tunga lavetterna krängde hit och dit. Ryssarna fortsatte dock envist att skjuta. Ingeborg, en av de svenska skärgårdsfregatterna, tog eld och började sjunka. Längre bort slog plötsligt en liten vulkan med en knall upp ur vattnet. Det var en svensk kanonslup, nr 122, som gick i luften.

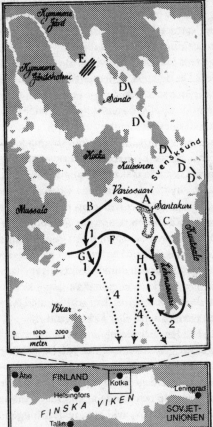

Förklaring till kartan

A = Den svenska flottans center.

B = Svenskarnas högra flank under Törning.

C = Svenskarnas vänstra flank under Hielmstierna.

D = Den »tyska brigaden« vaktar den svenska flottans rygg.

E = De svenska transportfartygen.

F = Den ryska flottans center.

G = Ryssarnas vänstra flank.

H = Ryssarnas högra flank.

1 = Den svenska högra flanken blir först hårt pressad, men lyckas sedan slå ut ett motanfall. Den ryska vänstra flygeln viker bakåt.

2 = Fartyg från Hielmstiernas flank sänds runt Lehmäsaari och dyker upp i den ryska flottans rygg.

3 = Fartyg från den högra ryska flygeln sänds bakåt för att möta detta nya hot, men...

4 = ...förflyttningarna misstolkas som början på en reträtt och panik utbryter på båda de ryska flyglarna, som flyr och lämnar fartygen i centern ensamma kvar.

För ett par korta sekunder piruetterade sotiga kroppar runt uppe på toppen av en hög plym av eld och svart rök, sedan vände de i luften och damp ned i vattnet. Men allteftersom tiden gick blev den ryska elden alltmer tunn och oregelbunden.

De svenska fartygen led inte alls lika mycket som de ryska av sjögången och vinden. De låg stilla, ordentligt förankrade och delvis i lä bakom skären och med hela den ryska flottan som en enorm vågbrytare framför sig. Den svenska flottan kunde fortsätta att släppa lös ett träffsäkert skydrag av tjutande och väsande projektiler över de alltmer värnlösa flytetyg som skymtade genom röken och de sprutande nedslagen på andra sidan sundet.

Den ena efter den andra av de ryska galärerna sköts i sank. Besättningen stod utan skydd i den ursinniga elden, som nu kom från tre sidor och vars gissel av järn gång på gång svepte över däcken så att flisorna rök. Spretiga högar av döda och döende kastades i sjön för att inte vara i vägen, på en galär återstod bara 14 man av 300; och i de sjunkande fartygen satt galärslavarna – ofta hoprafsade krigsfångar och dömda brottslingar – fastkedjade vid sina åror. Den starka sjön gjorde att fartyg slet sig från sina ankare, och de som inte sjönk drev redlösa med tysta kanoner ned mot den svenska linjen eller gick på land.

Någon gång vid sextiden gick drabbningen in i sitt allra otäckaste skede. Slaget var i praktiken avgjort, men nu började slakten. De ryska galärer som ännu flöt drog sig en efter en, slokande och sneda, ut ur striden. Segelfartygen låg dock kvar. De var stora och kraftigt byggda och kunde ta en enorm massa stryk; så de flöt, med ärrade skrov, avklippta master, riggen i trasor och däcken ett skränande kaos av kullvräkta kanoner, blod och chockade människor. Folk träffades hela tiden, slogs i bitar, klipptes itu. Män från sjunkna skepp gled runt i vattnet, flytande på vrakspillror, men många dödades av svenska kulor. (De som plaskade runt i närheten av de egna skeppen löpte dessutom en stor risk att träffas av de glödande rester från brända karduser och förladdningar som kastades ut av de egna kanonerna när de avfyrades.) Odjurets tänder satt nu djupt i strupen.

Till slut insåg även Nassau att slaget faktiskt var förlorat. Order gavs om reträtt och vid åttatiden började även de stora skeppen att dra sig bakåt. Men det var för sent. Den tjutande vinden och den höga sjön drev det ena fartyget efter det andra upp på skären vid Lehmäsaari.

Man såg ej havet mer, ty det var täckt
av fartygsspillror och döda män,
och liken hopades på skär och stränder.
Och vad av skepp ännu fanns kvar i flottan,
de roddes undan i förvirrad flykt.

I de höga bränningarnas vita skum tumlade fartygsvrak runt och båtar, åror, levande och döda människor och vrakspillror ältades om vartannat. Disciplinens hårda band brast helt på vissa av de ryska fartygen och säcken gick upp: delar av manskapet kastade sig i panik i livbåtarna, andra gav sig på brännvinsförråden.

Det skymde på och ur den molnklädda himlen började ett regn falla. Dånet från kanonerna glesnade sakta ut för att så småningom tystna helt.

På den svenska skärgårdsfregatten Starkodder kunde de trötta, svettiga och svartsotiga männen vid kanonerna låta sina händer falla och räta på de värkande ryggarna. De hade skjutit oavbrutet i nio och en halv timma. Under den tiden hade de avlossat inte mindre än 1 215 24-pundiga skott och 72 12-pundiga. De hade klarat sig bra: bara två av deras kamrater hade dödats och åtta var sårade; skeppets skrov och tackling hade fått många skador, men ingen var vidare allvarlig.

Här och var i dunklet anades glöden från brinnande ryska fartyg som antänts av sina egna besättningar. Kungen begav sig nu till Amphion för att sova, men fann skeppet helt renrakat. Inför det förmodade nederlaget hade man till och med burit i land hans säng och hela kabyssen: nu kunde han inte få vare sig lagad mat eller ens en sovplats, och det gjorde honom mycket vred. Kungen tvingades att söka sin paulun på ett annat fartyg.

Det hade varit en lång, lång dag och det blev en lång natt, åtminstone för ryssarna. I mörkret fullbordade den hårda vinden och den malande sjön det ryska nederlaget. Exakt hur många ryska sjömän som drunknade den natten kommer aldrig att bli klarlagt. Det förekom en del små strider under natten och den tidiga lördagsmorgonen, men vid sjutiden strök alla de ryska fartyg som ännu inte kommit undan flagg. Allt var över.

v

Den ryska flottan hade lidit ett nederlag av enorma mått. Under dagarna som följde höstade svenskarna in bytet. Ryssarna hade förlorat 52 fartyg (de minsta oräknade), av vilka 22 föll i svenska händer: en tredjedel av den ryska flottan hade gått helt förlorad. Nassau själv räddade sig undan – med ansiktet dolt i en kappa – men alla hans personliga bric-à-brac och hans kansli blev svenskt byte, tillsammans med bland annat över 800 artilleripjäser och 70 fanor och standar. Runt 1 400 ryssar hade mist livet: skjutna, ihjälbrända och drunknade. De cirka 6 000 ryssar som räddat sig upp på holmar och skär togs snart till fånga. De var så talrika att man fick problem med att föda dem alla. Bland dessa fångar – som beskrivs som »usla« och »ynkligt klädda« – fanns både kosacker, kalmucker och basjkirer samt också ett 60-tal turkiska galärslavar som tagits till fånga i Svarta havet två år tidigare. (En av dem var en högbördig ung man vid namn Mehmed. Gustav III som tyckte om allt exotiskt anställde honom prompt som page vid hovet och packade därefter iväg honom till Uppsala för att få utbildning. Den unge mannen trivdes dock inte särskilt väl i sitt nya land och reste snart hem.)

Svenskarnas förluster var små. Sex fartyg – varav en skär-gårdsfregatt, Ingeborg – hade gått förlorade. De döda räknades till 171 man, och om man till detta lade både lätt och svårt sårade uppgick den totala svenska förlusten till något mellan 600 och 700 man. (De flesta av de sårade officerarna hade av någon märklig slump träffats i benen eller fötterna.) Hur gick det för de sårade? Det kan räcka med att nämna att läkarvetenskapen var outvecklad och sjukvården nära nog kroniskt missskött under detta krig; det hade förekommit tidigare att skadade fått ligga utan riktig vård i upp till nära två veckor, med såren kryllande av mask. Så mycket bättre gick det nog inte för många av dem som sårades vid Svensksund.

Torsdagen den 22 juli firades segern på plats. Det var en mycket högtidlig tillställning, med Te deum, saluter, tal på operaprosa samt ett frikostigt utportionerande av ordnar, hedersvärjor, praktskärp och annat smått och gott. (Vissa officerare var dock sura över att kungen bara gav dem befordringar men inga löneförhöjningar. En av de missnöjda lät efter festen paradera en get på sitt fartyg, varefter han höll ett vackert tal, där djuret prisades för sin insats som leverantör av grädde till kaffet, varefter den blev upphöjd till rang, titel och värdighet av ko – om än med precis samma utfodring som förr.) Samma dag cele-brerades också det skedda i Stockholm, något som enligt en brevskrivare skedde »med gudstjänst, kanonskott, skrik, fylle-ri, fyrverkeri och slagsmål. Folket i sin oskyldiga glädje kastade en polisbetjänt i sjön och några andra människor blev illa stuck-na med knivar«.

Detta krig, som börjat med ett pip, fick här sin ände med en smäll. Det är fel att kalla slaget meningslöst, för den helt ovän-tade svenska segern fick luften att gå ur hela spektaklet och öpp-nade vägen till fred. Gustav III var stolt, han hade fått sin stora seger, men den krigiska berusningen i hans själ var för tillfället

släckt av mötet med den grå verkligheten. (Ett nytt, omöjligt
företag hade också fångat hans irrande blick. Aha! I spetsen för
en allierad armé skall han marschera in i Frankrike och krossa
den otäcka revolutionen!) De skakade ryssarna kunde nu tänka
sig att ställa till fred, och kungen var rätt nöjd med detta. Fred
slöts i Värälä i augusti, med få påtagliga resultat: inget land togs,
inget tappades. Två år, 23 miljoner riksdaler och över 20000 liv
senare var svenskarna tillbaka på samma punkt varifrån man
startat. Så kan det gå.

Tankar kring ett nyligen timat krig

I

DÅREN HÖR SEDAN en lång tid tillbaka till de mer fasta inventarierna i vår politiska mytologis stora skräckkabinett, men inte främst som individ, utan snarare som grovt tillskuren typ eller kliché. Särskilt den galne generalen är en figur ur den höga retorikens formvärld som funnits med oss så länge att han på något märkligt alkemiskt vis verkar ha tagit sig varelse i verkligheten. Han är ju en så tacksam stereotyp, även om det nog är rätt svårt att finna hans like i levande livet.

Några fall finns förstås. Min egen favorit till topplistan över galningar i grönt är nog Hajianestis, som var överbefälhavare för den grekiska armén i kriget mot turkarna 1921. Av politiska skäl framletades den stackars Hajianestis ur något mörkt hörn och behängdes med epåletter och ansvar. Han sökte styra kriget från en yacht i Smyrnas hamn, för det mesta med en mycket måttlig framgång. Oftast var han bunden till sängen, förlamad av olika tvångstankar. En tid låg han helt blickstilla då han trodde sig vara död; under en annan period vägrade han att lämna sin säng då han på något vis fått för sig att hans ben var gjorda av socker och att de skulle gå i bitar om han ställde sig på dem. När han någon gång vinglade upp ur sin paulun tillbringade han den mesta tiden i goda restauranger vid sjösidan och rapade fram skurar av order som antingen var galna eller motsägande eller bådadera. Moralen i den grekiska armén föll av förklarliga skäl samman, och Hajianestis blev snart ersatt, men då var skadan redan skedd.

Den berömde generalen Blücher, som kommenderade den preussiska armén vid Waterloo 1815, var inte heller alltid helt tillräknelig. Det krävdes nog en ansenlig portion av »stiff upper lip« av Wellington när hans illustre vapenbroder i förtroende berättade att han var gravid med en elefant och att fadern var en fransk soldat!

Den Galne Generalen är, liksom hans halvbror Den Galne Diktatorn, nog för det mesta kommen ur en klockartro av vackert upplysningstida snitt, där världen träder fram som en gripbar helhet som alltid går att urtvinga en förnuftig mening. Och när man så inte får den strikt logiska ekvationen att gå ihop kastar man med en gest av vanmakt armarna högt i vädret och förklarar att den eller den icke kan vara vid sina sinnens fulla bruk. En av de senaste kandidaterna för rollen som Galen General är givetvis busen i Bagdad. I hans fall gav denna överrationaliserade syn på världen smått märkliga resultat. I ena stunden sade man att den irakiske diktatorn var alldeles otroligt slipad, ett slags arabisk »GröFAZ« (»Grösster Feldherr aller Zeiten«, ett av Hitlers alias); i nästa stund sades samma person vara helt bindgalen och inte mer tillräknelig än vilken sociopat som helst. Det säger sig självt att en förklaringsmässig manikeism av ett så bornerat slag, där allt är antingen svart eller vitt, genialt eller helt prilligt, inte har något med den s.k. verkligheten att skaffa.

»Verkligheten«, ja. Det är väl där som mycket av problemet ligger. I verkligheten är generaler och andra män med makt utan tvekan stramt logiska, men tyvärr är de rätt sällan där, i verkligheten alltså. De följer ju aldrig det vi kallar verkligheten när de fattar sina beslut, de går efter sin bild av den samma, och det är ju inte sällan en helt annan femma. Och det vi kallar för historia uppstår ofta i glappet mellan dessa två. Det gäller att inte förringa makthavarnas förmåga till självbedrägeri – en trist men ändock djupt mänsklig egenskap som alls icke skall förväxlas med ren galenskap. Det gäller att inse att fantasier också är verkliga, eller, rättare sagt, att de blir verkliga när någon tror tillräckligt hårt på dem och det samtidigt finns institutioner mäktiga nog för att låta dem ta fast form.

Det italienska överfallet på Grekland i oktober 1940 visar hur långt det kan gå. Hela operationen var uppenbarligen ett rent infall, sprungen ur Il Duces överhettade hjärna. I början av oktober 1940 hade tyska trupper med den rumänska regeringens samförstånd gått in i Rumänien, bland annat för att försäkra sig om landets stora oljefält. Det var ett tydligt tecken på Hitlers misstro mot Sovjetunionen, men varken Stalin eller Molotov reagerade nämnvärt. Det gjorde däremot Mussolini. Att han ej blivit underrättad om detta drag i förväg såg han som en personlig affront, och hans upprördhet visste inga gränser. »Hitler ställer mig alltid inför fullbordat faktum«, gormade en djupt sårad Mussolini inför sin utrikesminister Ciano. »Men denna gång skall jag svara med samma mynt. Han kommer att få läsa i tidningarna att jag har ockuperat Grekland.« (Det är lätt att föreställa sig hur han med viftande armar, vilt stirrande pudelögon och putande underläpp ryter fram detta inför sin förbluffade excellens.) Att flera av hans främsta militärer hade avrått på det bestämdaste bekom honom inte det minsta, för det fanns alltid gott om ja-sägare med mjuka ryggbast som artigt applåderade hans infall. Som chef för hela operationen sattes Visconti-Prasca, en medaljerad bluff till militär som verkar ha varit Mussolinis like i skryt och önsketänkande, vilket inte vill säga lite. Anfallet hade förberetts till fulländning, sade han, och grekerna borde vara knäckta inom två veckor. Inget av detta stämde på långa vägar. Planen byggde på felaktiga underrättelser, inte minst i fråga om grekernas vilja och förmåga att stå emot en attack; man hade också en hel del korrekta bedömningar, men de hade under stilla visslingar lagts undan i skrivbordslådorna då de alltför mycket avvek från Mussolinis egna förväntningar.

Så kom anfallet. Något blixtkrig blev det då rakt inte. Framryckningen gick mycket segt och omständligt. Under de första två dagarna avancerade italienarna som allra längst knappt en mil. Lurad av Visconti-Prascas bombasmer och rädd för att Hitler skulle ingripa och stoppa hela jippot om han fick korn på det, hade Il Duce givit sina militärer på tok för lite tid att förbereda anfallet. Överskeppningen av de i all hast inkallade trupperna hade varit en logistisk parodi: i vad som torde ha varit världshistoriens största bagageslarv landades ofta trupper på en plats, den tunga materielen på en annan, etc. Till råga på allt vägrade grekerna att erkänna sin numerära underlägsenhet och i enlighet med all erkänd militär klokskap kvickt lägga benen på ryggen. Istället gick de till motanfall och vräkte sina ockupanter in spe tillbaka in i Albanien, långt förbi utgångsläget för anfallet! Visconti-Prasca blev raskt ersatt av generalen Ubaldo Soddu. Denne hade en stor passion: han komponerade filmmusik, och han verkar ha betraktat kriget som ett irriterande litet avbrott i denna viktiga syssla. Därför fortsatte han också med sitt idoga komponerande även sedan han anlänt till krigsskådeplatsen, något som inte kunde fördras ens i den italienska armén, varför även han strax blev avpolletterad.

Ännu ett exempel på hur lätt det är att se bara det man vill se går att hämta ur USA:s krig i Vietnam. Amerikanarnas försök att med massiv vapenmakt stoppa Sydvietnams gång mot nationell återförening och social revolution borde ju ha haft alla chanser att lyckas: världens allra främsta militärmakt, väpnad till öronen med alla de högteknologiska perversiteter som vapenindustrins krökta hjärnor kan finna på, ställs mot ett usligt litet bondeland i tredje världen. A piece of cake. Ändå gick det som det gick.

En del av orsakerna till kriget och till USA:s fiasko i Vietnam står att söka inuti de amerikanska beslutsfattarnas egna skallar. De var fångar i felaktiga analogier. I början av kriget utgick man, som Neil Sheehan visat i sin helt briljanta bok *A Bright Shining Lie*, i mycket från sina erfarenheter från Filippinerna under första delen av 1950-talet. Då hade amerikanarna lyckats knäcka det av kommunister ledda Hukbalahap-upproret; den samling med framgångsrika handgrepp som kommit till användning där blev sedd som ett givet framgångsrecept som man kunde göra bruk av närhelst och varhelst världskommunismen stack upp sitt fula tryne, som till exempel i Vietnam. De kulturella och socioekonomiska skillnaderna mellan Vietnam och Filippinerna var dock bitvis hisnande stora. Men detta såg inte beslutsfattarna där de satt med sina väl tummade exemplar av kontrarevolutionärens handbok i nyporna. (Det var förresten en snarlik dålig analogi – fast så att säga från andra hållet – som fick Che Guevara att starta sitt korkade lilla revoltförsök i Bolivia.) Och frestelsen att dra fel slutsatser lyckades de nästan aldrig stå emot.

Det senaste världskriget erbjöd dem ännu en vilseledande analogi. Erfarenheterna från andra världskriget hade satt sin omisskännliga stämpel på hela den generation av militära och civila beslutsfattare som ledde USA in i debaclet i Sydostasien. Den till synes eviga doften av seger hade gjort dem till offer för sin egen framgång. Andra världskriget hade varit ett enda långt triumftåg för den amerikanska teknologin och USA:s hart när obegränsade ekonomiska tillgångar. Ur detta sprang den obetingade övertygelsen att det inte fanns något man inte kunde ordna genom att ta till en än större hammare. Denna obstinata förlitan på den råa styrkans logik gjorde också militärerna endast förstrött intresserade av andra lösningar än att banka och banka och banka lite till. Det gällde bara att bygga upp en tillräckligt stor »killing-machine« som sedan släpptes lös på den stackars fienden; segern skulle vara given, för vem skulle kunna stå emot dess oändliga tyngd? Bygget av denna maskin blev dock snart till ett mål i sig och vad kriget handlade om och vad USA egentligen hade i Vietnam att göra, det kom liksom bort i hanteringen. Amerikanarna var helt enkelt så vana att vinna att de inte längre kunde tänka sig att förlora. Allt detta gjorde det mycket svårt för befälhavarna att svara på oväntade händelser och att anpassa sig till en ny verklighet, för de tittade ut över Vietnams berg och såg bara Normandies stränder.

Nej, de flesta satt bara och hukade bakom sina skrivbord i svala moduler och plirade på IBM-datorer och bukiga pärmar med siffror och konstaterade helt nöjt att maskinen hade fungerat bra hitintills och att den minsann förväntades göra det även i fortsättningen. Just den här statistiska synen på världen verkar ha varit kännetecknande för männen som hade makten; Barbara Tuchman har i sin bok *Dårskapens vägar* skrivit om försvarsminister Robert McNamara att detta utpräglat statistiska sätt att närma sig verkligheten gjort honom rätt liknöjd för olika mänskliga variabler och gav »inget rum alls för oförutsedda händelser«. Den militära byråkratin var helt fixerad vid snyggt mätbara framgångar som enkelt gick att stöpa om till data, stapeldiagram och fina medianvärden. USA:s flygvapen hittade bland annat därför på begreppet »structures«, vilket kom att innefatta allt från stora bunkrar byggda av FNL till bondens gård och hundens lilla koja. Detta gav flygvapnet en flod av nya mål, vilket behövdes för att hålla den växande flottan av stridsplan sysselsatt, på samma gång som det hejdlösa bombandet av diverse »strukturer« gav just den typ av mätbara framgångar som man ville ha. Och armén gav militärbyråkratin »the body count«, det vill säga antalet dräpta motståndare, något som också tenderade att göra både stridande motståndare och helt oskyldiga civila till samma typ av mål. Det var inget annat än byråkratiska dillerier som fick helt fasansfulla resultat när de kom i bruk ute på fältet. Som något slags mätare på framgång var de helt utan värde.

De tenderade dessutom att motverka sitt syfte, för den urskillningslösa bombterrorn på landsbygden drev den civila befolkningen rakt i armarna på FNL. Detta såg givetvis många av de amerikaner som verkade i landet. Neil Sheehans bok är en biografi över en av dem, John Paul Vann, en klarsynt och modig amerikansk rådgivare som luktade luntan redan i början av 60-talet och som därför försökte få till en ändring. När han började sända in sina väl underbyggda rapporter, där han slog fast att USA faktiskt höll på att förlora kriget, reagerade hans självbelåtna chefer med ett totalt förnekande, där de satt och ältade i sina bottenlösa moras av statistik. De höga amerikanska militärerna skulle alltid se det som de förväntade sig att se. Därför kunde de utan att darra på manschetten stoppa olika illa tålda rapporter, manipulera och till och med förfalska olika data för att få fram den bild av verkligheten som de förväntade sig att se. Med chefer med ett så utpräglat klent grepp om verkligheten är det kanske inte så underligt att USA inte vann det kriget.

Detta är inget unikt. I ett tidigt skede av Suezkrisen 1956 fick Anthony Eden, den engelske premiärministern, en rapport som helt klart sade att ett militärt ingripande mot Nasser inte kunde lyckas. Eden, som redan tidigare valt att strunta i folk som kommit med avvikande åsikter, skall enligt uppgift ha låtit förstöra rapporten. Till viss del har vi nog att göra med ett fenomen som psykologer har benämnt »kognitiv dissonans«, det vill säga en benägenhet att bortförklara, släta över eller helt enkelt bara rensa bort ovälkommen information. De mekanismer vi anar här är nog också komna ur den tysta konformism som frodas i stora hierarkiska byråkratier där folk tiger eller håller med av krasst karriärmässiga skäl. Detta blir givetvis etter värre i olika strängt auktoritära system, där sanningssägaren löper risk att mista både taburett och huvudknopp. De uppe på toppen är därför i regel omgivna av en hög mur av tjockskalliga nickedockor som noga skyddar Ledaren från all otäck så kallad verklighet.

Något sådant verkar ha skett när juntan i Buenos Aires 1982 startade sin invasion av Falklandsöarna. Olika underhuggare som var satta att ge underlag för operationen kom i stor utsträckning fram till just de resultat som de visste att deras chefer ville ha. Därför kom också hela äventyret att startas utifrån den helt felaktiga förutsättningen att britterna inte skulle reagera militärt på en attack mot de där ynka öarna. Något sådant verkar ha skett när Irak 1980 gick ut i krig mot Iran. Saddam blev då eggad att gå till attack, dels av ren desinformation från USA som kom via Saudi-Arabien och som överdrev Irans militära svaghet efter shahens fall, dels av en underrättelsetjänst som var benägen att förse honom med information som ofta var mer önskad än korrekt. Utifrån en sorglig härva av grava missbedömningar gick han så till anfall, sittande i något slags gökbo i det blå. Resultatet blev det längsta krig som 1900-talet skådat. Något sådant verkar också ha skett när Irak gick in i Kuwait. En sovjetisk diplomat vid namn Jevgenij Primakov har efter en rad möten med höga vederbörande sagt att Saddam helt felbedömt hur omvärlden skulle svara på ett dylikt företag. När sedan FN-alliansens styrkor strömmade till i parti och minut och det stod klart att missbedömningen verkligen var en missbedömning missade Saddam inte chansen att göra ännu en. Nu intalade han sig att den stora konflikt som seglade upp vid synranden var möjlig att vinna: ännu två dagar innan stormen bröt löst ovanom hans huvud var han bergfast övertygad om seger.

Gång på gång hade han alltså förlorat sig i en sagovärld. Frågan är om han ens förstod det själv, där han sen satt bergtagen i sin bunker 40 meter under det sammanstörtade presidentpalatset, blinkande 49 gånger på 60 sekunder, isolerad från yttervärlden av en tätt sluten kohort av kusiner, halvbröder och andra som räddhågset skedmatade honom med de små smulor ur verkligheten som de visste att han ville ha.

II

Det moderna kriget är alltid kort, åtminstone så länge det bara har sin varelse i olika höga beslutsfattares huvudskallar. Drömkriget torde väl vara det som utkämpades mellan Storbritannien och Zanzibar 1896. Det varade i 38 minuter. Så lång tid tog det en brittisk flottstyrka att bombardera öns nye sultan till kapitulation. Efteråt var det tal om att låta delar av lokalbefolkningen betala för den använda ammunitionen, så det var säkert billigt också.

När folk i ansvarig position säger att man står inför en raskt överstökad militär konflikt skall man aldrig tro dem. Alla historiska erfarenheter säger oss att det i regel blir både värre och mer långvarigt än någon kunnat föreställa sig. Deras tal är givetvis propaganda, som syftar till att få oss att köpa kriget som idé – hem innan löven faller och allt det där. De styrandes förhoppningar om ett kort krig är dock inte enbart retoriskt snömos. Kanske fanns det bland de styrande på den allierade sidan i Persiska viken ett vilt hopp om att krigshandlingarna skulle kunna bli närmast symboliska till sin natur, som i Zanzibar i augusti 1896. Att Saddam Hussein, fångad i en tjock väv av egna bombasmer och felbedömningar, bara skulle behöva få några laserstyrda robotar mot sig för att kunna dra sig tillbaka med äran i behåll. När Tredje riket föll samman på våren 1945 inträffade det en rad små tragikomiska incidenter av det slaget då tyska militära chefer vägrade att ge upp utan en kort symbolisk strid – ofta räckte det med att en allierad stridsvagn rullades fram för att skjuta av ett enda verkningslöst skott. På en plats i Danmark sägs det att den tyska militära äran krävde att man fick kapitulera inför en uniformerad motståndare, den lokala motståndsrörelsens väpnade civilister dög därför icke. Problemet skall ha lösts på så vis att tyskarna sträckte vapen för ortens stins och alla blev nöjda och glada.

Drömmen om det korta kriget verkar dock ha varit högst verklig för många beslutsfattare i vår tid. Man har insett hur dyr och oerhört förödande en militär konflikt kan vara men kan ändå förmå sig till att sätta i gång det hela då man är fast övertygad om att kriget kommer att bli en gesvind affär. Det finns historisk forskning som pekar på att just sådana tankar om hur lätt man kan nå sina mål ofta finns med i bakgrunden vid krigsutbrott. Första världskriget är ju det klassiska exemplet på detta, där flera av de inblandade skenade rakt in i eländet på sensommaren 1914 i den vackra tron att allt skulle vara klappat och klart före senhösten eller i alla fall före jul. (Saddam Husseins båda anfallskrig – det mot Iran 1980 och det mot Kuwait som han startade i augusti 1990 – verkar båda ha sprungit fram ur en dylik överoptimism.) Det har påpekats att denna tanke ofta kopplats samman med en mer eller mindre ärligt känd skräck att ett tillfälle höll på att glida en ur händerna. År 1914 var det tyskarna som fått för sig att den ryska upprustningen gick i en så halsbrytande fart att en konflikt i längden var oundviklig och att man inte hade råd att skjuta på den längre. Ingenting verkar lamslå makthavares fantasi och omdömesförmåga mer än den här känslan av att spela mot klockan. Pendylen tickar vasst, telegrammen hopar sig på bordet och strax utanför står generalstabsofficerare med röda revärer och knarrar otåligt med sina av fälttågsplaner och mobiliseringsscheman bukiga läderportföljer: det gäller att smida medan järnet... »Låt oss bara sätta i gång«, säger militären, »vi lovar ett krig som blir våldsamt, men kort.« Det var ett löfte som tilltalade de styrande.

Denna vision om den våldsamma men korta konflikten är till viss del en nyhet. Den skiljer sig på flera vis från den dröm om kriget som närdes i det tidigmoderna Europa. Lite tillspetsat skulle man kunna säga att de som härskade då, adeln, gärna såg att det var tvärtom, att krigen var långa men rätt stillsamma. Som de ville se det var örlog den kanske enda rätta sysslan för en äkta gentleman: stundtals fruktade de freden mer än kriget, för fred innebar tom kassa, sysslolöshet och trist karriärstiltje. Krigen var utdragna och svåra att föra fram till ett avgörande, fasta som de var i årstidernas långsamma lunk. Lägg till detta att parterna i regel var mångfaldiga och svårt snärjda av virriga härvor av dynastiska förvecklingar, krigsmålen ofta dunkla och att mycket av stridandet utfördes av fria äventyrare som kunde byta sida om det knep, ja då förstår man lite bättre varför krigen ibland kunde dra ut i trettio, fyrtio, ja hundra år.

Under 1800-talet var det istället det korta kriget som var idealet, ett ideal som åren före det första världskriget blev till något av en dogm. Både den tyska och den franska generalstaben trodde efter kriget 1870–71 att nästa kraftmätning skulle vara en kort historia. Tyskarnas högste planläggare Alfred von Schlieffen och andra med honom ansåg att något annat var omöjligt: en lång konflikt skulle helt enkelt ruinera ett lands handel och industri. Detta är givetvis den springande punkten. Feodaladelns agrara Europa hade vid denna tid gett vika för bourgeoisiens industriella dito. Och borgaren drömde ingalunda om ett liv i fält. Freden passade honom bäst. Men om ett krig var av nöden och om borgaren då fick välja skulle det vara hårt men kort. Ett dylikt gav förhoppningsvis goda resultat till en begränsad kostnad och utan att ställa hela ekonomin på huvudet. Vid ett långt, totalt krig var det omöjligt att få kalkylen att gå ihop. Den typen av konflikt kunde man aldrig någonsin drömma att få lönsam. Alltså ville både civila och militärer under denna tid bara tänka på ett kort krig, helt enkelt därför att det långa syntes för ... ja, otänkbart. Tyvärr verkar det vara så att en lättsvald illusion alltid kommer att slå ut en plågsam sanning. De enkla bilderna rymmer en magi som det ibland syns vara omöjligt att motstå.

Kriget blir ju i alla fall hjälpligt förnuftigt när det framställs som kort och begränsat. Men vad var det som den amerikanske viceamiralen Davis skrev 1954 när det blev tal om en begränsad

amerikansk intervention i Vietnam: »Man kan inte korsa Niaga-
rafallen i en tunna bara lite grann.«

III

Krigets ansikte har i alla tider varit präglat av ett växelspel mellan
den militära teknologin och det militära tänkandet. Dessa två
har nästan aldrig varit i takt med varandra och tid efter annan har
glappet dem emellan varit milsvitt, något som icke sällan har
gett helt förödande resultat. Militärer är ofta högst konservativa
människor som inte så gärna ändrar på något, utan lätt blir fast
i olika fredstida mönster och till synes vackra traditioner. När
den tekniska utvecklingen i och med mitten av 1800-talet gick in
i en ny och oändligt mycket snabbare fas blev detta dilemma
akut. Första världskriget visar hur monstruöst illa det kan gå när
krigföringen blivit helt revolutionerad av olika tekniska »fram-
steg« men det militära tänkandet inte alls hängt med. Ett nästan
idealtypiskt exempel på militär tjockskallighet är – givetvis,
måste jag få säga – sir Douglas Haig, chefen för de brittiska styr-
korna på västfronten 1915–1918, som har efterlämnat en rad
oförglömligt sublima bonmot i stil med att kulsprutan var »ett
mycket överskattat vapen« och att det var »dåraktigt« att tro att
flygplan skulle kunna användas i krig. (Hans enda egna insats
på den militära uppfinningsrikedomens fält var återinförandet
av lansen i den brittiska armén 1907; när den blev avskaffad 20
år senare hade den i stort sett bara brukats under jakt på vildsvin
i Indien.)

Även om det är mera sällsynt, händer det också att glappet
kommer till på ett rakt motsatt vis, det vill säga att det dyker upp
olika nya glada teoretiker som raskt blir en vogue inom de mili-
tära kotterierna utan att någon bekymrar sig över att man helt
saknar de medel som krävs för att låta de högtflygande visioner-
na ta kropp i verkligheten. Samma år, 1921, framträdde två gla-

da och förfärliga män, engelsmannen sir Hugh Trenchard och italienaren Giulio Douhet, och hävdade på var sitt håll att nästa krig skulle komma att avgöras av bombflyget. Allt som krävdes i fortsättningen var ett antal dagars massiva attacker med flyg, riktade mot motståndarens städer, industrier och politiska centra, sedan skulle det vara klappat och klart. (Armé och flotta antogs få en klart underordnad roll; de skulle bara hålla fiendens styrkor i örat medan flyget utdelade sina dödande rallarsvingar.) Det är ingen tillfällighet att denna tjusiga tanke gjorde sin debut strax efter första världskriget. Idén var inget annat än ett försök att återupprätta kriget som ett rationellt politiskt instrument. Tanken vann stor genklang därför att den syntes göra det möjligt att föra krig på ett kvickt och kliniskt vis, fjärran från all trist, utdragen slakt i leriga skyttegravar.

Allt byggde dock på den felaktiga föreställningen att bombplanet alltid skulle kunna nå sitt mål. När Royal Air Force gick ut i krig 1939 avsåg man att attackera Tyskland med hjälp av precisionsbombning i dagsljus. Inga terrorattacker mot civila var planerade. (När någon i underhuset vid denna tid tyckte att man skulle sätta eld på Schwarzwalds skogar med brandbomber, svarade flygministern sir Kingsley Wood med upprörd röst: »Är ni medveten om att det är privat egendom. Härnäst kommer ni väl be mig att bomba Essen!«) Bubblan sprack på en gång. Bombplanen tog sig inte fram. De sköts ned i hundratal. För att över huvud taget överleva i luften måste de engelska bombplanen flyga på nätterna och på grund av tidens grova navigeringshjälpmedel blev träffsäkerheten ytterligt klen. RAF:s egna siffror från 1941 säger att bara en tredjedel av alla de plan som sade sig ha träffat målet hade lyckats få sina bomber inom 8 kilometer från riktpunkten. Det säger sig självt att det då inte fanns plats för något vidare finlir. Lösningen blev »area bombing«, massiv terrorbombning av de tyska städerna. Och resultatet blev en grym slakt på tyska civila, som i Hamburg på sensommaren

1943, då nära 40000 människor miste sina liv i tre på varandra följande räder.

Vad som nu verkar ha skett är att den s.k. verkligheten efter 70 år har hunnit ikapp olika militära skönandar som Douhet och Trenchard. Det är deras tankar som ekade bak alla fromma förhoppningar om ett snabbt och kliniskt krig mot Irak, huvudsakligen utkämpat av flyget, och riktat mot valda militära och strategiska mål. Antalet civila som fallit offer för direkta stridshandlingar har uppenbarligen varit få om vi jämför med andra världskriget, där upp till 100 000 män, kvinnor och barn kunde dräpas i en enskild stad under ett enda dygns bombningar. Tvärtemot vad som antas i allmänhet så har dock de konventionella vapnens ökade förstörelsekraft inte följts av en motsvarande stegring av de civila offrens antal. Det fälldes mer än tre gånger så många bomber i Vietnamkriget som under andra världskriget, utan att offrens antal för den skull tredubblades. (Nordvietnam skall ha förlorat cirka 65000 civila som följd av amerikanska flyganfall, i sig en horribel siffra.)

Vad är det som har hänt? För det första har hjälpmedlen för navigering nu förfinats till den grad att en pilot hela tiden kan få reda på exakt var han är och vart han skall på några få meter när. (Under andra världskriget hände det att plan flög 170–180 kilometer fel och ibland till och med bombade fel länder.) Detta har ökat möjligheten att pricka ett särskilt mål även med den gamla typen av »dumma bomber«. För det andra har vapnens träffsäkerhet ökats radikalt. Bland annat så går de »smarta bomberna« att styra med laser, infrarött ljus eller TV-kameror. En liten jämförelse mellan Saddams Scudrobotar och de nya kryssningsmissilerna säger det mesta. En kryssningsmissil kan från en avfyringspunkt över 200 mil bort flyga rakt in mellan målstolparna på en fotbollsplan. Med en Scud-B – som alltså är en smula förbättrad kopia av Hitlers gamla V-2:a – får man vara rysligt glad om man alls träffar samma stadsdel som fotbollsplanen ligger i, då robotens felmarginal är på runt två kilometer. Enkla teknologiska skäl gör alltså att Scudroboten bara kan brukas som ett rent terrorvapen. För det tredje innebär den drastiskt förbättrade träffsäkerheten att man kan minska vapnens sprängstyrka. Och så vidare.

Vi skall inte för ett ögonblick tro att dessa förändringar kommit till stånd av pur människokärlek, därför att någon vapenteknolog helt plötsligt vaknat en dag fylld av ruelse inför det moderna krigets eländighet. De styrande har kalkylerat helt kallt och kommit fram till att smarta vapen är mer effektiva och ger mer pang per peng än de gamla typerna. Sedan spelar det också in att alla historiska erfarenheter säger att Douhet et consortes hade fel på ännu en punkt: bombning riktad mot civila mål knäcker i regel inte människornas vilja att föra kriget vidare. Istället kan dylika tilltag tvärtom, som till exempel under blitzen 1940 eller i Vietnam, svetsa samman folket och stärka dess motståndskraft. Och detta vet givetvis de generaler som styrde koalitionens flyg mot Irak.

Ännu är det dock inte dags för det nya tekno-krigets alla små fickfilosofer att hurra i högan sky. Utan tvekan har koalitionens stora flygkrig varit militärt mycket framgångsrikt. Förutsättningarna har dock varit högst ideala. Frågan är vad som skulle ha skett om motståndaren inte varit så gediget dinosauriemässig som Irak – det vill säga stor, stark och stendum – utan kunnat svara med samma högteknologiska grepp och finter? Vad hade hänt om topografin på krigsskådeplatsen mer liknat den i Sydostasien och alltså skänkt mer skydd och skyl än den öppna och platta öknen?

Talet om det kliniska kriget är liksom talet om det korta kriget givetvis delvis ett sätt att sälja detsamma till en världspublik som med rätta blivit alltmer kräsmagad. Hur kliniskt är då det kliniska kriget? Det vet vi ännu inte. Huvuddelen av de bomber som fälldes var trots allt av den gamla, »dumma«, typen och många missade sina mål – precis som förr. Förlustsiffrorna är fortfarande bara gissningar och helt exakta kommer de sannolikt aldrig att bli. Även om det är fullt möjligt att vi nu skymtar ett högst välkommet trendbrott när det gäller de civila förlusternas andel av det totala antalet döda och skadade så drabbas ändå alltför många. För även om man ej har civilbefolkningen som mål så kommer helt oskyldiga alltid att krossas som flugor bara för att de råkar vara på fel plats vid fel tidpunkt. Och vad hjälper det om man kan styra sina bomber på metern när om underrättelseunderlaget som pekar ut målet är opålitligt? (Detta verkar vara förklaringen till massakern i Amiriya, då högvis av kvinnor och barn sprängdes ihjäl.) De civila kommer också i fortsättningen att bli indirekta offer när bomber och granater river den alltmer komplicerade moderna infrastrukturen i bitar och det normala livet kollapsar i brist och sjukdomar.

Här finns två möjliga ståndpunkter. Antingen kan vi säga att det kliniska kriget vid Persiska viken bara var en propagandaploj utan särskild grund i verkligheten. (När militärerna visade upp sina nya vapen var det självklart noga orkestrerat: i TV fick vi bara se snygga bombningar där det sa plopp och den tomma bron försvann; man aktade sig noga för att spela de band som visade hur missiler med fem decimalers noggrannhet styrdes rakt på en bro där människorna ännu stod kvar.)

Eller också kan vi säga oss att det kliniska kriget nu fått sin varelse i verkligheten. En dylik typ av krig kan nog ögonskenligen se ut som ett »framsteg« i och med att det kommer att vara lite mindre blodigt än vanliga krig och först och främst kommer att gå ut över stridande soldater och inte hundvalpar, små flickor i flätor och gamla tanter med käpp. Olika nya teknologiska påfund har gjort det möjligt att prestera något som i alla fall hjälpligt liknar det kliniska krig man dillade om redan för 70 år sedan. Det som är så oroande med detta är inte att detta kliniska krig inte kommer att fungera, utan tvärtom att det verkligen gör det.

För innebär inte det att vi kommit ett stort steg närmare Douhets slutmål av år 1921, nämligen ett återupprättande av kriget som ett rationellt politiskt instrument? I så fall hjälpe oss Gud.

Om ett besök i Poltava

DEN ENGELSKE historikern George Macaulay Trevelyan hävdade att ett av de glädjeämnen historien erbjöd var att gå på jakt efter slagfält. Han ansåg att charmen med en gammal valplats var dess utseende i nutid, att se hur det »på nytt har fallit i den lantliga sömn, ur vilken det så bryskt väcktes en dag i det förgångna«. Slagfältet borde enligt Trevelyan helst inte vara identifierat i resehandböckerna, nej, man skall helst leta reda på det själv, då är det »nästan det största av intellektuella nöjen utomhus«. (Annars går det alltid att konsultera verk som David Chandlers *A Traveller's Guide to the Battlefields of Europe*, en apart liten katalogaria där den hugade får instruktioner huruledes dylika glömda platser bäst uppletas.) Det är lätt att föreställa sig honom, tweedklädd och vithårig, med långa slängiga steg – han var en mycket övertygad fotvandrare som talade om benen som sina »två läkare« –, framskjutande haka, plirande blick bakom runda, stålbågade glasögon och ett knippe monografier inklämda under ena armen, letande spår och tecken vid Calatafimi, Valmy eller Morgartensjön.

Själv har jag prövat på denna märkliga och lätt makabra utomhussport ett par gånger. Det har mest blivit tämligen enkla saker, som till exempel Agincourt, Narva, Ratan och Dieppe. Jag har också besökt Poltava. Trevelyan skulle nog inte ha tyckt att det heller var någon egentlig utmaning.

Det växer ännu körsbär där. En dag i slutet av 80-talet stod jag där i den ukrainska majhettan och smakade på de små gröna bären. De visade sig vara mycket sura. På valborgsmässoafton 280 år före mig hade en annan svensk, en 32 år gammal fänrik från Arboga vid namn Robert Petré, också stått och ätit av bären, »på det jag skulle kunna säga, att jag ätit körsbär den sista April«, som han skrev i sin dagbok. Men förutom åldern var det nog inte så mycket som förenade oss. Jag var en turist i historien, han var en officer i en svensk armé som invaderat Ryssland.

Platsen där jag åt körsbären var Jakovetskij-åsen, strax öst om Poltava, och där kan man se ut mot staden. År 1709 var Poltava en liten ukrainsk ort, bara drygt en kvadratkilometer stor. 1989 års Poltava är en modern utsvälld stad med digra industrier och högskolor, cirka 315 000 innevånare (alltså runt 100 000 fler än Malmö), lejongula trådbussar samt en viss diskret charm. Parker och alléer bäddar in den låga bebyggelsen i grönska och de arkitektoniska måttlösheter från Stalintiden som så framgångsrikt förfular många andra sovjetiska städer lyser här med sin frånvaro.

Det finns mycket lite kvar av det gamla Poltava. En av de få byggnader som finns kvar från denna tid står just på Jakovetskij-åsen. Det är ett kloster som Karl XII hade som sitt högkvarter.

Försommaren 1709 hade Karl XII:s ryska fälttåg gått i baklås. Avskuren från omvärlden led den slitna svenska armén brist på det mesta. Officerarna smälte ned sina serviser av tenn för att få kulor och utan salt strödde man krut på maten. Krisen var akut. Vid middagstid söndagen den 27 juni kallade Karl XII till ett krigsråd i klostret. Sannolikt för att underlätta ett återtåg ut ur Ryssland beslöt man under detta möte att gå till anfall mot den stora ryska här, under befäl av Peter den store, som stod bara en halvmil norr om staden.

Klostret gör sig i dag bäst på håll. Då ser man bara de sex ärggröna lökkupolerna och inte den trasiga vita rappningen, klottret och de fult förbommade fönstren. Detta goda exempel på ukrainsk barockstil är nu sorgligt förfallet. Det var här inne som det fatala beslutet fattades, alltmedan arméns höga befäl flockades ute i solen. Nu är det tyst och tomt. Jaha.

Natten till den 28 juni marscherade de svenska trupperna iväg. Tanken var att överraska ryssarna men i mörkret gick det fel och när det tunna gryningsljuset gav fälten färg hade ännu inte alla trupper kommit på plats. De blev upptäckta.

Att se soluppgången över det gamla slagfältet vid Poltava är en speciell upplevelse. Det är ju samma sol och samma himmel och samma skarpa knivsnitt mellan himmel och jord i fjärran. Fälten är avmejade och en vass vind sänder rysningar genom stubben. Redan långt innan solen gått upp är det ljust, och jag förstår varför de svenska truppernas tysta uppmarsch blev upptäckt så snart. Plötsligt, på ett par korta minuter, bryter så den ljusröda solen himlaranden som en bubbla av ljus. Det var i den här stunden som svenskarna gick till anfall – »som natt och dag skildes åt« som det heter i en dagbok. Den morgon jag var ute på åkrarna vid slagfältens norra kant gick den upp bakom ett stort blågrått moln som tagit form av en fågel, en tsaristisk dubbelörn som breder ut sina vingar till flykt.

Framför sig hade de svenska trupperna då ett system av ryska väl bestyckade små befästningar, redutter. Det fält där de första redutterna stod ligger nu i Poltavas norra utkant, omslutet av flera långa fabriksbyggnader, en bullrig väg och skog. Platserna där befästningarna låg är utmärkta med obelisker av granit. På det platta, gröna fältet står sommarblommorna på tå. När jag kom dit var det mitt på dagen och himlen spände sig varmt blå över ängen. Vid en av obeliskerna skymtade en hel familj som solbadade för sig själv i det tjocka, höga gräset – det gick inte att se dem förrän kvinnan (med en ihopvikt *Iszvestija* på huvudet) ställde sig upp och skyggt rättade till sin bh. Det är givetvis en tanke att många av de svenska soldaterna fick tillbringa resten av sina liv – i många fall något som bara kunde räknas i några korta minuter – på vad som på alla vis liknar en nästan banalt vacker svensk sommaräng, med rödklöver och prästkrage, hundäxing och timotej.

För här dog de. I tusental. Anfallet mot linjen av redutter blev – som så mycket annat den varma dagen – en mycket blodig och förvirrad historia. De svenska trupperna gick fel, stormade vissa redutter och misslyckades grovt med att storma andra. En av dessa fyrkantiga redutter har nu återuppförts, och det är lätt att förstå de problem som svenskarna hade, för vallgraven runt är djup och dess sidor stupar brant ned.

Jag stod på den plats där den andra redutten låg och tänkte på Erich Måne. Han var en menig soldat i det femte korpralskapet, Hundrade härads kompani i Upplands regemente. Han dödades av en kanonkula i bröstet under det första anfallet. För människan är en skör varelse och en liten bit järn kan på ett litet ögonblick göra allt om intet. Erich ligger ännu begravd här nånstans. Kanske just där jag stod. Kanske tio meter längre bort. Erichs regemente räknade runt 700 man på morgonen. Några dagar senare kunde man bara finna 14. När jag lämnade fältet, denna väldiga kyrkogård som helt saknar kors men där blommorna växer desto tätare, var mina steg, helt ofrivilligt, en smula mer varsamma.

På den norra delen av slagfältet ligger det svenska monumentet, omslutet av gröna vetefält. Det sägs om det att när den uppgående solen belyser dess baksida så träder det fram en bild av en sörjande kvinna med ett barn i famnen. På monumentet flagar guldfärgen och remsor av gräs har börjat spräcka upp gången av asfalt som för en genom vetefältet fram till detta avsides liggande sorgerop i granit. Några vissna ängsblommor låg vid stenens fot. Vem hade lagt dem där? Det har ju inte varit några svenskar före mig det här året. Under min fot krasade glaset från en flaska av märket *Russkaja Vodka* som någon förbittrad sovjet-medborgare slungat mot den gravkalla graniten. Jag plirade med stor envishet in i den skrovliga stenen men kvinnan med barnet vägrade att visa sig.

Detta hände förresten rätt ofta under min vistelse i Poltava. Jag gick runt och fixerade marken och försökte få något från den 28 juni 1709 att träda fram. Ibland dök det upp flyktiga bilder – av dammiga trötta män i långa kolonner, av slaktade människor i högar i det feta junigräset – men för det mesta vägrade historien att visa sig. Och att med tvång driva fram den ur jorden kändes bara ansträngt. Problemet var att jag i första hand sökte upple-velser, medan det som bjuds ofta är ett mer renodlat intellek-tuellt pussel – vilket Trevelyan mycket riktigt har påpekat. Man står där och vrider och vänder på kartan som kråmar sig i som-marvinden och försöker tänka bort hus, skogar och vägar, för-söker läsa terrängen noga, noga för att följa även de minsta skift-ningar i höjdlinjen: Aha! Där måste lilla moraset ha legat. Aha! Där måste gardet ha ställt upp.

Jag insåg att jag var en krigskorrespondent som anlänt 280 år för sent till platsen. Tidens innersta egenskap är att gå förlorad: historien stannar ju aldrig upp. Det var speciellt tydligt då, när man kom dit som en tillfällig besökare under det välsignat tu-multariska slutet av 80-talet. Det var min tredje resa till Sovjet-unionen sedan mitten av 70-talet. Mycket av rädslan och de skygga ögonkasten var borta. Jag såg allt färre röda banderoller med fåniga paroller och allt mindre fånig socialrealism med tjur-nackade hjältearbetare med hakor som Dick Tracys som med borrmaskin på axeln kastar en dum blick in i den dumma fram-tiden. Bara Lenin vinkade här och var, i form av staty eller bild, med det vassa bockskägget aggressivt riktat mot betraktaren som en osäkrad pistol. Men nedanför honom syntes Pepsi-reklam och flickor i kortkorta läderkjolar och snygga pumps, vilket trots allt – åtminstone det sista – måste ses som ett tecken på framsteg.

På min TV på hotellet – av märke Horizont 206; vad hände med modell 205? – gick det att följa de folkdeputerades kongress i Moskva. Fast den suddiga bilden ibland mest liknade mönstret på de två nummer för små polyesterklänningar som alla medelålders kvinnor verkar bära i Sovjet, begrep jag ändå att något nytt höll på att ske. Små vingliga steg togs mot något som skulle kunna bli parlamentarisk demokrati. Intresset bland gemene man var inte att ta fel på. Människor flockades runt påslagna TV-apparater, och på tåg och i taxibilar följde man utsändningen på radio.

Historien blir i en sådan situation än mer intressant för sovjetmedborgarna. En oberoende organisation vid namn »Det unga Ryssland« skulle det året fira slaget vid Poltava ute på slagfältet. (Många ukrainare reagerade hårt mot detta och förberedde motaktioner. Den spända situationen ändade i en gäspning: de ryska nationalisterna möttes på Poltavas järnvägsstation och sändes prompt tillbaka igen innan de hann börja fira Peters stora viktoria.) Inom krigsmakten fanns det också ett ökat intresse för historien före 1917; den sommaren avsåg kadetter från de lokala förbanden att återuppföra en av redutterna. Och bland ukrainarna hade man helt öppet börjat omvärdera Mazepa, Karl XII:s ukrainske bundsförvant. Han har alltid bespottats som förrädare i rysk historieskrivning, men nu började man tala uppskattande om honom som en kämpe för ukrainsk självständighet. Slaget vid Poltava var en rysk seger men också ett ukrainskt nederlag. (Under Stalins blodiga utrensningar i Ukraina på 30-talet var en av anklagelsepunkterna just att man försummat att fira Peter den stores seger av år 1709.) För många ukrainare är nog inte svenskarna så mycket före detta utländska ockupanter som före detta allierade i en kamp för oavhängighet. Var det månne förklaringen till de vissnade ängsblommorna vid det svenska monumentet?

Ingenting gick som planerat den där dagen för 280 år sedan. Efter att ha passerat redutterna förnötte svenskarna tiden på marscher hit och dit i fåfäng väntan på trupper som blivit efter i linjen av redutter. Och medan timmarna rann iväg vann ryssarna mod och gick ut ur sitt läger (själva lägret och dess befästningar är som allt annat nu borta så när som på en liten sträcka återuppbyggd vall). De bestänktes med vigvatten och satte sig i rörelse mot svenskarna. Svenskarna beslöt sig för att möta ryssarna: 10 trasiga små svenska bataljoner ställdes upp för att anfalla 42 ryska; ryssarna hade ett hundratal kanoner till understöd, svenskarna hade bara fyra.

Fälten där detta skedde är i dag åker, platt åker. Här och var skär flikar av skog, planterad för att motverka jordnötningen, in över den platta slätten. Intill det fält där de svenska soldaterna kom att ställa upp till sitt vanvettiga sista anfall står det nu en stor klunga med låga platta tegelbyggnader omgivna av en hög grå mur av betong; i fönstren syns galler och för balkongerna hänger hönsnät – ett mentalsjukhus.

De svenska soldaterna fick löpa gatlopp genom ett rökigt kaos av kringflygande metall. Kanonkulor rev upp långa blodsolkade gator rakt genom de frammarscherande bataljonerna. Svenskarna fortsatte dock envist framåt med sina tigande vapen, för enligt det inövade sättet att slåss skulle man söka attackera ryssarna med blanka vapen. Det tog ungefär nio minuter, nio oändligt långa minuter i kulregn. Folk hittar fortfarande rester av projektiler på åkrarna och i sina trädgårdar.

Borta vid ett av de otaliga monumenten går en ensam man i blå byxor i solskenet och slår gräset med en lie. I en svensk berättelse från slaget berättas det hur den ryska elden »de våra likt gräset för en lie nedlagt«. Och hans lie sveper frasande genom växtligheten som faller i högar och rader, sammanvräkt och kringslängt. Det slutade också mycket riktigt i en massaker. Efter vissa små framgångar tog den ryska numerära överlägsenheten ut sin fulla rätt. Delar av det svenska fotfolket kom att fly i panik. Även det svenska rytteriet slets snart med i denna skrikande malström av skräck och förfäran. Allt var förlorat.

Kvar på slagfältet låg då omkring 10 000 döda och döende människor, därav 7 000 svenskar; det är det största militära nederlaget i Sveriges långa historia. Cirka varannan svensk soldat som gått ut i strid den morgonen var innan kvällen kom antingen död, sårad eller tillfångatagen. Inte ens när västfronten var som allra mest ryslig under första världskriget går det att hitta några liknande förlustkvoter.

Sjukvården var helt otillräcklig. Sårade låg ute i solen och dog flera dagar efter slaget. De döda låg i högar, och den starka hettan fick snart en vämjelig stank att lägga sig över trakten. De av förruttnelse svällda liken myllades ned i all hast. De svenska döda grävdes ned där man påträffade dem. De svenska gravarna är nu borta utan spår. Tidigare resenärer till Poltava har funnit vitnade ben av döda människor liggande på åkrarna. De ryska stupade samlades i en stor massgrav, en märklig pjäs som en hågad besökare kan åse än i dag. Själva graven är utmärkt av en stor jordhög bevuxen med gräs och krönt av ett 7,5 meter högt kors av granit. Den som vill kan gå upp på toppen och där se ut över en bussparkering där höns och skolklasser samsas om utrymmet.

Efter att ha köpt en rockknapp med Madonna, Sabrina eller Gorbatjov på – de kostade lika mycket, något som bådade gott för den sistnämndes popularitet – av nasarna vid graven, kunde man dricka ett litet glas *Kvas* (ett slags otäck rysk svagdricka) på det lilla kaféet »Vid den gamla redutten«, för att avsluta med ett besök i det lilla slagfältsmuseet. Runt 250 000 personer besöker varje år detta museum, som skam till sägandes till stor del består av kitschigt historiemåleri, samt vapen och uniformer som tillverkats under detta sekel. Museet blev nämligen plundrat hela två gånger i samband med revolutionen. Det blev återupprättat först 1949, då på en direkt order av Stalin själv, en man som hade klara sympatier för en annan bondeplågare och brutal envåldshärskare som nu står i brons utanför museet, Peter den store, slagets segerherre.

Poltava i dag är en plats med många minnesmärken men med få minnen. Monumenten står som spön i backen. Det finns en sten där Peters tält stod, en annan inne i staden där han sov en natt, det finns två stenar över svenskarna, en rest av ryssar och en annan av svenskar 1909. När man frågar de människor som lever på slagfältet om vad de vet om slaget blir svaret ofta huvudskakningar eller förlägna axelryckningar eller båda. De vet i grova drag vad som skedde här, men det är också allt.

Det är egentligen inte att förvåna sig över. För folket i Ukraina är slaget en händelse som skymts av olika krig och olyckor av nyare märke, händelser som är alltför nära för att glömmas men ofta alltför hemska för att kommas ihåg. Officiella tjänstemän säger nu helt öppet när man frågar dem att kollektiviseringen på 1930-talet kostade 5 miljoner döda i Ukraina. Och inne i en park i stan avrättades många partisaner under den tyska ockupationen. Ute på åkrarna där svenskarna mejades ned kunde jag förutom små vita benbitar också se brunrostiga granatskärvor, patronhylsor och en gammal bandplatta från en stridsvagn av modell T-34. Ovan slagfältet ligger ännu ett slagfält; historien ligger i lager på lager här i Ukraina.

Efter slaget flydde de svenska trupperna ned till Perevolotjna vid Dnepr. Medan kung Karl med ett litet följe försvann i ett moln av damm i riktning mot Turkiet, kapitulerade där de nedblodade resterna av den en gång så stora svenska armén. Stora kraftverksbyggen har sedan dess lagt denna plats, där Karl XII:s ryska äventyr tog slut, under vatten; bara en liten udde sticker upp ovan en vid vattenyta. Detta kan ses som en sinnebild för vad som också väntar det gamla slagfältet. Själva Poltava är en stad som växer. Husen och asfalten kryper allt närmre slagfältet. Snart finns ingenting kvar. Utom minnena. Och så de sura körsbären förstås.

På slagfältet vid Verdun

JAG KÄNNER knappt till något om honom, jag har bara sett platsen där han dog. Han hette Tabourot och var en fransk kapten och den 2 juni 1916 befann han och trettiotre andra soldater sig i en bunker, ett så kallat flankeringsgalleri nere i det nordöstra hörnet av vallgraven runt det lilla fortet Vaux utanför Verdun. Det var tidig morgon och de föregående timmarna av mörker hade varit hemska.

Våldsamma natt,
ditt fruktansvärt djupa skri blev djupare för varje stund,
natt, du skrek som en födande kvinna,
natt endast för män.

Tyska granater hade kommit ned från den svarta himlen i en oavbruten ström. Ett tag hade det fallit mellan 25 och 30 granater i minuten; de enskilda brisaderna gick då inte att urskilja i dånet, utan allt var bara ett bubblande kaos av rök, jordsprut och virvlande eld. Fransmännen hade bara att vänta nere i sitt flankeringsgalleri, rusiga av tryckvågor och spränggaser. De såg inte mycket när de kikade ut genom de smala öppningarna, bara en rak sträcka av uppbökad jord som en gång varit fortets vallgrav. Deras uppgift var att hålla den ren från tyska soldater som sökte ta sig upp på forthjässan. Ytterligare två gallerier fanns i andra hörn av graven; de tre små värnen var byggda för att täcka varandra och bilda en bur av eld runt fästningen. Inne i det nord-östra galleriet fanns det två små kanoner, men de var obruk-bara. Istället skulle männen där inne freda sig med hjälp av en kulspruta.

Strax före solens uppgång stannade så floden av stål och sprängämnen upp helt abrupt. Tabourot och hans karlar visste vad som väntade.

Två bataljoner med tyskt fotfolk från det 158:e Paderbornska regementet rusade i samma stund uppför den skarpa sluttningen från sina skyttegravar. De ojämna kedjorna av gråklädda män sköljde snabbt fram över det kratersprängda landskapet och spolade ned i vallgraven. Där möttes de av långa hackande salvor från gallerierna som fick dem att dra sig bakåt. Pionjärer kalla-des fram för att slå ut motståndarna i gravens hörn. De började med Tabourots värn. Attacken mot Vaux hade skyndats fram av den tyske befälhavaren på detta avsnitt, och det hade inte fun-nits tid till att få fram riktiga sprängladdningar till trupperna. Istället hade de gjort buntladdningar av handgranater, som sol-daterna nu sänkte ned från taket för att detonera invid skottglug-garna. Knippena med granater fick ingen effekt. Det envisa knackandet från kulsprutan fortsatte. Då hörde de hukande sol-daterna uppe på galleriet ett tydlig klick följt av en ramsa galliska eder. Vapnet hade fått ett eldavbrott. Kvickt hystade männen på taket in några granater genom gluggarna. Ett par dämpade smällar: männen runt kulsprutan var borta. Klungor av tyska soldater rusade ned med vapen i händerna för att ta sig in i det rykande verket. Ut ur galleriet hoppade då Tabourot och mötte de anstormande med en skur av handgranater som fick dem att stanna upp. Mot alla odds lyckades den ensamme franske kapte-nen ett tag hålla alla de kringsvärmande tyskarna borta. Men striden kunde givetvis bara sluta på ett enda sätt. En handgranat singlade fram, detonerade invid Tabourot och fällde honom till marken. Med bukens blodhalkiga innandöme blottat kröp han tillbaka in i galleriet. Där inne i skuggorna dog han. Strax efteråt gav hans skakade karlar upp.

Flankeringsgalleriet finns kvar. Det är söndersmulat och snett, den ljusbruna tegelstenen är hoppressad och bågnande. Kanske skulle man kunna ta den för en sedan länge glömd rest av en byzantinsk basilika, om det inte varit för de yviga buketter av rostbrunt armeringsjärn som spretar fram här och var ur de skamferade taken och väggarna. Alla de större öppningarna är igenmurade, och genom de små gluggar som finns kvar går det att ana mörker och fukt. Fortet finns också kvar. Den kiselstens-blandade betongen är smulig och skör. Verkets väggar har ärrats av så många projektiler att enskilda träffar knappt går att urskil-ja; allt är bara en enda skrovlig och nött yta. Det går också att besöka fortets innandöme och bese de svala och fuktdroppande gångar där stadgade familjefäder högg varandra till döds med vässade spadar för att få tillgång till latrinerna, där män svart-brända av eldkastare låg i dagar utan att få riktig hjälp, skakande i kramp därför att de i brist på vatten druckit sin egen urin. I flera av de sammanstörtade och nu noga igenmurade rummen ligger fortfarande de döda kvar. Fortet hade ett pansartorn. Uppe på den gräsklädda forthjässan vilar ännu den knäckta tornkransen och den runda domen av stål på exakt samma stäl-len som när en träff av en tysk brutalitet på 420 millimeter kasta-de iväg dem. Och en bit nedanför sluttningen ligger fortfarande de skyttegravar där de tyska soldaterna från 158:e Paderbornska inledde sin attack. Tiden har stått still här i Verdun.

På denna plats utkämpades 1916 den vidrigaste av alla vidriga drabbningar under första världskriget: slaget vid Verdun. Det finns slaktningar under det kriget som tog fler liv, men andelen döda ställt mot antalet stridande var här som allra högst. Beräk-ningar säger att Tyskland och Frankrike förlorade 420 000 döda och 800 000 sårade inom loppet av tio månader, och detta på en

liten fläck av denna jord som kanske är två och en halv mil lång
och en och en halv mil bred.

Kanske var det fel av mig att i första hand tänka på Tabourot
när jag vandrade runt på slagfältet. Hans öde där i galleriet vid
Fort Vaux är nog inte särskilt typiskt, även om det visst är tra-
giskt så det räcker. Hans död är månne lite för heroisk. Det går
att ana en gnista av förnuft i hans handling: för att hålla de an-
stormande tyskarna borta offrade han sig själv, och med lite tur
hade de inne i verket kanske kunnat nyttja den frist han skänkte
dem till att sätta sig till motvärn. Något hade kanske kunnat vin-
nas. Den genomsnittliga döden på detta slagfält såg dock inte
alls ut på det viset.

Slaget hade inletts i februari 1916 med en tysk offensiv mot
den gördel av fort som omgav Verdun. Den plan som den tyske
generalstabschefen Erich von Falkenhayn kläckt för denna ope-
ration var mer än sadistisk: den gick ut på att slå ut ett anfall mot
en punkt som fransmännen kunde väntas försvara till varje pris.
Där skulle man låta den franska armén »blöda till döds«. De tys-
ka soldaterna trodde att de gick till attack för att inta en strate-
giskt viktig punkt. Det var fel. Verdun och fästningarna var helt
ointressanta. Allt var bara en fälla för att locka fransmännen
fram till slaktbänken. Det mesta av dödandet skulle också före-
tas av en kolossal ansamling med artilleri; fotsoldaterna skulle
liksom bara hålla sina motståndare på plats medan dessa mejades
ned av en storm av rytande stålsplitter och rök. Så blev det ock-
så. För de flesta var slaget en mycket enahanda ritual. På nätterna
hackade man som besatta i den trasiga jorden för att gräva ut
något som liknade en skyttegrav, bara för att någon i en stab ett
tryggt antal mil bakom fronten tryckt ned sitt pekfinger på en
karta och bestämt att där skulle en linje sättas upp. Det gällde att
komma så djupt ned som möjligt, för när dagsljuset bröt in bör-
jade artilleriet gå löst på ställningarna och på männen som huka-
de där uti, instängda mellan sönderfallande väggar av jord och

en remsa himmel. När nästa natt kom gällde det för dem som ännu levde att söka laga de söndersmulade groparna för att ha något att ta skydd i när granaterna började komma igen. Så höll männen på dag efter dag, natt efter natt, tills de antingen dödades eller blev avlösta. Någon fiende såg de sällan eller aldrig. Soldaterna levde som djur, avtrubbade och ytterligt utmattade – det var inte ovanligt att de som stod i främsta linjen inte fick sova på över en vecka, en av de överlevande liknar det tillstånd som snart infann sig vid sjösjuka. Inget blev bekräftat, inget hade någon effekt eller ens påtaglig mening. All egentlig kontroll över händelsernas gång gled ur befälhavarnas händer som satt som förhäxade av den irrbild av symbolism som valplatsen bjöd för deras syn. Slaget fick ett eget liv. Det fördes framåt av egen kraft, av en inneboende logik som drev på det ända in i december 1916, då fransmännen tagit åter all förlorad mark och striderna domnade av i kylan.

Enligt ett ögonvittne såg slagfältet vid den tiden ut som »en soptipp, på vilken det samlats klädtrasor, krossade vapen, spräckta hjälmar, unkna livsmedel, blekta ben och ruttet kött«. Någon liknade trakten vid »ett lik med torterade anletsdrag«. Intet var kvar utom förödelsens slam. Nio byar var utplånade. Av vissa som Beaumont gick det knappt att finna en enda skugga. (Det sägs att enda sättet att i dag märka att man kommit in i någon av dessa icke-existerande orter är att man inne bland tallarna helt opåkallat stöter på rester av de gamla planteringarna runt husen, till exempel i form av ett och annat äppelträd.) Den ihållande artillerielden hade smulat sönder jorden till den grad att den blivit som grov sand som gav efter när man gick. På många ställen var det övre lagret av matjord helt borta. Efter kriget stod det snart klart att det skulle bli mycket svårt att återställa denna trotylöken till dess ursprungliga skick. Varje hektar mark rymde mellan 20 och 30 ton metall, gasgranater hade förgiftat terrängen på vissa ställen och överallt fanns det kopiösa

mängder med döda. Det stank olidligt långt in på 20-talet. Och
än i dag kan man efter en lång het sommardag följd av en aning
regn känna hur den stiger upp ur de igenväxta skyttegravarna,
lukten av rostande järn blandad med den förfärliga doften av de
stupade som ligger och smälter bort där nere i jordmörkret un-
der ens fötter.

I april 1923 beslöts det att förvandla slagfältet till en national-
park. Allt lämnades som det var. Mellan åren 1929 och 1933
planterades det så barrträd över hela eländet. Detta har visat sig
vara ett ovanligt lyckat drag. Om man skulle ha lämnat hela
området till naturens egna läkande krafter skulle det ha tagit upp
till fyra sekler innan man åter kunnat se ett någorlunda gott skikt
med matjord. Nu har det gått på bara dryga 60 år. I dag ser det
ögonskenligen ut som ett gigantiskt skogsområde, slagfältet vid
Verdun, inte så lite kuperat, med vackra tallar och granar som
står skulderbreda invid varandra. När jag gav mig ut bland trä-
den såg jag dock alla spåren. Bitvis var det stört omöjligt att
finna en bit platt mark. De övervuxna skyttegravslinjerna löpte
fram som blodspår mellan de höga trädstammarna. Här och där
gick det att se ihopfallna skyddsrum och bunkrar. Krevadgro-
parnas koppärr låg tätt, tätt, och marken påminde mest om ett
hav i storm som helt plötsligt stannat upp, vågorna frusna i höga
kast. Och överallt i detta stelnade hav sågs katastrofens vrak-
spillror. Vassa granatskärvor gnisslade under fötterna var man
än gick och blindgångare, oidentifierbart skräp och rostig tagg-
tråd stack upp ur marken. De oexploderade granaterna låg här
och var: där en fransk »75:a« – eller var det en tysk »77:a«? –, en
bit bort en »155:a« – av nedslagsvinkeln att döma avlossad från
Fort Moulainville som ligger dryga fyra kilometer åt sydöst.
Projektilerna är rödbruna av rost och trots sin ålder fallna åt att
detonera. Här i skogen är de dock inget större problem. Det är
desto värre på de platser i Frankrike och Belgien där man lyckats
odla upp de gamla slagfälten. Projektilerna rör sig i marken och

vår- och höstplöjningarna för dem upp till dagsljuset. Vandrar man längs dessa åkrar stöter man titt som tätt på små högar med årets skörd av stålkokonger, väl inkrusterade av fet flandrisk mylla. När jag 1984 besökte Zillebeke strax utanför Ypres berättade en belgare för mig att en tid innan hade en av traktens jordbrukare dödats när han kört sin plog in i ett av dessa onda minnen ur djupet. Rekordet i denna genre tas av minan vid Le Pelegrin. Den var en av tjugoen gigantiska underjordiska laddningar som grävdes in under de tyska linjerna 1917 – de bestod av uppåt 20 ton sprängämnen vardera. Problemet var att bara nitton detonerade. Två förblev tysta i djupet. Den tjugonde vid Le Pelegrin fanns kvar där ända till juli 1955, då ett våldsamt stormoväder gick över trakten och ett åsknedslag i ett pilträd fick hela rasket att gå i luften. Den tjugoförsta som ligger en bit bort har ännu inte detonerat.

Gammal kvarglömd ammunition och ej exploderade granater är dock inte den enda faran på det gamla slagfältet. Verdun är ännu det område i Frankrike där risken för stelkramp är som allra störst – jordens minne är långt. Sakkunniga har undersökt dessa gamla valplatser och säger att det kan vara farligt att vandra runt på vissa ställen där jorden ännu jäser av förruttnelse. Har man otur kan man få smittan från en gammal krökt bajonett eller en vass skärva från en granat. Vissa delar av slagfältet är också avstängda och skyltar varnar besökare för att träda in där. Men inte är det dessa egentligen rätt harmlösa faror som skänker platsen dess klaustrofobiska och högst svårmodiga atmosfär. (Inte heller risken att stöta på något av traktens vildsvin, som enligt uppgift gärna strövar runt och bökar upp gamla människoben.) Alistair Horne, som har skrivit den kanske bästa boken om detta slag, har sagt att en vuxen man inte gärna riskerar att gå vilse i dessa skogar. Det är i sanning en eländig plats. När jag stod nere i en tyst ravin vid Bois Fumin, bland ris och skrot och korvig taggtråd och solljuset strilade ned i brutna spillror runt mina fötter, blev jag märkligt illa till mods. Jorden liksom utstrålade sorg.

Vad var det som fick mig att rysa till? Tänkte jag att marken helt plötsligt skulle rämna och ge ifrån sig alla de skräcksyner som nu ligger frusna i dess famn? Kanske det. Men det var också något annat.

Det första världskriget och dess orsaker är ett av dessa ämnen som nästan har forskats ihjäl av en ivrig historikerkår. Intresset för dessa frågor om hur och varför är i hög grad berättigade, för denna händelse måste nog betecknas som Den Stora Katastrofen. Det andra världskriget var givetvis en större kalamitet om vi ser till förödelsens omfattning och antalet offer. Dock går konflikten 1939–1945 att se som blott en fortsättning av det som skedde 1914–1918, som rond nummer två i ett långt europeiskt inbördeskrig. (Det är ett krig som bryter ryggen på vår kontinent och leder till att den i slutändan tappar makten över sitt eget öde, vilket istället kommer att styras av de två utomeuropeiska makter, USA och Sovjetunionen, som är konfliktens enda egentliga vinnare. Först nu anar vi ett slut på detta.) Utan det första världskriget hade det aldrig blivit något andra. Och utan den desillusionering, värdenihilism och det förbilligande av människovärdet som följde i masslaktens spår hade 20- och 30-talens totalitarism ej varit möjlig.

Vi känner alla till skolboksförklaringarna till första världskriget. Kivet om marknadsandelar, kolonier och en plats i solen mellan Europas olika imperialistiska makter; rivaliteten mellan Österrike-Ungern och Ryssland över den hårt packade kropp av problem som var benämnd Balkan; de skenande militära rustningarna, som var avsedda att skapa trygghet men som inte gav annat än otrygghet; systemet med pakter som syftade till att bevara freden, men som istället födde misstro och fruktan och som i slutändan ledde till att ett obskyrt litet gruff i en av kontinentens utmarker snabbt kom att fortplantas rakt in i det europeiska hjärtlandet; alla de militära planerna och noga hopsatta tidtabellerna som gjorde att när knappen väl tryckts in och hela apparaten surrat i gång, fanns det knappt någon möjlighet att få stopp på det hela. Och så vidare.

Nu för tiden kan vi också säga vad det inte var som startade 1914 års apokalyps. Det var inte någon mörk konspiration. Krigets utbrott kom ju så plötsligt och chockartat att många länge antog att det bara *måste* vara planlagt. På dryga två veckor gick man från djupaste fred till ett nära nog totalt krig. Efteråt var många skrönor i svang. En av de allra populäraste talte om ett hemligt möte som skulle ha hållits i Potsdam under juli månad 1914, då högt uppsatta tyskar och österrikare samlades och beslöt att ställa till med världskrig. Intet sådant ägde rum. I spelet under sensommaren förekom det en hel del cynism och samvetslöst laborerande, men än mer av missbedömningar och rent sjabbel, för det var egentligen ingen av de agerande som önskade sig ett storkrig. De styrande i Tyskland och Österrike-Ungern bar mer skuld än de andra till att det ändå gick som det gick, men ingen part var obefläckad.

Allt detta stämmer givetvis. Men det behövdes något mer för att katastrofen skulle kunna bli möjlig.

Det paradoxala var ju att den internationella atmosfären i förstone verkade vara så lugn. Det var ytterligt få som trodde på krig 1914. Ekonomisk blomstring och fred hade vid den tiden blivit till självklarheter i Europa. Men under en putsad yta av välmåga och finansiell succès kokade framåtskridandets alla oväntade motsägelser. Denna epok av stillhet och välstånd gick dräktig med ett mörkt något som snart skulle molma allt i mull.

»Gå under på ett meningsfullt sätt är det största en människa kan hoppas.« Den som skrev så är Vilhelm Ekelund, i *Tyska utsikter* från 1913. En dylik längtan efter en vacker undergång kan synas märklig, men den speglar väl något i tidsandan. Epoken syns ha något lojt och uttråkat över sig. Överallt stöter man på

människor som vill spränga sig ut ur all spleen och steril deka-
dans. Låt oss komma bort från denna dödliga dvala, ropar de,
bort från all färglös förträfflighet och ge oss istället den ohäm-
made kraft som ryms i handlingen, ge oss striden och dess sköna
ångest och vi skall bli renade och unga igen. Kontinenten tycks
bågna av sammanpressad mörk energi, som så laddas ur, has-
tigt, likt ett åskväder om sommaren.

Överallt blev nyheten om krigets utbrott hälsad med jubel
och skyar av viftande halmhattar. Allt vackert hopp om socialis-
tisk förbrödring över alla gränser smalt bort i sensommarvär-
men. I Frankrike hade myndigheterna räknat med att uppåt 13
procent av de inkallade aldrig skulle infinna sig under fanorna; i
augusti 1914 deserterade 1,5 procent. Man gav ett krig och alla
kom. Massorna anlände med en sång på läpparna och slängde
sig villigt, ja glatt ned i världskrigets svalg, »likt simmare som
dyker ned i renhet« som poeten Rupert Brooke skrev – snart
själv en av de unga fallna –, men bara för att landa döda och för
evigt förflyktigade i lort och intighet.

Det var tanken på detta som fick mig att rysa lite när jag stod
där bland de gräsövervuxta krevadgroparna. Det finns i dag en
inte så lite självgod belåtenhet som säger att då snart alla idkar
demokrati och kapitalism med samma vackra frenesi så sitter vi
därmed tryggt i Guds kålgård, där intet kan hota oss utom en
och annan liten knyck nedåt i konjunkturernas evigt stigande
feberkurvor och möjligen någon till diktator omsminkad maf-
fiabuse i den tredje världen. Första världskrigets tragedi varnar
oss dock för en sådan pösmagad självsäkerhet. Den visar väl hur
geschwint framgång kan bytas i förfall och hur en epok, ja en
hel civilisation kan nå sin vackraste blomning i samma stund
som den står i begrepp att lösas i luft. Första världskriget får en
också att förstå att även ett sådant evenemang som ett storkrig
inte på långa vägar är en helt igenom förnuftsstyrd händelse.
Det påminner även om att de styrande ofta är betydligt mindre

rationella än vad de själva tror och alla vi andra hoppas.

Och den där längtan efter en vacker undergång och renande kamp, vart tog den vägen? Mycket snart gjorde den en väl förtjänt bankrutt. Ett av krigets största svek består i att det utnyttjar sådana i grund vackra och prisvärda egenskaper som mod och offervilja. Under åren 1914 till 1918 var sveket dubbelt. Först tubbades de glada unga männen i halmhattar att glömma sig själva och ställa sitt kurage i krigets tjänst. Väl komna ut på valplatsen skulle de dock, som kapten Tabourot i vallgraven vid Fort Vaux, finna att allt detta nogsamt uppbådade mod inte var så mycket värt, för det som fällde avgörandet var teknikens blinda makt. Så allt eteriskt dilleri om stridens föryngrande friskhet och kriget som den högsta formen av kultur sprängdes i tusen små bitar av ett regn av stål och myllades ned i den stinkande leran.

När det så var dags igen år 1939 fanns det inte ett uns kvar av 1914 års rosenkindade entusiasm. Inget hurra hördes, trots att den nya striden i verkligheten gällde så mycket mer än den gamla gjort för 25 år sedan. Betyder det att det där mörka som kan förmå en människa att slösa bort sitt liv som vore det ett slitet småmynt, för en fana, en fras, för en mans löften, är borta, begravt på slagfält som det vid Verdun?

Det finns tecken på att den där känslan, den där högst egenartade hänryckningen, kanske inte är försvunnen utan bara vilande. Den går att se i en del nyligt krigsjubel, i somt av den amoklöpande nationalismen i öst. Det är inte ett fenomen som känner ideologiska gränser, om det nu var någon som trodde det. Det förknippas gärna och med viss rätt med högerpatriotism, men det är inget större problem att återfinna den här berusningen i vänsterkretsar. Exempelvis blommade den ut där i samband med det spanska inbördeskriget på trettiotalet. Som George Orwell har påpekat var den europeiska vänster som i tjugo års tid trott sig vara oåtkomlig för krigshysteri då de första

»att utan prut plumsa ned i samma andliga slum som rådde 1915«. En hel del vänstermilitarism gick att se i vårt land under Vietnamkriget, då blodsmystik och vapenrassel helt plötsligt blev fint och accepterat bara för att det bar sandaler på fötterna. Till min förfäran kan jag också ibland skymta den här hänryckningen i mitt eget jag, när jag tror mig se skönheten i ett vapen, när jag känner lockelsen i den totala hängivenheten och dras till de enkla bildernas magi, när jag anar förstörelsens rus och ibland tycker att en riktig snyting faktiskt kan vara snyggare än Nike från Samothrake.

Ett besök på ett gammalt slagfält likt det vid Verdun skänker snar tillnyktring. Ständig påminnelse är dock av nöden, men det är synd att denna påminnelse så ofta tar kropp i ett monument. Det är väl naturligt att så sker antar jag. Det band av förödelse som 1918 sträckte sig från kanalkusten ned till den schweiziska gränsen har i dag försvunnit nästan helt. Det är egentligen trösterikt att se hur långt läkningen har gått. Den som vet vad han eller hon skall titta efter ser dock spåren överallt i Belgien och norra Frankrike: de tysta och sorgsna kyrkogårdarna med deras oändliga rader av regnsvärtade gravstenar, murarna med ärr från kulor och splitter, de över 70 år gamla arméskyltarna som ännu går att ana på vissa husgavlar, de grå bunkrarna som sakta sjunker ned i marken eller återfinns väl uppsvalda av den moderna bebyggelsen, de stora vattenfyllda minkratrarna som nu blivit till ankdammar, de svaga gråvita spåren av smulad kalksten på de plana åkrarna som är allt som finns kvar av sedan länge igenfyllda skyttegravar. Rester av slagfält går att finna på vissa platser, som till exempel *Boyau du Mort* vid Stuivekenskerke, *Hill* 62 vid Zillebeeke, *Hill* 60 vid Zwarte-Leen, *Mémorial Canadien* strax utanför Vimy och *Newfoundland Memorial Park* norr om Albert; dessa fält är dock bara isolerade lämningar, ofta tillrättalagda på ett eller annat vis. De är att se som små tunna remsor rivna ur världskrigets skräcksaga, det är bara vid Verdun som vi kan skåda något som liknar den hela texten.

Men för det mesta möts en resenär istället av monument, statyer, byster, obelisker, plaketter och minnestavlor som på vissa platser nästan ligger i lager på varandra; det är en myckenhet med lejon – döda och levande –, trumpetande änglar, segergudinnor, kors, lagerkransar, hjälmar, svärd, soldater i sorterade poser och storlekar, gråtande kvinnor och epåletterade slaktare till häst, och så vidare. (Det som sannolikt är det värsta minnesmärket av dem alla står att finna strax utanför Meaux. Där har amerikaner vägledda av sin som vanligt osvikliga brist på smak rest en jättelik pjäs med en välbyggd kvinna som i ett starkt avklätt tillstånd liksom knäar iväg en likaledes blottad karl som dinglar över hennes nakna lår. Det skall visst vara något slags hyllning till de fransmän som stred vid Marne 1914 men ser mest ut som finalen på ett skäligen misslyckat samlag.) De fyller givetvis sin funktion att informera och påminna, men de förmår sällan att ge någon känsla för det som har hänt. De berör oss helt enkelt inte. Av all den tätt packade memorabilia som jag såg i Verdun är det bara en som jag verkligen minns. Det var en liten sprucken kakelplatta som satt fast på en skrovlig yttermur i Fort Vaux, en bit bort från den plats där kapten Tabourot miste sitt liv. På den stod det att läsa ett meddelande i blå skrift från en anonym far eller mor till ett förlorat barn: »Till min son. Sedan dina ögon slöts har mina aldrig upphört att gråta.«

Som jag sagt: jag vet nästan ingenting om kapten Tabourot, förutom hur och var han dog. Jag vet inte ens var han är begravd. Om han nu alls är begravd: ett försök att mylla ned ett lik under slaget innebar lätt att också dödgrävarna strök med i det täta granatregnet och på så vis fick man ytterligare några döda kroppar på halsen. I regel slängde man bara iväg de stupade över kanten till värnet. Marken var snart så full av döda att soldaterna ofta var tvungna att hacka sig fram rakt genom de sönderfallande liken när de grävde sina skyttegravar.

Andra dagen åkte jag och mitt ressällskap till *L'Ossuaire*, där huvuddelen av de fallna vilar. Vi passerade det sammanstörtade Fort Souville, åkte förbi den lilla obelisken som påminde om den utplånade byn Fleury, förbi det fyrkantiga museet (det står där byns järnvägsstation en gång låg). Där öppnade sig den mörka granskogen och gav vika för en raggig och buskartad lövskog. Så dök *L'Ossuaire* upp i solgasset, en drygt 140 meter lång krokan med mjukt avrundade gavlar, på mitten krönt av något som ser ut som en blandning av ett fyrtorn och en rymdraket. Den låg på krönet av en svag sluttning fylld av hektar på hektar med vita kors i raka rader. Var det här som lämningarna efter kapten Tabourot stod att finna? När jag gick runt byggnaden såg jag en lång rad små fönster som löpte längs dess bas. Jag böjde mig ned och kikade in. Det var en förfärlig syn som mötte mig.

Namnlösa lik var ett stort bekymmer på alla slagfält från första världskriget. De brittiska krigskyrkogårdarna från de här åren – det finns runt 2 500 – rymmer som mest uppåt en tredjedel okända, som alla vilar under egna blanka gravstenar där samma fras upprepas igen och igen: »Känd av Gud.« Vid Verdun är det bara de stupade som identifierats som fått egna gravar, ej igenkänneliga kroppar och delar av kroppar lades istället in i denna byggnad, *L'Ossuaire*, benhuset. Det säger en hel del både om slaget och om valplatsen att fransmännen efter kriget här samlat ihop rester efter över 130 000 döda – fransmän och tyskar. Sådana här benhus var vanliga förr. Från medeltiden och framåt förekom det ofta i Europa att man grävde upp benen ur äldre gravar för att bereda plats för nya döda; det sker givetvis fortfarande, men den stora skillnaden var att man då gärna sparade de gamla benen. De lades upp i konstfulla högar i olika nischer och dolda valv i kyrkorna eller i särskilda små hus. Detta var ett uttryck för en uråldrig förtrolighet med döden som har gått förlorad nu. Att bese dessa vackra pyramider av mossanlupna skallar ansågs som fint och uppbyggligt, ett gott memento om den enskilda människans förgänglighet. »Det ni är, var vi. Vad vi är, kommer ni att bli.« I takt med att den moderna attityden till döden växte fram, med allt vad det innebar av tabun och förnekanden, såg man på dessa samlingar av ben med en alltmer stegrad avsmak. Under 1800-talet blev de ofta rent av förbjudna. Sett utifrån detta är Verduns benhus en anomali. Den är dels ett resultat av de besvär man hade efter kriget att ta hand om ett alldeles för stort antal lik på en alldeles för liten yta, dels ett uttryck för en önskan att inte glömma, gömma eller släta över, utan istället bevara i minne genom att visa upp – vilket också är poängen med detta gamla slagfält, som är det mest fulländade antikrigsmonument som står att skåda i Europa.

Jag tittade alltså in i ett rum, en krypta, som var till brädden fylld av rester från människor. Ben. Lårben, skulderblad, fingrar, revben, käkar, skenben, knäskålar, kotor, en fot ännu kvar i en trasig stövel, ett gapande kranium där en spindel hade spänt sitt tunna nät mellan tandraderna. En del ben var spräckta och orena och bar ett vagt vittnesbörd om explosioner som flaxar till i ett dis av damm och rök och lämnar människor uppfläkta som slaktdjur; andra ben var rena och raka och snygga som vore de anatomiska preparat. I nästa fönster var det samma sak, om än bara mera väl ordnat. Där låg underarmsben staplade för sig i en hög, höftben för sig, lårben för sig, skallar i ännu en trave, och så vidare. Jag gick vidare. I ett fönster skymtade vad som torde ha varit den kryptans allra senaste tillägg: ett nästan komplett skelett, om än fallet i bitar, låg högst upp på den gulbruna högen av spretande brosk och ben. Runt ett av de tjocka lårbenen hängde en riven grå trasa av något som en gång varit en uniform.

Jag kikade in i ett par fönster till, men sedan förmådde jag inte mer. Jag kände mig alltmer obscen, en fönstertittare som avsmakade den stora katastrofen som en sevärdhet. Då begrep jag att man inte gärna åker till Verdun som jag gjort, som turist. Möjligen kan man besöka platsen som pilgrim, inte för att bli varse om hur ovaraktigt det egna köttet är, utan för att påminnas om den mörka skugga av förgänglighet som häftar vid hela vår civilisation.

Inte så lite skamsen gick jag därifrån.

Bröderna Marx i Petrograd

OM DET INTE var så att människor faktiskt miste sina liv i spektaklet skulle man kunna tro att det handlade om ett upptåg inspirerat ej av Karl utan av bröderna Marx. Det hela började söndagen den 21 oktober 1923, då centralkommittén i det tyska kommunistpartiet beslöt att starta en revolution. Denna skulle inledas tisdagen den 23 med hjälp av ett så kallat spontant uppror i Östersjöstaden Kiel, ett upprop som strax skulle sprida sig vidare i Tyskland, ni vet, »som en präriebrand«. Datumet var valt för att partiets ryska bröder gärna ville se en »tysk oktober« nära inpå årsdagen av deras eget gripande av makten i Petrograd 1917. Kiel hade valts därför att den förra tyska revolutionen 1918 startats där av krigströtta matroser (som då faktiskt inlett ett uppror som också i verkligheten var helt självmant), och man ville så gärna se en repris av detta.

En man som hette Remmele sändes iväg till Kiel för att överlämna denna order. Centralkommittén kunde nöjt gå hem till sitt och avvakta den stora tyska revolutionens utbrott. Deras lugn varade dock inte länge. När det tyska kommunistpartiets ledare Karl Brandler strax efteråt inför en konferens med sachsiska arbetarrådsrepresentanter tillkännagav planerna på resning ställde sig dessa helt frågande, ja direkt avvisande – de allra flesta var vänstersocialdemokrater. I samma veva inkom rapporter om att centralregeringen i Berlin uppenbarligen kände till de hemliga planerna. Brandler fick kalla fötter. Efter att ha tänkt en smula på saken kom han och centralkommittén fram till att det kanske inte var en så god idé att sätta i gång en revolution just nu. Hela operationen måste därför ställas in. Ett bud skenade genast iväg till Kiel för att finna Remmele och få stopp på det hela. Kruxet var bara att karln inte stod att finna nånstans. Och nästa dag kunde en något förbluffad centralkommitté läsa i tidningarna att revolutionen hade brutit lös, dock inte i Kiel, utan i Hamburg!

Följande hade skett. När Remmele under måndagen i triumf anlänt till Kiel och stolt meddelat de lokala kommunistledarna att de av alla blivit utvalda att starta den tyska revolutionen 1923 så trodde de inte sina öron. Det var enligt dem en komplett omöjlighet. Yr av sin sentimentala svaghet för historiska paralleller hade centralkommittén inte bekvämat sig att se efter hur läget verkligen var i Kiel. År 1918 fanns där 40 000 ilskna värnpliktiga, utleda på krig och brister och inte alltför kittlade av tanken att följa med den tyska högsjöflottan ut på en sista heroisk självmordsseglats; år 1923 fanns i Kiel bara 2 000–3 000 yrkesmilitärer, överhöljda med mensurärr och järnkors och de allra flesta svårt anfäktade av olika högerextremistiska idéer – den iver de kände inför den kommunistiska världsrevolutionen var rätt måttlig. Där stod Remmele, helt ovetande om kontraordern, med ett papper i nypan som sade att man morgonen därpå till varje pris skulle ställa till med en revolution. Det gällde nu att finna på en ny ort där »gnistan« skulle »tändas«. Efter en del hummande och huvudkliande kom man fram till att försöka i, i … Hamburg.

I elfte timmen gick påbudet ut till de ansvariga i partiet i Hamburg. KPD:s starke man i staden, den före detta sjömannen Ernst Thälmann, tog befälet över operationen, men många av de lokala politiska cheferna och även den person som basade för partiets militära organisation i staden visade sig vara omöjliga att nå. En ny militär chef fick därför framletas i en hast. Denna person, en stackare vid namn Kippenberger, blev alltså purrad i sin säng på kvällen den 22 och högtidligen meddelad att han blivit förordnad till chef för de väpnade kommunistiska grupperna i den stora arbetarstadsdelen Barmbek-Uhlenhorst. Dessutom fick han reda på att de skulle inleda en revolution om några timmar. Att Kippenberger inte var bekant med vare sig organisationen eller dem han skulle leda och dessutom knappt kunde färdas i Hamburg utan att själv gå vilse, det spelade i denna sena timme mindre roll.

Natten blev ett sammelsurium av möten, förvånade frågor, förvirring och nya möten, ny förvirring, osv. Det fanns knappt tid att informera alla berörda, än mindre att lägga några väl genomtänkta planer. I Hamburg fanns det inom kommunistpartiet ett 15-tal stridsgrupper som bestod av 40 till 60 man vardera. De som alls stod att få tag på blev nu larmade. (Det är talande att den som vid sidan av Thälmann var KPD:s ledande figur i Hamburg, läraren Hugo Urbahns, aldrig nåddes av budet. Han sov fridfullt i sin säng under operationens inledande skede.) I dessa grupper ingick det förutom stridande även motorcykelbud, sjukvårdare och till och med särskilda kvinnliga spanarpatruller. Dock hade man tydligen inte brytt sig så särskilt mycket om en sådan banal detalj som att skaffa vapen. Kippenbergers folk hade 19 gevär och 27 revolvrar. Det var allt. Med dessa skulle de gå till attack mot ett tjugotal polisstationer och en stor kasern (som rymde 600 till tänderna väpnade konstaplar och 6 pansarbilar). Någon påminde sig att det fanns en liten kulspruta gömd i en by drygt två mil sydost om Hamburg. En patrull sändes genast dit för att hämta den. Kulspruteägaren vägrade dock att släppa den ifrån sig. Det hjälpte inte hur männen från staden än laborerade med hemliga lösenord och annat konspirativt hokuspokus. Slokörad och påtagligt tomhänt fick patrullen vända åter.

Den revolutionära glöden bland de väntande i stridsgrupperna blev något stillad när det stod klart att de i bästa fall kunde räkna med att få ett vapen på 20 man. (Det hjälpte föga att de ansvariga visade upp sin stora militära expertis genom att ge order om en synkronisering av klockorna.) Två grupper smalt bort på stället i den tidiga höstmorgonen. Resten blev av med runt en tredjedel av sitt folk medan de traskade genom de gråtomma gatorna, på väg mot sina olika anfallsmål.

Klockan 4.55 var grupperna på plats. Prick på slaget fem startade revolutionen. Skurar av stridslystna revolutionärer rusade in i ett antal polisstationer och de något yrvakna poliserna tvingades in i sina celler. 17 av 23 anfallna stationer intogs. Attacken mot polisstation nr 46 på Ehrenstrasse gick dock i stöpet. Först gick allt så bra, poliserna blev av med sina vapen, etcetera. Dock råkade någon av insurgenterna ute på gatan i misshugg avlossa ett skott. (De glada insurgenternas kunskaper i vapnens bruk hade vissa luckor. De behövde bland annat hjälp av de finkade polismännen för att förstå sig på de tagna vapnen. Detta var tydligen ett allmänt problem för revolutionärer under tidigt 20-tal. Under oron i Tallinn året därpå hade man visserligen tillgång till ett parti goda kulsprutepistoler av märket Thompson – en tung sak med en teoretisk eldhastighet på inte mindre än 1 500 skott i minuten – men ingen visste hur man gjorde bruk av dem. Dessa insurgenter hade också en del handgranater. Dock kastade man dessa utan att osäkra dem först, varvid dessa ting – som man antar till måltavlornas inte obetydliga lättnad – hade ungefär samma verkan som en medelstor gråsten.) Männen inne på stationen fick då för sig att de var utsatta för en attack utifrån, varför de genast kullerbytterade ut på gatan i en enda stor skock, varvid poliserna som blev kvar osportsligt nog tog tillbaka sina vapen.

Ett tag på morgonen såg det nästan ut som man kunde förvänta sig av en riktig revolution. Barrikader restes här och var och ett tjockt flöde av käck revolutionsretorik susade genom luften. Systemet med bud som dånade runt på motorcykel hade tydligen vissa brister, för till en början försvann de flesta rapporter och förfrågningar i tomma luften. Framemot eftermiddagen började dock läget att klarna. Det visade sig då att det i-stort sett var lugnt i staden! Någon affär hade blivit plundrad och spårvagnarna hade slutat att gå. Små anfall hade också slagits ut här och var, trots bristen på vapen och information till de i hast inkallade revolutionärerna. De hade dock gett ett mycket klent resultat. Och inte heller hade Massorna infunnit sig. Inte en enda demonstration gick att se, inte en enda sympatistrejk.

Under tisdagseftermiddagen sköts det en hel del här och var i Hamburg. För det mesta gav det inget annat resultat än trasiga rutor, spräckt väggputs och en massa oväsen. Vid tolvtiden hade ordningspolisen återhämtat sig från den första chocken och uppenbarade sig tid efter annan i tätt sluten svinfylking med osande pansarbilar i täten. De hade dock svårt att se några motståndare, varför de då och då i sin upphetsning pepprade på någon grupp nyfikna åskådare eller, än hellre, överöste de olika barrikaderna med kopiösa mängder kulor från gevär och kulsprutor så att flisorna rök. De brydde sig inte om att ta reda på att dessa tunga barrikader, gjorda av gatsten, järnvägsskenor och fällda träd, för det mesta var tomma och oförsvarade. De insurgenter som ännu fanns kvar och som mot förmodan hade vapen satt rätt säkra på omgivande tak och balkonger. Därifrån kunde de i trankil meditation bese eldfesten nere på gatan och även bidra en aning med egen skottlossning. Rykten gick i staden: en båt lastad med vapen var på väg från Sovjetunionen. Ordningens män delade i panik ut bössor till socialdemokrater, högermän och andra som ville ha och släppte lös aeroplan i hotfulla brummande bågar över staden. Men det enda som kom den dagen var kontraordern från centralkommittén, som efter många meandriska turer i Sachsen äntligt nådde sin rätta adressat.

Sent på förmiddagen den 24 oktober hade de flesta av de runt 250 väpnade revolutionärerna smugit sig undan och gömt sina vapen och sig själva. »Revolutionen« var över efter 36 timmar. Poliser kunde posera i triumf vid gediget kulstungna barrikader som hängde och flaggade som trasiga badmintonnät, alltmedan man för säkerhets skull utfärdade utegångsförbud och höljde rådhuset och andra offentliga byggnader i täta lager taggtråd. I striderna hade 61 revolutionärer och 17 poliser mist sina liv, antalet sårade uppgick till cirka 260 respektive 54. Betydande förluster syns också ha krävts bland oskyldiga förbipasserande: ambulanser samlade upp 14 döda och 108 sårade på gatorna. Det som brukar kallas för 1923 års tyska revolution var till ända. (Den väckte rätt lite uppmärksamhet, inklämd som den var mellan utbrott av separatistisk oro i Rhenlandet och en högernationalistisk kupp som slogs ut i München drygt två veckor senare, ledd av en dittills okänd före detta korpral, Adolf Hitler.)

Upphovsmannen till den sorglustiga lilla resningen i Hamburg var ytterst ingen annan än Lev Davidovitj Bronstein, alias Leo Trotskij. Han framstår på flera sätt än ett som den arketypiske revolutionären. Begåvad, intelligent och bestyckad med en ursinnig energi hade han på kort tid och uppenbarligen utan större möda skaffat sig en meritlista som torde ha fått håret att resa sig av skräck på en genomsnittlig försvarare av tingens ordning i det gamla Europa: tidigt verksam i den underjordiska revolutionära rörelsen i Ryssland; fängslad ett flertal gånger, förrymd ett flertal gånger; ledde under 1905 års revolt sovjeten i S:t Petersburg; 1917 spelade han en avgörande roll då bolsjevikerna grep makten; under inbördeskriget skapade han ur intet Röda armén, och så vidare. Hans litterära begåvning var otvetydig – George Bernard Shaw kallade honom en gång för »pamflettisternas furste« – och han var en fenomenal talare. Trotskij var något så rart som en handlingskraftig intellektuell, lika glad bakom en bläckplumpad skrivpulpet som på ett krutdisigt slag-

fält. Det sades att i ett uppror var hans namn värt 40 000 bajonet-
ter. Inte underligt att denne modige och envise karl ett tag sades
vara världens farligaste revolutionär.

Han är ett gott exempel på en ny typ som stiger fram på den
politiska arenan under 1800-talet: yrkesrevolutionären. Denna
person springer fram ur å ena sidan den franska revolutionen,
och å andra sidan den anskrämliga process som vi nu kallar för
den industriella revolutionen, som innebar att Europa firade nya
triumfer i nöd, elände och smuts. Denne yrkesrevolutionär tän-
ker, andas, talar och lever Den Stora Omvälvningen; han och
hon är en bohem och patentkverulant tillika, in till döden hängi-
ven en enda stor vision. För yrkesrevolutionärens framväxt är
även länkad till en ny syn på utopier. Om man till exempel läser
1500- och 1600-talens olika utopister – Andræ, Bacon, Burton,
de Bergerac, Campanella, de Foigny, Hartlib, Harrington,
Winstanley, etcetera – så står det strax klart att de flesta av dem
mycket väl visste att de tecknade ingenstansländer. Det är först
i och med 1800-talet som man börjar se på utopier som blåko-
pior för framtiden. Ett sekel av teknologisk och vetenskaplig all-
makt föder så ett sekel av politisk allmakt; Jules Vernes ingenjör
Robur får något vasst i blicken, drar på sig uniformen och börjar
med håret fullt av fraser bygga gaskamrar och Gulagarkipelager,
allt led i skapandet av denna sköna nya värld – kosta vad det kos-
ta vill! – som tar sin form ur utopiernas så fluffiga blandning av
vita moln och sockervadd. Som yrkesrevolutionär liknar Trot-
skij väldigt lite dagens radikala, som är figurer av hö och halm
som går i bitar när vinden gör ett skarpt kast. Detta är en man
som drabbad av en livsidé troget följer den mot seger eller un-
dergång.

Trotskij framstår som typisk även i sina dåliga sidor. Han var
en person inspärrad i en tanke som snart började att förväxla
ideologins cellväggar med den så kallade verkligheten och där-
för ofta inte bekymrade sig stort om alla de fakta som gick på

tvärs mot hans till revolutionär teori adlade fördomar. Han var mycket begiven på att släppa ifrån sig olika tvärsäkra förutsägelser, vilka dock nästan utan undantag visade sig vara fel. Detta störde dock inte Trotskij utan han fortsatte in i det sista att blåsa dylika vackra retoriska såpbubblor. Bland annat menade han senare att andra världskriget skulle leda till att kapitalismen krossades och stalinismen sveptes undan. (På en punkt har han dock fått rätt, det måste erkännas. Om världsrevolutionen mot all förmodan inte skulle komma i samband med det kriget, skrev Trotskij strax innan han blev mördad av Stalins GPU 1940, »skulle ingenting annat återstå än att erkänna att det socialistiska programmet, baserat på det kapitalistiska samhällets inre motsägelser, slutade som en utopi«.) Han odlade en förnuftsmässighet som var så knastertorrt sträng att den hela tiden hotade att slå över i mystik. Fredrik Böök vill likna honom vid Holbergs Erasmus Montanus, »den arrogante, fanatiske rationalisten, full av sin nya lärdom och sitt rättshaveri, färdig att slå ihjäl hela den handgripliga verklighet, som existerar, och ersätta den dels med en kopernikansk världsåskådning, som i sig själv kan vara riktig nog men som bör genomföras med lämpor och i varje fall icke rubbar det enkla faktum, att solen går upp, dels med skolastiska abstraktioner och sofismer, som blott äro en form för hans övermod och självförhävelse«.

Och inte var han någon rödkindad demokrat inte; denne virtuose skurk med sitt stora sinne för organisation deltog med liv och lust då bolsjevikerna lät göra kål på alla andra politiska partier, allt från kadetterna ute på högerkanten till socialistrevolutionärer, socialdemokrater och anarkister. Han tog också del i den utveckling som inletts redan 1918 och som inneburit att bolsjevikernas maktbas i sovjeterna kommit att ersättas av rent militär och administrativ makt, utövad av dem som efter bara ett par år utgjorde två tredjedelar av partiet: funktionärerna. En strängt auktoritär regim hade då börjat att träda fram, en regim som slog yttrande- och pressfriheten i bitar och som brukade censur, tvång och naket våld mot allt och alla som den tyckte var ett hot mot dess makt. Hr Bronstein var en av de destruktiva genier som byggde upp denna regim. Höjd över allt moralpedantiskt knussel lät han ta och döda gisslan under inbördeskriget, han försvarade att man tog livet av barn och han bar ansvaret för flera tusen arkebuseringar. Till och med hans annars nästan till lallande idioti devote biograf Deutscher talar om Trotskijs »skoningslöshet« och »hänsynslöshet«, vilken också ibland gick ut över den egna sidan. Känslan av total makt tilltalade honom utan tvekan – en historiker talar om att han var »benägen att gladeligen beordra disciplinära avrättningar«. För att inte tala om Kronstadtrevolten som ägt rum två år före debaclet i Hamburg, då Trotskij gav order om att de besvikna matroser och arbetare som bland annat krävde tryck- och yttrandefrihet och fria fackföreningar skulle skjutas ned »som ankor i en sjö«.

Ett vanligt misstag, särskilt ofta begånget av folk till höger som exempelvis Paul Johnson, är dock att göra revolutionärer som Trotskij till onda människor. Ondskan må vara en kategori som någon gång är av nöden för att förklara somt mänskligt beteende, men i Trotskijs fall hjälper det oss föga. Det vore nämligen fel att se honom eller någon av hans sam- eller sentida gelikar som onda. Även om de som sagt var destruktiva genier, så var destruktiviteten ingen drivkraft. Revolutionären är ofta en högst oegennyttig människa, bländad av en vision som rymmer mycket av skönhet och stilla förnuft; denna messianska irrbild lovar oändlig lycka i den hinsidesvärld som väntar på andra sidan revolutionens Ginnungagap. Och dit måste man nå, till snart sagt vilket pris som helst, även om man måste föra människorna dit i handklovar och ögonbindel för att lyckliggöras under tvång, ja även om man så måste offra just de människor för vars skull tusenårsriket var framtänkt. Det är just övertygelsen och den oegennyttiga hängivenheten som gör revolutionären så full av kraft och också så livsfarlig. Och det är de egenskaperna som fick i grund rätt blida kammarlärda som Trotskij att börja morra som vilddjur och ropa på blod.

Även Trotskijs slutliga öde gör honom till en arketypisk revolutionär. Som vi vet äter revolutionen sina egna barn – även om det efter omvälvningarna i Östeuropa 1989 måste tilläggas att ibland äter barnbarnen revolutionen. Också Trotskij blev till sist slukad av den monsterstat som han själv varit med om att skapa – i det skymtar en symmetri som det är svårt att inte kalla för rättvis. (Det var förresten ett öde som också drabbade flera av de inblandade i Hamburg–debaclet. Både den vilsegångne kuriren Remmele och stridsgruppschefen Kippenberger – som sedermera blev chef för KPD:s informationstjänst – flydde efter Hitlers maktövertagande till Sovjetunionen. Där blev de senare båda avrättade av GPU under Stalinterrorns mardrömsaktiga crescendo åren 1937–38. Det finns vissa som påstår att Stalin tog livet av minst lika många tyska kommunister som Hitler.) Det har dock uppstått en romantisk aura runt honom, den store förloraren i maktkampen med Stalin. Trotskij står för myten om revolutionen som föds ren och fin men som av sneda omständigheter och slemma intrigörer förvrids, förfelas och till slut förråds. Detta är fel. Terrorn, polismetoderna och arbetslägren var alls inget sent påhitt av Stalin utan kom till redan under den tid då Trotskij själv satt vid makten. Den yttersta tragedin i fallet Trotskij ligger nog i att han inte ville se detta och därför envist vägrade att erkänna sitt eget ansvar för det som skedde med Sovjetunionen.

Det intresse Trotskij hade för en tysk revolution 1923 var på inget vis teoretiskt. Han ansåg att om inte de socialistiska omvälvningarna spred sig i Europa skulle den ryska revolutionen stocka sig och förtvina. Att föra omstörtningen vidare, att få den att kliva över gränser och korsa hav, att växa till en världsrevolution, kolossal, bredaxlad och allt omfattande, det var hans stora dröm. Tyskland med dess stora och starka arbetarklass sågs som något av nyckeln till det bolsjevikiska Europa. Det var därför med extra stor iver Trotskij 1923 vädrade i luften och undrade om månne inte en tysk revolution kunde vara på sin plats nu. På ytan verkade läget vara lovande, om inte annat så på det där lite skolboksrevolutionära maneret där höga vederbörande sätter sig ned med en penna och bockar av de »betingelser« som krävs för att läget skall kallas för »moget«. Arbetslösheten var på väg upp (bock) och det förekom en hel del stora strejker (bock). Den politiska oron var också hög (bock) efter fransmännens ockupation av Ruhr. Ekonomin var i olag (bock) och hela landet var plågat av en nästan parodisk hyperinflation (bock, bock) – bara från den dag beslutet om »revolutionen« blev fattat till dess att den »bröt ut« sjönk riksmarkens värde från att vara noterad till 15 miljarder på 1 dollar till att betalas med 75 miljarder på 1 dollar.

Trotskij var eld och lågor. Även den annars så skygge Zinovjev, ordföranden för den kommunistiska tredje internationalen, ylade mot månen. Moskva drev glatt på sina tyska kolleger och ville också fastställa ett datum för när man skulle skrida till aktion. När det tyska kommunistpartiets ledare Brandler i september kom till Moskva var hans extas inför dessa planer dock högst begränsad. De tyska kommunisterna hade visserligen sedan sommaren börjat att bereda sig för den stund då allt skulle ställas på sin spets. Dock kunde Brandler från sin plats på första parkett inte se det sällsport revolutionära läge som Trotskij och Zinovjev fått korn på ända från Moskva. (Den tyska ekonomin hade inlett en sakta återhämtning och de upprörda politiska stämningarna hade också stillnat något. Det visade sig att revolutionsgeneralerna i Moskva fattat sina allvisa beslut i huvudsak på basis av – pressklipp!) Den gode Brandler lät sig dock pratas omkull med hjälp av en storm av skarpskuren demagogi. Till slut gav han också, tvekande och skeptisk, samtycke till att sätta i gång en revolutionär aktion på tysk botten. Möjligen som en pik till Trotskij – »det är din soppa, nu får du också reda ut den« – bad Brandler att denne skulle sändas inkognito till Tyskland för att leda det hela.

Trotskij, som vanligt orädd och lysten på djärva äventyr, ville själv gärna resa. Han var besviken över den egna revolutionens något segdragna gång, trött på intrigerna i politbyrån, trött på de ständiga bråken med Stalin, Zinovjev och Kamenev. Det hela slutade i ett absurt uppträde i politbyrån. Zinovjev och Trotskij grälade svartsjukt om rätten att få bli sänd till Tyskland som »revolutionens soldat«; det hela slutade med att ingen av dem tilläts att åka. Beslutet behagade inte alls den fåfänge och snarstuckne Trotskij och han störtade argt mot dörren, för att ställa till med ännu en teatralisk sorti. Salen hade dock en stor och massiv port som var mycket svår att öppna och som det inte gick att slänga igen med en dramatisk gest hur mycket Trotskij än försökte.

Kanske var han verkligt besviken över att han aldrig fick åka – han är märkligt tystlåten om hela affären i sin självbiografi. I alla fall såg han på den här misslyckade tyska »revolutionen« av 1923 som något av en vändpunkt i den ryska revolutionens historia: den släckte allt hopp om stora och snabba omvälvningar i Europa och skapade ytterligare grogrund för hans fienders anfall mot honom och hans anhängare. Skotten hade i alla fall knappt hunnit tystna i Hamburg så började man också gräla om vem som var att skylla för detta exempellösa fiasko. Trotskij pekade finger mot Stalin, Zinovjev och Kamenev. Stalin, Zinovjev och Kamenev pekade finger mot Trotskij. I Tyskland hittade man efter en tids rituell självkritik en lämplig liten syndabock i form av Hugo Urbahns, som alltså inte vetat om att en »revolution« var på gång och därför försovit sig. Han togs nu i örat, överöstes med en lagom dosis ovett varefter han katapulterades ut ur partiet, anklagad för »feghet inför fienden«. Ernst Thälmann däremot, som i motsats till Urbahns verkligen varit inblandad i exekverandet av denna svarta fars, utsågs bisarrt nog till Brandlers efterträdare och fick, som vi alla vet, så småningom en vacker hedersplats i de europeiska revolutionärernas Pantheon.

Thälmann var givetvis mer ansvarig för misslyckandet än den stackars Urbahns, men sanningen är nog den att den stora boven dvaldes inne i hjärnan på de höga ryska och tyska revolutionärerna. All deras drivna yrkesmässiga revolutionism till trots så visar hela episoden på att de nog aldrig riktigt begripit vad en revolution egentligen var för något. Länge har det både till höger och vänster funnits en högst märklig samstämmighet i frågan om revolutionens väsen. De bilder som givits av stora omvändelser har skilt sig från varandra som en positivkopia skiljer sig från negativet: grunddragen har dock varit de samma. I mitten för båda dessa synsätt står revolutionärerna och deras organisation. Det är de som enligt den gamla vänsteruppfattningen skapar revolutionen med sitt heroiska laborerande i kulisserna; som antytt ovan avviker högerns bild av detta bara i sådan mening som att dessa operationer i dunklet ses som fula och listiga manipulationer utförda av onda personer – ofta rikt begåvade med diverse grava karaktärslyten – som lurar folket. Den så kallade vanliga människan och de så kallade massorna är i båda dessa synsätt bara spelpjäser, ett objekt, ett *instrumentum mutus*, som med hjälp av en myckenhet konstgrepp och fiffel fås till att välta den bestående ordningen på näsan. Revolutionen ses som en följd av agitation, konspiration och snygg planering.

Ingenting kunde vara mer fel. Tvärtom är det så att alla stora revolutioner i modern tid varit resultatet av helt spontana massrörelser bland folkets breda lager. Revolutionärerna och deras partier har i regel spelat en mycket liten roll i det spel som lett fram till dessa händelser. De har ofta suttit, som den gode Lenin i Schweiz i januari 1917, och knaprat på chokladkakor och muttrat att revolutionen nog inte skulle komma på mycket länge än,

bara för att vakna upp med ett ryck inför feta tidningsrubriker
som skriker om «Revolution!« Och alltid när olika små revolu-
tionära kotterier fått för sig att tända en och annan präriebrand
har det i bästa fall slutat som i Hamburg 1923, likt ett slags tragi-
komisk iscensättning av »Bröderna Marx i Petrograd« – det vi-
sar oss det blodiga spår som löper från posthuset i Dublin påsken
1916 över Weimartidens otaliga små kupper och putscher, förbi re-
volterna i Tallinn 1924, Kanton och Shanghai 1927, Kreta 1935,
och så vidare, fram till den märkliga kubanska triangel av revo-
lutionära fiaskon som består av Castros anfall på Moncada-
kasernen, Batista-busarnas platta fall i Grisbukten och Che Gue-
varas irrfärder i Bolivias täta djungler. Och den mäktiga kedja
av omvälvningar som 1989 löpte genom Östeuropa bekräftade
än en gång att revolutioner är spontana händelser, där vanligt
folk agerar med en sådan snabbhet och oförutsägbar kraft att
välartikulerade uttolkare, självutnämnda ledare och yrkesrevo-
lutionärer lämnas långt på efterkälken.

Icke med detta sagt att revolutionären har varit en person utan
betydelse. Sanningen är bara den att revolutionärer aldrig gör
revolution. Däremot har dessa människor visat sig vara drivna
experter på att stjäla revolutioner. De har i regel dykt upp på sce-
nen efteråt med andan i halsen och ställt sig framför de redan
samlade demonstrationstågen och ropat och viftat. Det bästa
exemplet på detta är också det allra mest kända: den ryska revo-
lutionen 1917. Den inträffade som bekant i mars det året, då fol-
kets breda massa med sina spontana massdemonstrationer och
strejker välte den gamla despotiska tsarregimen över ända. Det-
ta var den lilla människans stund. Hon och hennes gelikar hade
fram till dess mest bara varit sanden i historiens timglas. Men i
mars blev hon synlig. Utan att behöva tubbas av bombkokare i
cape eller magistrala programskrivare tog hon då strid mot ofri-
het och vidrigheter, för rätten till en smula värdighet och skön-
het i det egna livet.

108

Det som skedde i oktober – alltså november med vår tideräkning – var att bolsjevikerna med hjälp av en statskupp shanghajade denna revolution. Händelserna i oktober markerar den punkt i revolutionens historia då makten började glida över från den folkliga massrörelsen till ett parti som avsåg att styra händelsernas gång helt och hållet efter eget skön. Eller som Wolf Biermann har sagt: den socialistiska oktoberrevolutionen var inte socialistisk, det var ingen revolution och den ägde inte ens rum i oktober. När de styrande bolsjevikerna den 25 oktober skred till aktion hade de ingen som helst sanktion för vad de gjorde, inte ens från det egna partiet – så sent som på eftermiddagen den 24 satt både Stalin och Trotskij och bedyrade olika delegater från det egna partiet att man inte hade för avsikt att gripa makten. Kuppen ägde rum tidigt på morgonen, alltmedan Petrograd sov och gatorna låg tysta och tomma: broar, järnvägsstationer, telegrafen, regeringssätet, etcetera, togs över av ett par tusen män i vapen nästan utan ett skott. (Om man ser det som en putsch bland andra måste man säga att den utfördes med osedvanlig snits – speciellt om man jämför med snubblandet i Hamburg sex år senare. Den som bolsjevikerna hade att tacka för detta var Trotskij själv, som under dessa kritiska dagar i praktiken var deras högste fältherre.) När folk vaknade var allt redan över. De flesta märkte ingenting: affärerna och biograferna hade öppet och spårvagnarna gled fram som vanligt genom de leriga gatorna. Inte ens börsen reagerade nämnvärt på den s.k. oktoberrevolutionen.

Det här mönstret som kom att grundas i och med kuppen i oktober 1917 har växt ut till att bli en av 1900-talets stora tragedier. Vi har sett det igen och igen, hur i hög grad berättigade folkliga revolutioner blivit stulna av olika elitgrupperingar med hårda nypor och huvudena fulla av det som populärt brukar benämnas visioner. Några av de allra senaste exemplen på detta finner vi i Iran, Nicaragua och Rumänien.

Erfarenheterna från oktober 1917 lurade dem som var med till att tro att det var så här en äkta omvälvning såg ut, fast det man gjort bara var att snappa åt sig den herrelösa hund som kallades »makten«. Tanken att en revolution är kommen ur agitation och konspiration var ytterst ett stycke ideologisk retorik som blivit till en förledande trollsyn. Den fick sin osedvanliga kraft och spridning därför att den fyllde ett viktigt behov hos folk till både höger och vänster om barrikaderna. Den gamla ordningens män behövde denna myt för att kunna förklara bort oro och missnöje bland folket. (»Vår värld är i grund god och harmonisk; de störningar vi kan se kommer utifrån, skapta av ondskefulla gnomer till män som lurar hederliga människor till att sätta den i fråga.«) Revolutionärerna behövde myten för att kunna rättfärdiga sin varelse i de mest hopplösa lägen. (»Vi är få, men vi kan ändå styra det som sker, bara vi ligger i och agiterar, konspirerar och planerar.«) Särskilt marxism-leninismen rymmer mycket av dillerier om partiets ledande roll, etcetera, tankar som uppenbarligen har ställt till med besvär för många yrkesrevolutionärer som inte förmått skilja dessa fromma förhoppningar från det som verkligen var för handen. Dessutom bar många stora marxister på ett märkligt idégods som de tagit åt sig från 1800-talets olika militaristiska ideologer som von Clausewitz och Jomini. Kriget framställdes av de sistnämnda som ett i grund rationellt politiskt instrument som man använde efter eget skön för att nå sitt mål.

Engels, Lenin och Trotskij hade alla förläst sig på militärteoretisk litteratur och alla tre vurmade starkt för preussaren von Clausewitz. De sög upp de militaristiska idéerna om kriget som en konst utövad av snillrika begåvningar. Denna sköna dröm överförde de sedan till revolutionen. I deras tankevärld kom revolutionen så att bli till något som i generalstabskrigets efterföljd mest liknade ett parti schack, komplett med bondeoffer och allt, som gjordes, fördes och vanns av den främsta spelaren av dem alla, Partiet. Och på samma vis som de olika militära tänkarna under 1800-talet sökt att göra »konst« av krigets smutsiga materia, kom män som Lenin och Trotskij att göra »vetenskap« av den väpnade revolutionen, något som precis som kriget egentligen var ett dimmigt kaos, ofta grymt, i regel plågsamt, alltid förvirrat. De var så pass framgångsrika i detta att de och andra också började tro att en stor omvälvning verkligen kunde startas av en liten bit vitt papper ivägsänt av en grupp män i ett rökigt rum.

Om Karl XII:s död och andra mord

NÄR KULAN GICK in i huvudet gav den ifrån sig ett dovt, ploppande ljud som ett av ögonvittnena liknade vid det som uppstår när man »med kraft kastar en sten i dy«. Den slog sönder det vänstra tinningbenet med en hastighet av runt 120 meter i sekunden, passerade genom skallen och hjärnan – varvid tryckvågen drog in det vänstra ögat i kraniet och kastade den högra ögongloben ut ur sin håla – och gick så ut igen på huvudets högra sida. Döden var ögonblicklig. Någon rörelse i kroppen gick inte att se, förutom det att huvudet kastades bakåt av kraften från skottet, och att den vänstra handen, som han haft som stöd under hakan, föll ned och att benen sjönk ihop. Det var någon som tyckte sig höra en djup suck, sedan en rossling som kom av att blodet strömmade ned i halsen. Klockan var strax före halv tio, på söndagkvällen den 30 november 1718 invid fästningen Fredrikssten i Norge. Karl XII var död.

Det gick inte lång tid förrän frågorna dök upp. Hade kungen fallit för en fiendes kula? Eller hade han blivit mördad?

Mord på rikets högste makthavare är gudskelov rara händelser i vårt lands historia. Det är nog inte att undra på. Sveriges politiska kultur har ju ända sedan 1600-talet varit präglad av historiska kompromisser och en vacker tro på att det inte finns någon tvist som inte går att lösa med hjälp av samtal och sammanjämkningar. (Låt oss alltså här bortse från vår tidiga medeltid, då sådant som dekapitering och förgiftning var nära nog normala metoder för kassering av oönskade statschefer; sådana mindre kända svenska monarker som Inge den yngre, Ragnvald Knaphövde – tagen av daga i en ort med det osannolika namnet Karlepitt –, Sverker den äldre och Karl Sverkersson föll alla offer för dråpare.)

Vi har givetvis fallet Gustav III, skjuten på nära håll med en pistol laddad med två blykulor, fem hagel och sex böjda spiknubbar. De adliga sammansvurna som slog ut attentatet mot honom på den kända operamaskeraden den 16 mars 1792 kunde snart ringas in av den unikt duglige polismästaren Nils Henric Liljensparre. Nutida kolleger bleknar i jämförelse med denne, som redan klockan tio på morgonen dagen efter brottet kunde låta häkta gärningsmannen. Det var som bekant Jacob Johan Anckarström, en hetsig rättshaverist och före detta kapten, fylld med hat mot den enväldige kungen – »Rikets och folkets fiende«, som han i sin egen bekännelse kallade Gustav III. I modern tid återfinns mordet på Olof Palme, en smärtsam händelse som vi ännu inte sett slutförd. Hans mördare är ju fortfarande anonym. Detta trots en historiskt sett kolossal insats – kolossal då i meningen antal pärmar, kilo hopsamlat papper, övertidstimmar, förbrukade liter Tippex, etc. Det är givetvis plågsamt att tänka sig möjligheten att Palme, i likhet med Gustav III, föll offer för en vittförgrenad sammansvärjning, som vi dock, i motsats till 1792, ej fått se rotad ut eller ens lagd i blotta. Den konspiration som blev Gustavs bane ser ju ut precis som vi vill att en riktig konspiration skall se ut. Vi ser ett band sammansvurna varav de flesta hör till samhällets toppar: de bär titlar som brukspatron, häradshövding, general, rådman, överste, överstelöjtnant och ordförande för riksgälden – den sistnämnde tar gift –, där återfinner vi grevar, friherrar och baroner. De är de berömda männen i skuggorna, som smyger runt i det tysta men som mot all förmodan finner sig tagna i örat av en idogt inkvisiterande person och blir framdragna som blinkande mullvadar i det skarpa dagsljuset. Tanken att en liknande sammansvärjning med guldkant förde fram till dödsskottet på Sveavägen är en mardröm för många. För några andra är det en dröm, just därför att det motsvarar alla de förväntningar man har på hur en dylik händelse blir till. I regel har dessa människor nämligen det oomkullrunkeliga kravet att det som sker skall vara meningsfullt och rationellt. Man samlar indicier på hög och ställer – med rätta – frågan »vem gagnade det« och söker på så vis bygga upp snygga logiska kedjor som förhoppningsvis skall föra fram till de där männen i skuggorna.

Börjar man på samma vis att rota något i Karl XII:s förtidiga död så börjar snart alla sällsamheter att hopa sig. Det gäller de underliga turerna i samband med dödsfallet och de förbluffande ryktena. Det gäller också inte minst spörsmålet om såret i huvudet, där snart sagt ingenting ser ut att stämma.

Låt oss börja med frågan »vem gagnade det?«. Tanken med attentatet mot Gustav III var att kungens död skulle mynna i en militär kupp. De sammansvurna ville få till en förmyndarregering som kunde förverkliga deras program, som var ett hopkok av aristokratisk konservatism och upplysningstida radikalism. Nu gick allt i stöpet, bland annat därför att kungen vägrade dö eller ens falla när skottet träffade honom i ryggen, en bit ovanför den vänstra höften. Istället lät han bära sig därifrån på en skinnklädd karmstol, glatt pladdrande. När han sedermera avled nästan två veckor efter dådet var det en följd av olika komplikationer som den samtida läkarvetenskapen inte visste att hantera. Vid det laget hade all luft gått ur de stackars sammansvurna som alla fann sig finkade av den oförskräckte hr Liljensparre.

Karl XII:s död följdes verkligen av något som onekligen ser ut som en kupp. Den ledde också till en omvälvning av det politiska systemet, en omvälvning av så digra proportioner att vissa har velat kalla det för en revolution. Skottet den 30 november blev nämligen startsignalen för en hård och bitter strid om makten i Sverige. Den iver som de inblandade visade upp kan förvåna en smula, för landets svårigheter var legio.

Det mesta av detta kom av kriget, som mer och mer framstod som kungens eget. Man kan säga att det är åren före sin död som Karl XII verkligen fäller masken. Att likna honom vid olika moderna diktatorer är i regel bara strunt. Dylika liknelser försvårar bara vår förståelse av hans gestalt och den tid han levde i. (Även om han var en enväldig kung, så verkade han ändock inom lagarnas ram; hans Sverige var ett samhälle där medborgarnas rättssäkerhet var mycket bättre än den är i dag i de flesta stater i den tredje världen.) På ett sätt var dock Karl XII modern, alltför modern. Han var nämligen en djupt moralisk människa, driven av enkla föreställningar om rätt och fel, och besjälad, ja besatt av en vision. Han talte om sig själv som »Guds fiskal på jorden«, satt dit att straffa onda och ogudaktiga härskare som inlett krig utan rättfärdig orsak. På så vis kan han sägas vara en föregångsman av det rysliga slag som vi, som lever i det mörkaste av alla århundraden, det tjugonde, har sett alltför många av. (Kanske borde man säga »levde i«, för det tjugonde seklet nådde sannolikt sitt historiska slut 1989, på samma vis som 1800-talet började 1789 och Sveriges långa 1600-tal hade sin verkliga ände just 1718.) 1900-talet är ju fullt av projektmakare, dessa som tänker fram mål för vilket snart sagt intet pris är för högt, intet offer är för stort. En hel del av den här andan finns i Karl XII. Han har att straffa dem som förbrutit sig mot Sverige. Som han ser det står dessutom rikets bestånd på spel, och då måste samhället och folket, landet, underordna sig statsnyttan. Han offrar landet för riket, svenskarna för Sverige.

Det är den här övertygelsen, den här hängivenheten som ger hans gestalt dess resning och gör honom omöjlig att vara oberörd av. Det är samma hängivenhet som gör honom så otäck och skrämmande. Han offrar allt och alla, i slutändan även sig själv, för den stora saken. (Jag är rädd för de här övertygade personerna, de som drivs framåt av en vision som växt sig större än människorna som skall befolka den. Det är bara en riktigt ideologiskt övertygad som kan bygga ett Auschwitz eller ett Gulag. De som drivs av egen snöd vinning kan mörda tusentals; det krävs en stark känsla av moraliskt patos och ideologisk oegennytta för att kunna offra miljoner.)

Den här hängivenheten hade fört honom och landet allt längre mot katastrofens brant. Sverige var hösten 1718 helt utmattat efter många års krig, med allt vad det innebar av tunga skatter, nöd och död. (Beräkningar gjorda av Uppsalahistorikern Jan Lindegren ger vid handen att de svenska och finska stupade uppgick till runt 200 000 man. Detta är samma sak som om 12 à 13 årsklasser av 20-åriga män helt plånats ut.) Med hjälp av sin närmaste man Görtz hade kungen åren före sin död ändock ställt till med en aldrig förr skådad uppbådning av mänskliga och ekonomiska medel. För att kunna driva kriget vidare hade tunnan skrapats i botten. Det blev allt svårare att få tag på soldater. Det förekom att de som hotades av utskrivning stympade sig eller rymde till andra län och till och med ur landet; i Härjedalen hotade bönderna att beväpna sig och »hellre låta sig nedgöras än mista söner och drängar«. Tvångsvärvare drog runt och snappade med hjälp av handklovar av trä och generöst utformade regler även åt sig skolpojkar på 15 år; det finns uppgifter att de i sitt nit även gjorde räder in i kyrkorna under gudstjänsterna. Det felades salt, det felades kött, fläsk och smör; i Stockholm var det sådan brist på ljus att hantverkarna i staden inte sade sig kunna arbeta mer under dygnets mörka timmar. Handeln höll på att stanna av och Görtz själv skrev också missmodigt i ett brev att »Detta kan icke gå längre än högst till detta års slut, och vi skola endast av denna orsak falla i den största förvirring, som man någonsin sett i ett land«. Här och var mötte bönderna de digra rekvisitionerna med gny, arbetsvägran och diverse ilsket vinkande med påkar åt länsmän och befallningskarlar. Den respekt och trohet som fanns bland breda lager i landet och som kungen hade kunnat förlita sig på så länge hade nu slitits nog så tunn. Missnöjet med kriget och med honom sken igenom överallt; det fanns hösten 1718 många som hade skäl att se Carolus död.

Vem som skulle ärva detta arma dödsbo var på inga vägar klart. Två personer kunde resa anspråk till tronen, men ingen av dem hade någon särskilt självklar rätt till den. Den ene var hertig Karl Fredrik av Holstein-Gottorp, kungens 18-årige systerson: en svag, oerfaren och oföretagsam ung man. (En av hans levnadstecknare skriver lite snällt om hans »egenartade nöjen«, vilket är en kod för att han var böjd för superi och olika sexuella utsvävelser.) Hertigen var alltså en slät figur, dock stod han under kungens beskydd och ägde dessutom täta och nära band till Görtz och hans folk. Den andra var Karl XII:s yngre syster, Ulrika Eleonora. Hon var i mycket ett verktyg för sin make, Fredrik av Hessen. Denne var vid denna tidpunkt 42 år gammal, född i det lilla tyska lantgrevskapet Hessen-Kassel. Hela sitt liv förblev han också en tysk småfurste: måttligt road av porslin och stråkkvartetter tyckte han att livet var som bäst när han fick kriga, jaga eller flamsa med mätresser. Han lärde sig heller aldrig att tala svenska. Fredrik var en god militär, orädd om än ibland något lat. Under det spanska tronföljdskriget hade han skaffat sig ett visst renommé som deltagare i flera ursinniga rytterichocker, och han hade också blesserats ett antal gånger och tagit del i många fäktningar – bland annat hade han kämpat under Marlborough vid Blenheim 1704 och senare också vid Malplaquet 1709. På ett porträtt från 1718 möter oss en man i sina bästa år, med blond peruk, ett nöjt fullmåneansikte och fylliga läppar, poserande en aning stelt och balettmässigt i ett harnesk som verkar vara för trångt för honom. Han beskrivs som glad, vänsäll och generös, men var också en mycket driven intrigör. Äktenskapet med Ulrika Eleonora hade från första början varit en egoistisk spekulation i makt: för honom var hon bara ett medel att nå den svenska kronan.

Dessa var spelets huvudfigurer, men i mycket var de ansiktslösa funktioner av sin egen makt, ty bakom dem stod vidare intressen. Det fanns fyra olika grupper som var i luven på varandra. Runt hertig Karl Fredrik hade »holsteinarna« med Görtz i täten fylkats; de hade ett fast grepp om utrikespolitiken och rikets finanser. De var mycket impopulära och hade mycket av sin makt tack vare det personliga stödet från Karl XII. Deras mest bittra motståndare var »hessarna«, med arvprins Fredrik och Ulrika Eleonora som portalfigurer. De hade rätt stort stöd inom hären och bland diverse löst folk med svår karriärklåda, som trodde att de kunde komma sig upp genom att satsa på rätt häst. Dramats tredje grupp var olika oppositionella i den högre byråkratin, med sin bas inom den feodala adeln. De var inte så intresserade av den dynastiska sidan av saken som att söka återupprätta 1600-talets flydda rådskonstitutionalism; det skulle säkra ett starkt politiskt inflytande åt dem. Den fjärde gruppen i detta spel bestod främst av olika lågadliga och ofrälse inom krigsmakten, den lägre byråkratin och borgerskapet. De ville varken se någon ny aristokratisk vår eller ett fortsatt envälde, utan strävade istället efter att stärka riksdagens och ständernas makt.

De som hade att vinna på att kungen dog var i första hand hessarna. Ulrika Eleonora – och då i praktiken hennes make – skulle stå ett tuppfjät från tronen. Deras möjligheter att hävda sig gentemot holsteinarna skulle vara så mycket bättre med Karl ur vägen, då de sistnämnda som sagt var beroende av hans personliga välvilja och beskydd. Fredrik hade inte längre kungens öra utan kände sig också hotad av det nära förhållandet mellan kungen, Görtz och holsteinarnas Karl Fredrik.

Det finns till och med en hypotes om varför de skulle ha låtit döda kungen just den 30 november. Vid denna tid pågick det på

Åland svensk-ryska förhandlingar. Det mumlades om att baron Görtz i dessa underhandlingar lyckats säkra Karl Fredriks tronföljd. Den 24 november lämnade Görtz Stockholm och styrde kosan mot Norge, för att, som man antog, där träffa kungen och få hans godkännande av den fattade överenskommelsen. För att hindra detta stadfästande var alltså hessarna piskade att slå till. Luckan i denna teori är emellertid att någon dylik överenskommelse aldrig slöts på Åland. Frågan är dock om Fredrik och hans hejdukar visste om detta eller om de lösa ryktena om överenskommelsens innehåll fick dem att handla i panik.

Det står hursomhelst klart att Fredrik och flera av männen runt honom handlade på ett högst misstänkt sätt i samband med dödsfallet.

En av de personer som rörde sig runt nere i löpgraven minuterna innan skottet föll var André Sicre, en fransk officer i svensk tjänst. Den 30 november 1718 var han adjutant till Fredrik av Hessen. Sedan dödsfallet blivit fastställt tog han konungens genomskjutna hatt – som vore den en segertrofé – och red med den ned till Torpum, där Fredrik just då höll på att dinera. Nyheten viskades till honom, och den löpte strax från öra till öra runt bordet, varpå de alla reste sig upp. Fredrik och hans folk hade förberett sig för denna stund. Redan i maj hade han gett Ulrika Eleonora en skrivelse som rymde instruktioner om vad hon skulle göra om kungen dog. (Detta var första gången en dylik promemoria skrevs, trots att Karl då varit ute i krig i nära 18 år.) De följde uppenbarligen en i förväg lagd plan och de gick till verket med ett urverks precision. (Detta i motsats till den velige hertigen av Holstein, som överrumplades av dödsfallet och händelsernas snabba gång.) Fredriks första åtgärd blev att ge order om att häkta sin farligaste fiende, baron Görtz. Och så fort budet om Karl XII:s död nådde huvudstaden drog Ulrika Eleonora samman rådet, som lät gripa baronens folk i Stockholm. Även i andra delar av landet skedde tillslag mot Görtz yrvakna män.

Oförberedda och rådvilla lät sig holsteinarna fösas ut ur spelet
och in i cellerna.

Dagen efter dödsfallet hölls krigsråd i den här som stod i söd-
ra Norge. Hessarna hade från första början varit emot det nors-
ka fälttåget; de ville helst se en förlikning med Danmark och en
offensiv mot Ryssland. De församlade fann suckande det militä-
ra läget ovanligt mörkt, och beslöt att genast avbryta kampanjen
och vandra åter till Sverige. I själva verket var det det själviska
intresset som redan börjat blomma ut. De ville alla hem så fort
som någonsin möjligt, allt för att kunna ta del i den stora hugg-
sexa om makt, ämbeten och privilegier som nu hade rullat i
gång i kungliga huvudstaden.

Efter ett par dar började härens trista återtåg. Många sjuk-
domar grasserade i leden och förlusterna blev stora. (Livgardet
hade räknat 2 300 man i ledet när fälttåget inletts men bara 500
tjänstbara återkom till Stockholm; av Östgöta och Söderman-
lands regementen skall bara 20 man ha återstått. Det finns de
som menat att återtåget helt avsiktligt skall ha varit illa skött,
detta för att göra armén mindre och på så vis något mindre farlig
rent maktpolitiskt.) Med fälttåget mot Norge stoppat samt de
arresterades skräckslagna skrin förklingande bakom sig kunde
Fredrik nu gå vidare. Hans nästa mål var att få det krigströtta
befälet i hären att erkänna Ulrika Eleonora som drottning. Han
lät höra en del vackra utbrott av politisk vältalighet, men det
högsta krigsbefälet ville ej lyssna på det örat. De skulle hylla da-
men som drottning, javisst, men bara om hon avskaffade envål-
det och lät kalla in riksdagen, så löd deras svar. Fredrik tog då
till mer fasta pekuniära argument för att komma till rätta med
de motsträviga officerarna. Han lade helt sonika beslag på
100 000 daler lödigt silvermynt avsedda för härens kassa. När
armén gjorde halt i Strömstad passade han på att frikostigt pytsa
ut dessa bland härens högre befäl som en ren muta (detta i sam-
ma veva som han full av nitälskan manade råd och andra i brev

till sträng sparsamhet). Generalerna och överstarna grep raskt efter slantarna, men var ändå inte fullt övertygade. Då hären lämnade Strömstad hade ännu ej något avgörande skett.

I huvudstaden nåddes i samma veva en kompromiss mellan hessarna och rådet. Rådet erkände Ulrika Eleonora som drottning, i utbyte mot ett löfte att hon skulle regera på det gamla viset, »med råds råde«, vilket skulle säkra deras inflytande. Båda dessa parter ville på så vis manövrera ut den bångstyriga riksdagen genom att ställa den inför ett fullbordat faktum.

Krigsbefälet fortfor dock att föra en lans för riksdagens rätt. Avgörandet låg mer eller mindre i arméns händer; den hade makten att säga vem som skulle bestiga den svenska tronen. Hertig Karl Fredrik hade nu börjat vakna upp ur sin domning och erbjöd hären att gå med på dess olika krav om han fick kronan. Stämningen bland det högre befälet var dock för Ulrika Eleonora, men deras krav på ett avskaffande av enväldet låg fast. Det bullrades dovt inom hären, att Ulrika Eleonora borde »göra frivilligt, vad ej undvikas kan«. Hon var fångad mellan det aristokratiska rådet och den envisa armén. Hon hade som nämnts redan börjat vika i förhållande till rådet och föll snart till föga inför härens krav. Den 15 december avsade sig Ulrika Eleonora enväldet inför krigsbefälet och samma dag utgick kallelsen till riksdagen.

Nu började initiativet gå över till dem som både hessare och råd helst sett satta åt sidan: riksdagen och ständerna. När riksdagen tog sin början mot slutet av januari 1719, blev det strax klart att de eftergifter den blivande drottningen redan lämnat inte var nog. Luften var full av intriger och agitation: man ville ej godkänna Ulrika Eleonoras rätt till tronen och menade att ständerna hade full frihet att själva utse regent. Ulrika Eleonora utsågs till slut till Sveriges drottning men bara till priset av ett knippe nya eftergifter. Den 21 februari antogs en helt ny regeringsform. Den innebar ett totalt politiskt systemskifte. Regenten sades inte längre ha sin makt av Gud utan fick den av folket genom ständerna. Monarken bands till riksdagens vilja. Det var en mycket stor omvälvning. På kort tid hade Sverige gått från en hård och nästan helt oinskränkt absolutism till ett närmast halvt republikanskt statsskick. Ständerna hade nått en total seger.

Enväldet var med detta till ända lupet. Den karolinska absolutismen var ett slags diktatur ställd på skenlegal grund, som blivit till på det ekonomiskt och politiskt sönderkrisade 1680-talet. Det politiska system som rådde innan dess kan grovt beskrivas som en makttriangel som bestod av kung, råd och ständer vägda mot varandra. Tanken att en man kunde ges oinskränkt makt över landet och dess folk hade förr varit helt orimlig. Händelserna år 1718 gjorde enväldet till en kort parentes i vår långa historia. Det systemet fick aldrig någon chans att slå rot i den politiska kulturen. Vårt land fick – i motsats till exempelvis Tyskland – ingen egen auktoritär tradition.

Ulrika Eleonora hade vunnit tronen. Efter drygt ett år gjorde hon också det som så många hade väntat: hon lade ned regeringen till förmån för sin make, Fredrik av Hessen, som på så vis kom att transsubstansieras till Fredrik I, Svea, Götes och Wendes nye konung. Den framstöt mot makten som det hessiska partiet inlett i och med Karl XII:s död hade i alla delar lyckats. Vi kan alltså här se en grupp som hade mycket att vinna på kungens död och som också utnyttjade den till det yttersta på ett synnerligen planmässigt vis.

Det hela såg ju onekligen misstänkt ut, och snart började också ryktena att röra på sig. Den 10 december hade den första officiella informationen släppts ut. Det var i form av en remarkabel gazett, som rymde flera felaktiga, för att inte säga helt vilseledande uppgifter. Karl XII hade dödats då han var ute på kvällen för att se på då hans soldater grävde sig allt närmre den belägrade norska fästningen Fredrikssten. Dock hävdades det i gazetten att kungen stupat under en stormning av ett fort; dessutom sades det att kulan hade gått in i huvudets högra sida, inte i den vänstra. Man ville understryka att kungen fallit i strid, tydligen för att dämpa alla misstankar om att allt inte gått rätt till. Ändock förekom det en myckenhet av tissel och tassel, dunkla antydningar och vildvuxet skvaller. En del av det startade redan på sommaren före fälttåget. En finsk präst vid namn Peter Brenner som varit med Karl XII i Turkiet, sökte varna honom för de »intriger här hemma mot konungen, som förehafts och förehades av förnäme herrar«. Karl var dock inte intresserad. När kampanjen väl inletts hade det också förekommit en del hotfullt prat bland officerarna. De kunde i regel behärska sin förtjusning inför att kriga på en så obekväm och trist krigsskådeplats som ett höstligt Norge. Några talade apokryfiskt om att »ett skott skulle göra slut på hela fälttåget«.

Carl Cronstedt var en 46-årig generalmajor vid artilleriet som, även med karolinska mått mätt, var sällsynt erfaren. Han hade slagits i samtliga större kampanjer och slag allt från Narva och framåt. Efter Poltava hade han blivit tagen till fånga, men han kom hem lagom för att hinna vara med om drabbningen vid Hälsingborg 1710. Inom loppet av drygt två år föll han ytterligare två gånger i krigsfångenskap, först 1713 efter att ha tagit del i Magnus Stenbocks sorgliga tyska fälttåg och sedan 1715 i samband med belägringen av Stralsund. Cronstedt var en klipsk militär innovatör som gjort mycket för det på undantag satta svenska artilleriet. (Genom att införa sådant som anmarschbommar och aktionshästar kunde många av kanonerna göras så rörliga att de hela tiden kunde åtfölja fotfolket under strid; enhetspatroner – så kallade geschwinda skott – och riktskruvar – påfunna av det kända universalsnillet Polhem – ledde till att man kunde ladda och rikta in pjäserna med en dittills osedd snabbhet.) På hösten 1718 hörde denne Cronstedt till det hessiska partiet. Därför ansågs det också särskilt underligt att Cronstedt den 20 oktober lär ha sagt att kungen skulle vara död inom den löpande kalendermånaden. Det tycktes också misstänkt att denne Cronstedt vid utdelningen av krigskassan fick inte mindre än 4 000 daler, medan alla andra personer med hans grad fick nöja sig med enbart 800 vardera. Långt senare dök det också upp historier om hur Cronstedt på sin dödsbädd år 1750 inför en prost skall ha erkänt sig vara delaktig i Karl XII:s död. Då länkades också Cronstedt samman med en drabantkorpral vid namn Stierneroos, som skall ha varit den som hållit i vapnet som fällde kungen.

Mycket prat kom också att vidhäfta André Sicre, Fredriks adjutant som var med i löpgraven och som förde budskapet om kungens död till honom i Torpum. Det är också bestyrkt att han 1722 i ett anfall av vad som beskrivs som feberyrsel skall ha slängt upp ett fönster i sitt hus i Stockholm och därifrån ropat ut till säkerligen något perplexa förbipasserande nere på gatan att han var den som mördat Karl XII. Efter att ha tillfrisknat fick han höra vad han sagt och blev då mycket förskräckt. Via S:t Petersburg kom också året efteråt uppgifter om att Sicre i närvaro av två namngivna vittnen stått på Stortorget och sagt sig vara den som skjutit kungen, allt för en ersättning av ett antal tusen dukater. Dessa uppgifter fördes ända upp i riksdagens sekreta utskott och nådde till slut rådet, där kung Fredrik morrade ilsket över dylikt »försmädeligt« sladder. Sicre blev inspärrad som sinnessjuk under tre år, varefter han släpptes lös igen. År 1728 uttryckte Fredrik än en gång oro över sin f.d. adjutants mentala hälsa och Sicre förpassades »under en lämplig förevändning« åter till Frankrike, där han dog 1733.

Snus är snus och rykten är rykten. Den minst sagt ymniga samtida floran av abstrust prat, skruvade antydningar och lösa gissningar visar att 1700-talets Sverige var nästan lika fullt av mer eller mindre vrickade privatspanare som nånsin Sverige i dag. Men även om det ur denna virriga och ofta motsägelsefulla sky av vittnen ofta inte stiger fram annat än just misstankar, så går det dock att återfinna en del mer handfasta belägg. Kroppen finns ju kvar. Den ligger balsamerad och väl inpackad i en vacker kista bak galler i den svala Riddarholmskyrkan. Lämningarna har besiktigats ett flertal gånger, senast år 1917 då en klunga av sakkunniga med stor noggrannhet och en nästan rörande pietet granskade liket, mätte och vägde. Deras dokumentation lägger i dagen två minst sagt underliga omständigheter.

För det första är det som skall vara ingångshålet i den vänstra tinningen större än utgångshålet på skallens högra sida. Detta går på tvärs mot allt vi vet om skottskador, där det alltid är tvärtom. Om kulan kom från höger eller vänster har betydelse. Till vänster om kungen fanns det skjutande norska befästningar, till höger om honom fanns inget – utom svenskar förstås.

För det andra visade det sig när de röntgade Karl XII:s genomskjutna kranium att det inte fanns några blysplitter i det. Detta är remarkabelt. De projektiler som man använde i musköter, gevär och pistoler var utan undantag gjorda av bly. Och när en vanlig kula av bly slår in i ett ben lämnar den nästan alltid små splitter efter sig. Den snabba inbromsningen leder till en kraftig värmeutveckling; då bly har en så låg smältpunkt (+327°) gör detta att kulan blir skör och spricker, så när projektilen går genom kroppen ger den ifrån sig små flis. Detta går också att bevisa med de röntgenfotografier som togs av kungens vänstra fot. Där ser man tydliga rester av den kula som han träffades av en dryg vecka före slaget vid Poltava. Så varför finns det inga dylika små splitter kvar i huvudet?

Sällsamhet nummer ett låter sig nöjsamt förklara med några skjutförsök gjorda av en läkare vid namn Hultkvist. Han fann det hart när omöjligt att få till en dylik konfiguration på skottsåren – alltså ett större ingångshål än utgångshål – som på Karls huvud, hur han än försökte och med en gammal musköt bekrigade både plåtlådor fyllda med agar och mjölklister, döda kroppar efter människor och levande djur. Lösningen var enkel.

Kulan som dödade kungen gick genom kungens hatt gjord av harullsfilt; när Hultkvist fingerade denna huvudbonad med hjälp av ett dubbelt lager filt visade det sig att verkan blev precis som i verkligheten.

Den totala bristen av blysplitter i skallen är ett något kinkigare spörsmål. Ett försök till lösning på gåtan finner vi i den famösa så kallade kulknappsteorin. De som kläckte den tog fäste i de otaliga sägner som uppstod runt kungen, både före och efter hans död. Dessa sägner sade bland annat att han var »hård«, det vill säga osårbar för kulor. Och enda sättet att fälla en dylik person var att ta till en magisk specialprojektil – ungefär som att man bara kan fälla en varulv med en kula av silver – gjord av något som tillhörde denne. Anfäktad av vidskepliga dallringar inför den grannlaga uppgiften att taga landets monark av daga skall alltså Karls baneman ha norpat två knappar ur hans rock och lött dem samman. På så sätt fick han en kula med ett hölje av mässing, vilket förklarar varför den inte lämnade några spår. Till de mer sensationella inslagen i den här teorin hör att dess upphovsmän också hävdar att de återfunnit just den kula som dödade Carolus, vilket givetvis inte är någon liten bragd. En soldat skall ha funnit den i löpgraven, tagit med den hem till Öxnevalla, där han emellertid drabbats av ruelse och kastat bort den; sedan återfanns den turligt nog 1927 i ett lass grus som hämtats från denna plats. Om detta är en svensk variant av Piltdownmannen eller bara ett sällsport fint fall av matematisk (o)sannolikhet – av det slag som skulle få en genomsnittlig docent i statistik att gå i barndom – det vet jag ej. Kulan finns i alla fall att betitta i Varbergs museum.

Vi har alltså här ett fall som uppfyller även högt ställda krav på hur en riktig rejäl sammansvärjning skall se ut. Här finns gott om mysteriösa omständigheter, onda rykten och tänkbara dråpare. Här finns de logiska kedjorna som för oss uppåt, till allra högsta ort, och faktiskt till en speciell man, som hukar där någonstans i dunklet med capen för fullmåneansiktet: Fredrik av Hessen, mer känd som kung Fredrik I.

Men ändå var det inget mord.

Den som så här 270 år efteråt lagt fram övertygande belägg för detta är Gunnar Grenander – en ballistiker som för övrigt är en av hjärnorna bakom Robot 70, svensk vapenindustris favorit-kontraband. Han har utgått från den tidigare nämnde Hultkvists resultat, där det utifrån just sårets utseende konstateras att kulan haft en hastighet av som allra högst 150 meter i sekunden när den träffade kungens huvud. (Detta är en del av förklaringen till varför utgångshålet är mindre än ingångshålet: projektilen har vid anslaget haft så mycket kraft att den nätt och jämnt gått genom huvudet.) Detta är mycket viktigt. Det innebär nämligen att skottet som dödade Karl XII inte kan ha kommit från en musköt. Då hade kulans hastighet varit betydligt högre. *Ergo*: kulan måste ha kommit ur en kanon och då i form av ett så kallat druvhagel – druvhagel var en laddning med en mängd små kulor av samma kaliber som i en musköt, som fick pjäsen att verka som en gigantisk hagelbössa. Grenander har också räknat på detta. Vad han funnit är att ett druvhagelskott skjutet med en mindre 3- eller 6-pundig kanon skulle om, och endast om, det avfyrades från det norska fortet Overberg som låg vid sidan om fästningen ha en hastighet av runt 120 meter i sekunden när det nådde fram till platsen där kungen befann sig. Kulans låga fart skulle också förklara bristen på blysplitter i huvudet. Att skottet kom från Overberg stämmer även väl med det vi vet om projektilbanans lutning när den passerade kungens skalle.

Det finns flera samtida ögonvittnen som stöder denna tolkning. Det sköts friskt från Overberget, det berättar ett av ögonvittnena, »druvhagel slogo uti och över tranchéen« – alltså löpgraven. I ett nattmörker spräckt av utslängda ljuskulor och vassa eldsflammor från vapnen fick kungen hjälp att hålla sig uppe mot kanten för att kunna se bättre. Mannen som höll honom

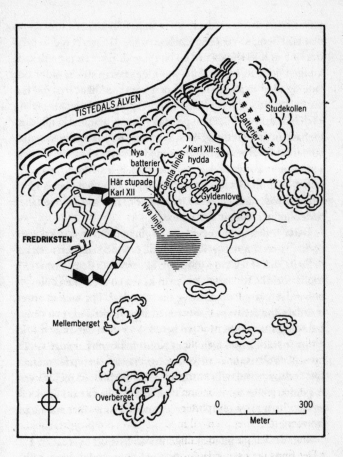

TISTEDALS ÄLVEN

Studekollen

Batterier

Nya
batterier

Karl XII:s
hydda

Gamla linjen

Här stupade
Karl XII

Gyldenlöve

Nya linjen

FREDRIKSTEN

Mellemberget

N

Overberget

0   300
Meter

Fredrikstens fästning
och det svenska löpgravsystemet den 30 november (GS) 1718

under fötterna var medveten om faran från kulorna som damp ned runt dem, så var gång kanonen uppe på Overberget avfyrades lät han Karl sjunka ned en bit i skydd. Efter ett tag sparkade kungen dock in ett par fotfästen i löpgravens mjuka sidor och lade sig med armarna uppe på dess kant med händerna vid huvudet och tittade. Han var »vid gott lynne« och det »taltes om allehanda saker«. Pjäsen uppe på det fjärran utanverket till vänster hade varit tyst ett tag, men så trädde den i aktion igen. »Åter igen ifrån Overberget begyntes med mycket skjutande, och vid 4:de kanonskottet hörde jag slaget på Hans Maj:ts huvud så starkt, som man kan slå med tu finger i handen, varpå Hans Maj:t genast sank neder.« Den död som han lekt med så länge hade slutligen hunnit ifatt honom.

Detta är den mest uppenbara lösningen. Den har också varit i omlopp ett längre tag. Den finns till och med angiven i den allra första, ack så felaktiga gazetten. Så varför allt detta intresse för mordteorin? Och varför kan man känna en liten, liten ilning av besvikelse när gåtans lösning nu står klar? Tja, tanken att en mördare äntrat den svenska tronen är ju så kittlande och vädjar framgångsrikt till en modern betraktares stora behov av mörka sammansvärjningar. Den Stora Konspirationen har i dag tyvärr utvecklats till något av en förklaringsmässig arketyp för många. Det är den som man förtjust griper efter närhelst något som verkar dunkelt eller sammansatt skall uttydas, detta trots att det är en slapp och förenklad förklaringsmodell som sällan har något större värde.

Men det kan ju inte bara handla om ledsnad över att en god historia på så vis går till spillo. När polismästare Liljensparre tillkännagav för Gustav III att det var Anckarström som utfört anslaget mot honom ville kungen inte riktigt tro honom. Gustav kände till Anckarström, det kverulantiska kronvraket. Men kunde han verkligen vara den rätte? Anckarström var ju en så obetydlig person, liten till växten. Som kungen mindes det var gärningsmannen lång. Gustav ville att hans Brutus skulle vara en mer värdig gestalt än Anckarström. Den eventuella besvikelsen över att Karl XII inte blev mördad springer nog fram ur en liknande känsla. Vi kräver proportion och symmetri av historien. En så betydelsefull gestalt som Karl XII borde helst få ett annat öde än att efter 18 långa år i fält fällas av ett slumpskott avfyrat i mörka natten över 600 meter bort. Och Olof Palme, inte kan väl han ha mött sin bane i form av ett amfetamindrogat fyllo med fördunklad hjärna, som bara råkade vara där i den snålkalla februarikvällen när statsministerparet gick förbi på sin väg från biografen Grand?

Men vi vill ju så gärna att en stor händelse skall ha en stor orsak. Den där famösa idén att en fjäril som fladdrar med vingarna i Kina skulle kunna framkalla en orkan i Sydamerika får nog mångas historieteoretiska nackhår att resa sig käppraka av skräck. För att inte säga vad man känner inför tanken att det skulle kunna ta 270 år att avskriva polisspåret, eller att vi efter dryga 300 år ännu skulle finna oss stående på en loftgång i Rotebro.

Varför brändes Malin Matsdotter?

DEN 5 AUGUSTI 1676 avrättades två häxor i Stockholm genom att brännas på bål. De var inte de första som dödades det året. Under april och maj hade sex andra kvinnor dömts till döden för olika häxkonster. Under våren hade stämningen i staden varit spänd och uppjagad. Oroliga borgare i Katarina församling hade skrivit till Svea Hovrätt och bett om överhetens skydd »emot satans våld och raseri«. I skrivelsen berättade de att »våra barn bekänna dagligen, ja var natt, att de genom satans instrumenter och häxor bliva till Blåkulla bortförde, två, tre, ja, fyra gånger och där omdöpta i tre onda andars namn«. De fällande domarna var också i huvudsak ett resultat av vittnesmål från inblandade barn, som noga pekat ut de skyldiga. Detta gällde också de två som avrättades denna dag i augusti, den gamla finskan Malin Matsdotter och Anna Simonsdotter Hack, en skräddarhustru; Malin Matsdotter hade fällts på vittnesmål från sina egna döttrar.

Under tidigmodern tid var det få av livets skiften och stora händelser som undgick omgivningens forskande ögon. Grannar och vänner, släktingar och nyfikna flockades för att titta på, oavsett om det handlade om födelse eller död. Avrättningar var som bekant också offentliga skådespel med ett komplicerat ceremoniel och högst sammansatt dramaturgi. Vi tenderar att förenkla dessa händelser genom att hänga på dem epitetet »grymma«, men det säger inte allt. För åskådarna var det mer än ett grymt spektakel, det var ett sublimt drama som utspelades inför deras ögon, ett drama som rymde klara andliga och moraliska kvaliteter. Särskilt populära var sådant som halshuggningar av olika höga herrar – där blev det vaxbleka huvudet som rullade bort från kroppen ett budskap om någorlunda likhet inför lagen och om hur lätt den värdsliga storheten förgår. De olika inblandade skärskådades noga av åskådarna: en skicklig skarprättare som utfört en särskilt snygg och snabb dekapitering kunde mötas av ovationer, medan det inte var alltför ovanligt att en bödel som skött sig klumpigt blev attackerad av sin publik och till och med lynchad. I centrum av dessa dramer stod givetvis delinkventen. Minsta gest, minsta ord från denne sögs girigt upp och kommenterades med kännarmin.

Den ena av de två dömda, Anna Simonsdotter, bar sig åt precis som det var tänkt. Ögonvittnen fann henne »devot och andäktig« när hon klev fram på avrättningsplatsen. Genom sitt böneläsande och sina psalmsånger, genom att falla på knä och lyfta händer och ögon mot himlen bekräftade hon rättvisan i domen och indirekt också rättvisan i världen. Den andra häxan, Malin Matsdotter, vägrade dock att spela med men skämde i alla fall inte skådespelet genom att bråka eller ställa till med pinsamheter. Hon skulle brännas levande, men »tycktes inte stort frukta sig för döden, stigandes friskt uppå bålet«. Hon gav prästerna svar på tal när de kom med sina förmaningar och pratade lugnt med bödeln, »låtandes sig av honom till händer och fötter utan något motsträvande järnslås«. In i det sista bedyrade hon sin oskuld. En av döttrarna stod ute i publiken och ropade till sin fastspända mor att hon skulle bekänna sina brott. Som svar gav Malin sin dotter »i den ondes våld och förbannade henne till evig tid«. Sedan tändes elden under henne med hjälp av lite krut.

Senare samma år kom räkningen: för att bygga dessa bål hade bland annat gått åt 1 bjälke, 10 bräder, 72 stockar, 8 tomma tjärtunnor, 700 femtumsspikar och 40 knippor näver (à 8 öre).

Häxförföljelserna i Europa har länge framstått som något av ett mysterium. Trolldom och magi har alltid funnits, men höga potentater i kyrka och stat hade under medeltiden betraktat sådant och dess utövare med en min av förstrött ointresse. Men någon gång mellan slutet av 1400-talet och mitten av 1500-talet skedde något. Den Hotande Häxan blev upptäckt. De som visste enades skrämda om att häxorna var ett extremt farligt anhang med vida och bara vagt anade internationella förgreningar, som ingått en pakt med mörkrets makter; häxorna samlades till vilda orgiastiska möten där de bolade med hin onde själv, varefter de styrkta vände åter hem, där de på olika vis skadade sina grannar och begick rysliga brott mot kyrka, samhälle och anständighet. Denna fara måste givetvis bemötas; mördarna måste rotas ut. Och över hela Europa tändes bålen. De skulle brinna i drygt tvåhundra år.

Jakten på häxorna var inte så mycket en enda ihållande våg av förföljelser som en lång kedja av hastigt uppflammande utbrott. Och även om rytmen och styrkan i dessa attacker växlade mycket mellan olika regioner och olika länder så torterades och dödades människor för trolldom överallt i Europa. De flesta som dömdes var kvinnor, men även många män råkade illa ut – det finns länder där huvuddelen av de anklagade var män. Häxjakterna nådde sin kulmen under den första hälften av 1600-talet. Kören av röster som entonigt mässade om den Hotande Häxan började dock sakta att brytas upp av frågor och tvivel. Och så plötsligt, vid slutet av seklet, vaknade Europa med ett ryck upp ur marritten, gnuggade sig i ögonen och skådade ut över ett landskap där vita människoben lyste fram i de glödande högarna av aska. (Det har varit svårt att bedöma hur många som dräptes; uppskattningarna av antalet offer löper från rena fantasisiffror på nio miljoner ned till mer »blygsamma« tiotusental. Man skall dock inte överdriva omfattningen på häxjakten: i vårt land under 1600- och 1700-talen blev fler människor avrättade för att ha begått tidelag än för trolldom.) Förföljelserna tog slut nästan lika plötsligt som de började, och tron på den Hotande Häxan smälte bort till vidskepelsens bakvatten.

Genom åren har en nästan osannolikt lång rad olika förklaringar kläckts, något som visar på det svåra i att få grepp om häxeriets flyende materia. Vissa har menat att häxorna var sinnessjuka människor, andra att det var häxjägarna som var galna – eller bådadera: allt var resultat av en dunkel kollektiv psykos. Feminister har talat om häxförföljelserna som en kamp mot ett slags kvinnlig irrationalitet som stod i vägen för den moderna vetenskapen och som därför rotades ut; andra säger att det tvärtom var just den moderna naturvetenskapen som gjorde kål på häxförföljelserna. En skola ser det skedda som ett slags kättarjakt, en del i en offensiv mot sociala och religiösa avvikare som vuxit fram ur reformationens och motreformationens nervösa klimat. Eller var Häxan – liksom Juden och Bögen – kanske bara en tacksam syndabock för samhällets onda i en tid som var sällsynt plågad av missväxt, krig och politiska kriser?

Som om denna uppsjö av hypoteser och propåer inte skulle räcka till har två tyska historiker vid namn Heinsohn och Steiger nyligen lanserat en alldeles egen teori. Digerdöden vid 1300-talets mitt skapade en brist på arbetskraft som var lika katastrofal som den var långvarig; häxförföljelserna var enligt Heinsohn och Steiger resultat av en stor konspiration av stat och kyrka som syftade till att komma till rätta med det svåra problemet. Detta skulle göras genom att plåna ut de vitt spridda kunskaperna om födelsekontroll som fanns bland folket och effektuerades på så vis att man gjorde sig av med dem som bar denna oönskade lärdom: »häxorna«, det vill säga jordemödrarna, läkekvinnorna och de kloka gummorna.

Heinsohns och Steigers argumentation utmärks mer av stridslysten tankeakrobatik än av vederhäftighet. Författarna har dock flera goda poänger: de lyfter fram den klent uppmärksammade kampanjen mot födelsekontroll under denna tid och kopplar den till olika strävanden att övervaka könslivet och snöpa den kvinnliga sexualiteten. Men de är systembyggare i det lilla formatet – Toynbee och Spengler i lilleputt-upplaga så att säga – och som andra i sin genre svajar deras storslagna bygge betänkligt när man prövar det mot den trista verkligheten. Deras teori rymmer många övertolkningar och överdrifter. Som många andra drivna konspirationsteoretiker överskattar de grovt centralmaktens möjlighet att styra utvecklingen efter eget skön. Den moderna staten var under denna tid i sin tillblivelse; kungar och byråkrater var alltid långt mindre mäktiga än de själva gärna gav sken av. Vad som dessutom helt kommer bort i de två tyskarnas konstfulla konspiratoriska bygge är i hur hög grad häxförföljelserna kunde utveckla en högst egen logik och gång på gång glida bortom alla aktörers kontroll.

Inte sällan har Heinsohn och Steiger helt enkelt fel. Några exempel: under den period då häxjakten var som intensivast i Europa, 1500- och 1600-talen, var inte underbefolkning utan istället överbefolkning problemet; bara en mycket liten del av alla som dömdes för häxeri var inblandade i födelsekontroll, en klar majoritet straffades för att ha utövat svart magi; i allmänhet ställde sig den etablerade kyrkan avvisande mot förföljelserna: de som var allra mest ivriga att bygga bål och slänga gamla gummor i sjöar för att se om de flöt – det var det s.k. vattenprovet, om de sjönk var de oskyldiga – kom oftast från rätt långt ned i den kyrkliga hierarkin (och deras aktioner var inte sällan ett direkt svar på krav på handling från bekymrade församlingsmedlemmar – som fallet i Stockholm 1676).

Det finns en benägenhet att avfärda tron på häxor som struntprat och vidskepelser man omöjligt kan ta på allvar och som därför bara kan läsas som en kod för något annat. Men genom att överrationalisera det skedda banaliserar vi lätt historien. Förvisso står vi alla inför förflutenhetens landskap som inför ett främmande land. Men om vi skall kunna förstå vad som skedde – och utan förståelse kan vi aldrig nå någon förklaring – måste vi söka göra det utifrån tidens egen mentala horisont; en tidsålders vidskepelse kan trots allt vara en annan epoks fasta sanningar. För en docent väl insyltad i de senaste stämplingarna på akademien och med mäktiga buntar överklagandeskrifter i översta byrålådan är en Catilina, en Sforza eller någon annan ärkeintrigör ur historien lätt att begripa, medan det kan vara något svårare för dem att ta folk som säger sig ha blivit enleverade till Blåkulla genom ett nyckelhål på riktigt allvar. Faktum kvarstår dock att vi aldrig kan begripa den hysteri som grep omkring sig under denna tid, om vi inte försöker att sätta oss in i dessa människors sätt att tänka och försöker föreställa oss ett Europa som var besatt av tanken på djävulens rent kroppsliga närvaro i världen.

Häxförföljelserna sprang fram ur ett sammansatt och laddat historiskt läge i det tidigmoderna Europa. Epidemier och missväxt, krig och politisk oro härjade hela kontinenten; stora sociala klyftor hade börjat att spricka upp bland bönderna: spänningarna inom byarna ökade. Samtidigt klev den nya nationalstaten och dess ämbetsmän upp på scenen. De sistnämnda var glada och förfärliga män, utrustade med stor makt och fyllda av griller om att kontrollera, mäta och disciplinera det bångstyriga folket. I mötet mellan dessa det folkliga medvetandets lärda kolonisatörer och böndernas kultur – och inte minst alla de högst traditionella anklagelser om magi som byns inre strider gav upphov till – uppstod häxideologin, en förvriden sammansmältning av bilder från två högst olika sfärer. Termen häxeri uppfanns som en beteckning för en lång rad handlingar som överheten fann misshagliga, varav de flesta hade mycket lite eller intet att göra med egentlig djävulsdyrkan och många var sprungna ur skymningslandet mellan vit magi och primitiv folkmedicin.

Ibland gör lärda det dumma misstaget att tro att enkla människor tänker enkla tankar. När historiker sökt tränga in i den folkliga kulturen i förfluten tid har de alltid kommit tillbaka yra som forskningsresande från något fjärran *terra incognita* och viftat med nyritade kartor som i regel varit förvånansvärt sammansatta. Benandantisekten var namnet på en folklig kult som uppstod i Norditalien under den andra hälften av 1500-talet. Dess medlemmar såg sig själva som vita häxmästare som dróg i härnad mot mörkrets makter, framför allt för att skydda skörden. Det var av allt att döma en uråldrig agrar rit som här gick i dagen, en rit som spårade sina rötter ända tillbaka till antik tid och som vid sidan av bokstavstrogen kristendom även rymde diverse abstrust dyrkande av förkristna kvinnliga gudar som Diana. I detta sällskap deltog alla som blivit födda med segerhuva och, berättade en auktionsförrättare vid namn Moduco i juni 1570 inför inkvisitionen, »när de fyller tjugo år kallas de särskilt, precis som trumman kallar soldaterna, och vi måste infinna oss«. Vissa torsdagsnätter gick de så ut rustade med fänkålskvistar för att slåss för åkrarnas fruktbarhet mot de onda häxorna och häxmästarna, som i sin tur pucklade på dem med durrakäppar. Vi vet inte om dessa bataljer i natten verkligen förekom, och vi kan bara vagt ana symboliken bakom fänkålen och durran. Historien om Benandanti är absolut fullstoppad med sådana underliga detaljer som vittnar om en folklig kultur av enastående rikedom som vi har gått förlustig.

Det som finns kvar nu är bara strödda skärvor, små bitar av den stora helheten som blivit bevarade mest av en slump. De ger en bild av en värld som är mörk och hotfull men också bitvis mycket poetisk, som när man bland svenska bönder på 1700-talet närde ett tabu mot att lägga ifrån sig knivar med eggen uppåt, »ty då skära Guds änglar fötterna av sig«, eller förbud mot att tala när man grävde upp ting som legat i jorden, för råkar man säga ett endaste ord »sjunker det antingen långt ned i jorden

eller kommer draken som ruvat det fram och förhindrar dem«.
I Sverige under denna tid levde alltså människor med en före-
ställningsvärld som delvis var protestantisk, delvis katolsk –
jungfru Maria åkallades gärna – och till viss del rent av förkristen
– där fanns en hel del dunkla offerriter och vördnadsfulla hänvis-
ningar till asagudar, där fanns också gott om underliga väsen,
trollformler och magi, och det mesta var helt harmlöst.

Att det djävulska häxeriet i mycket var en lärd konstruktion
är särskilt tydligt i fallet med de italienska Benandanti. När in-
kvisitionen gav sig på dessa frilansande ljusets riddarvakter fick
domarna strax ett väldigt huvudbry. Hur de än bläddrade och
slog i sina bukiga handböcker fick de inte dessa människor med
sina fånkålskvistar att passa in i den gängse mallen (som talade
om pakter med djävulen, svart magi, häxsabbater, och så vida-
re). Men i denna konflikt mellan kartan och verkligheten gällde
givetvis … kartan. Domarna hämtade sig snart från sin inledan-
de förvirring och började envist och tålmodigt att pressa på de
anklagade denna kända modell – vilket också efter ett stort antal
år lyckades! Benandanti förvandlades under det hårda trycket
från inkvisitionen till just de onda häxmästare som de ursprung-
ligen sade sig bekämpa.

Människorna i Europas byar hade sedan tidernas begynnelse
fått sköta sig själva, möjligen dök det upp en befallningsman
någon gång då och då och insisterade på en smula skatt. Framåt
1600-talet ändrades allt detta. Den nya makten kom då inklivan-
de mitt i byn, kärv och vågsam, med en vilja att vara närvarande
och allt genomlysande på ett vis som aldrig förr, väl omgiven av
ett koppel fogdar som vinkade med tumskruvar, tunga lag-
böcker och de senaste skrifterna om häxeri. Det är här katastro-
fen blir till, mer av misshugg än av kall beräkning.

Det är något sådant den svenske historikern Bengt Ankarloo
har beskrivit i sin goda bok *Att stilla herrevrede*. Där har han visat
hur mycket som står att vinna om man omakar sig att tränga in

bakom de kalla abstraktionerna för att stirra några verkliga människor i synen, i berättelsen om hur Kerstin Knudsdotter och hennes man Jörgen vid 1650-talets mitt råkar i krakel med godsherren Iver Mogensen Krabbe, en av Skånes mäktigaste adelsmän. Kerstin och Jörgen var ingalunda några fattiglappar, utan hörde som ägare av en kvarn till de allra mest välbärgade bönderna i trakten. Krabbe, en storgodsägare på dekis, lät dock riva luckan vid kvarndammen; den skånska adeln hade länge sökt göra sig av med de små möllorna för att tvinga bönderna att mot avgift använda godsens egna krossverk. Kerstin och Jörgen svarade icke med stämningar, petitioner eller långrandiga inlagor till tinget. De svarade med svart magi. De nedkallade »en djävulens olycka« över godsherren och anlitade också sakkunnigt folk som visste hur man kunde förgöra folk genom trolldom. Gudarna skall veta att de försökte. När man bröt upp dörrkarmen till sovrummet på godset fann man ett av deras magiska medel. Det var »ett stycke gammal lärf: som skulle vara ett stycke av en tjuvaskjorta, och däruti var svept tre krokiga knappnålar, tre naglar, något hår, jord och fjäder. Och det hela var sammanfogat med en fjärde knappnål. Där fanns också ett stycke märling, som en tjuv hängt i, ett litet stycke av en ljusveke och ben som kunde vara en bit av en bössestock«.

Tidigare hade man i Europa gått till en vit häxa för att skydda sig mot en svart häxa, så att säga mött en fantasmagori med en annan. Hade striden mellan godsherren och mjölnarparet skett under medeltiden hade den förfördelade adelsmannen sannolikt nöjt sig med att slunga iväg ett knippe trollformler för att avvända hotet. Men detta var nu kriminaliserat. Istället fanns överhetens domstolar att gå till när skräcken och hatet kokade över. Och där utmättes högst verkliga straff. Kerstin straffades med halshuggning och Jörgen dömdes till livstids straffarbete.

Så varför dog egentligen Kerstin Knudsdotter, Malin Matsdotter och Anna Simonsdotter och alla de tusentals andra som slukades i häxhysterins upprörda svall? Det finns inget enkelt svar på den frågan. Att de som dömdes för häxeri ofta – men ingalunda alltid – tillhörde de lägre skikten i samhället beror alltså på att magi framför allt var *deras* stridsmedel, deras sätt att hävda sig mot en överhet som blivit alltmer skolad och som alltmer fjärmat sig från den folkliga kulturen. Att kvinnor oftare föll offer än män hänger samman med att kvinnorna i regel var bärare av många av de folkliga föreställningar och bruk som överheten valt att diabolisera.

Det är dock omöjligt att finna Den Stora Hemligheten, denna enda gemensamma nämnare som förklarar allt. I häxeriet ligger nämligen ett helt komplex av outsägligheter och konflikter sammanpressade. Häxväsendet i Europa handlar om hur en mytologi växer fram och blir till vad den ungerske historikern Gábor Klaniczay så träffande har kallat för »ett symboliskt slagfält«. Inom häxmytens ram blev så olika företeelser som attacker mot födelsekontroll, social oro och politiska strider, privata psykoser och kvinnohat, protester mot det bestående och enkla folkliga utopier samt byagräl och statliga försök att stuka etniskt avvikande provinser utspelade, utkämpade och uttolkade.

Häxförföljelserna handlar också om något annat, nämligen framstegens relativitet. Det har varit minst sagt förbryllande att häxförföljelserna rasade som allra värst, inte under den s.k. mörka medeltiden, som var nästan helt oanfäktad av dylika händelser, utan istället under renässansen och barocken. Kroppen och skuggan verkar röra sig i två olika riktningar: modernisering och vetenskaplig revolution äger rum i häxbålens blacka sken. Förgrundspersoner ur den intellektuella och akademiska världen deltog ofta med rusig entusiasm i jakten eller valde i bästa fall att tigande se på. Bacon, Kepler och Descartes ansåg alla att häxeri var en realitet. Jean Bodin, mannen som kallats för 1500-talets Aristoteles och som grundade den moderna suveränitetsuppfattningen, var en fanatisk häxjägare och torterade med egna händer människor som var misstänkta för häxeri och då även barn. (När en kvinna dött efter att ha blivit nupen en halv timme med glödande järn tyckte han surt att hon undkommit alldeles för lätt.)

Men det är vid närmare eftertanke givetvis inte så förvånande. Inte minst i vår tid har ju lärda och intellektuella ofta visat sig vara åtkomliga för den subtila lockelse som göms i fanatism och diverse auktoritära system. Och vi som lever nu, då Auschwitz och Gulag ännu svider i levande människors minne och likstanken från olika havererade utopier fortfarande ligger tung i luften, vi behöver kanske inte påminnas om att historien inte alls bara är en fråga om vacker och stadig förkovran.

Om tidens historia

DET LUGNT glidande vardagslivet har ju också sin historia, fjärran från storpolitikens och slagfältens färgglada dramatik, men icke desto mindre en historia som hela tiden lever med oss i nuet. Se bara på ett århundrade som 1600-talet. Då vann glassen och chokladen, soffan, den djupa tallriken och paraplyet, servetten, toalettpappret och vattenklosetten insteg i den europeiska kulturen; de har sedan dess blivit självklara delar av vår vardag. Det finns dock två små nyheter på det lilla livets område från detta sekel som hjälpt till att omforma våra liv långt mer än vad de ovannämnda gjorde, och de har båda med tidmätning att göra. Den första var den på 1670-talet införda minutvisaren på klockan och den andra det ungefär samtidigt uppkomna bruket att bära ett ur på sin person.

Introduktionen av minutvisaren speglar framväxten av det moderna tidsbegreppet, en långsam revolution som kom att spränga tingens ordning. Denna omvälvning drabbade en värld där tiden syntes vara fast i ett evigt kretslopp där allt upprepade sig åter och återigen. Någon historisk utveckling i vår mening kunde man därför inte se. Det fanns inte heller någon klar gräns mellan förflutenheten, nuet och det kommande. (Detta var grunden för den grundmurade tron på ödet och gjorde det också möjligt att förutspå framtiden eller påverka den med magi.) Det var en tid skapad av en människa som stod med båda fötterna fast nedkörda i åkerns mylla, en människa som inte gjort sig fri från naturens och årstidernas växlingar utan hade sitt medvetande fast rotat i deras lunk. Det var en värld vars rytm var långsam och maklig, där ingen kunde förflytta sig snabbare än hästen gick eller skeppet seglade och där brådskan var ofin. Tiden var små mynt av koppar som ingen samlade på.

Frågan är var den nya tiden skapades. I sin utmärkta bok *Revolution in Time* menar historikern David Landes att den uppstod i de medeltida klostren. I motsats till en sådan religion som islam anbefallde de kristna auktoriteterna bön inte enbart vid soluppgång och skymning utan även vid dagens tredje, sjätte och nionde timme. Detta ställer krav på en tidmätning som görs oberoende av det naturliga dygnet, och här kommer klockan in. Andra, som den franske historikern Jacques Le Goff, menar att denna utveckling ägde rum i den medeltida staden. Städernas folk kunde – i motsats till bonden eller godsägaren – i sitt värv fjärma sig från naturen och behandla den som ett objekt. För köpmannen och företagaren var tiden högst betydelsefull, han såg på den som något man själv förfogade över, köpte och sålde – detta i strid mot kyrkan som till exempel ansåg att ränta var synd då den var en handel med tiden, och tiden tillhörde ju Gud allena. Det var också nu – på 1300-talet – som de första mekaniska klockorna dök upp. Problemen var dock ännu stora: uren var allt annat än noggranna och sätten att ställa dem varierade, vilket ofta ledde till att var plats hade sin egen högst lokala tid.

Under 1600-talet skedde nya stora framsteg på tidmätningens område. Här kommer en sådan man som holländaren Christiaan Huygens in. Han var en märklig person: son till en skald, resenär, fysiker, astronom och matematiker samt medlem av Ludvig XIV:s vetenskapsakademi. Ett porträtt visar en ung man med pianistfingrar, vars mörka ögon och plutande underläpp framträder ur en brun, böljande allongeperuk. På 1650-talet byggde han ett förbättrat spegelteleskop som han nyfiket riktade mot världsrymdens stjärnbågar (bland annat upptäckte han Saturnus måne Titan). Han behövde en exakt klocka för sina astronomiska observationer, och därför uppfann han – 27 år gammal, liksom i förbigående och efter en idé av Galilei – år 1656 penduleret. Det var ett genombrott på tidmätningens område. För första gången blev det möjligt att väga tiden med verklig tillförlitlighet.

Efter detta storverk såg sig den unge mannen om efter nya världar att betvinga och försvann raskt iväg för att göra ytterligare ett tjogtal banbrytande upptäckter innan han dog 1695. Men hans pendelur – tillsammans med engelsmannen Hooks uppfinning av spiralfjädern och införandet av minutvisaren – levde kvar och innebar slutgiltigt att människans tid inte längre skulle mätas i dagar utan i timmar, minuter och sekunder. Redan vid mitten av 1300-talet hade man börjat indela timmen i sextio minuter, men först nu blev denna indelning verklig och meningsfull. Och denna nya noggranna klocka dök upp vid en tidpunkt då både statsmakten och den knoppande kapitalismen hade börjat få behov av den.

Verkligheten strimlades upp i allt finare remsor av tid. Som ett led i den europeiska civiliseringen och disciplineringen började man nu med lite lock och mycket pock att lära alla från brukssmeder till höga ämbetsmän att arbeta på fasta tider och vara punktliga. Tiden var inte längre cyklisk utan linjär. Den blev till ett rakt streck mellan dåtid och framtid som passerade genom ett flyende, oåterkalleligt nu. En människas tid blev hennes mest dyrbara egendom. Se på urtavlan. Visarna som rör sig medsols – sannolikt ett arv efter det antika anaforiska uret som beräknade tiden efter solens och stjärnornas rörelse – mäter noga ut den tid som man brukat, den tid som återstår och den tid man slösat bort. Den snabba minutvisaren innebar att tillropet om att nyttja dagen nyttigt och väl ökade i både skärpa och styrka. Tidens flyktighet blev alltmer tydlig. Nu går en minut ut ur vår tid och kommer aldrig mer: skynda, skynda!

Klockan gjorde sig påmind överallt under detta sekel; tidens väsen diskuterades intensivt, inte minst av poeterna, som proppade sina dikter fulla med mer eller mindre sökta bilder av ur. För vetenskapsmännen blev klockan en modell för hur hela universum fungerade och var, som den kände teknikhistorikern Lewis Mumford påpekat, den nya tidens allra viktigaste maskin, på sätt och vis mer vital för denna tidsålder än till exempel ångmaskinen. Och med industrialismen blev världsurets takt en gång för alla en annan och den gamla världens dåsiga långsamhet fördrevs.

Utvecklingen har alltså gått från en tid som var cirkulär, naturlig och konkret till en tid som är linjär, mekanisk och helt abstrakt. Den svenske historikern Lennart Lundmark talar om den viktiga skillnad som finns mellan tidens kvantitativa och kvalitativa sida. (Det kvantitativa står för tiden som en mätbar resurs, det kvalitativa för de föreställningar man har om tid i form av dåtid, nutid och framtid.) Det fenomen vi kallar för historielöshet uppstår till en del i spelet mellan dessa tidens två ansikten. I ett samhälle som vårt där tidens kvantitativa sida blir allt viktigare – där tiden blir mer och mer pengar – skjuts tidens kvalitativa sida – tid som historia – i bakgrunden och Nu skils alltmer från Då.

Människan gjorde sig fri från den nyckfulla tyranni som fanns i naturens växlingar, men bara för att bli fångad av maskinen. För det paradoxala var att samtidigt som människan skaffade sig ett verkligt grepp om tiden, så gled denna tid ut ur hennes kontroll. Vi tvingas leva efter mattsamma rytmer som inte är organiska eller komna ur naturen utan som skapats av maskinerna. (Att arbeta åtta timmar dag ut och dag in är givetvis vansinne. Människans naturliga arbetsrytm verkar vara högst ojämn och bestå av stråk med mycket hög och hård aktivitet blandad med perioder av stilla lättja.) Detta skedde ingalunda utan strid. Så till exempel gjorde arbetarna i industrin först envist motstånd mot den nya tiden men bringades sakta att böja nacke och göra dessa nya normer till sina egna. Den socialistiska rörelsen i öst och väst anammade mycket av den kapitalistiska synen på tidspassning och industriell effektivitet. I det unga Sovjetunionen bankade man in tidsekonomi i arbetarna med samma iver som någonsin i marknadsekonomierna. Efter bolsjevikernas maktövertagande 1917 startade man en kampanj för att lära folket att förstå tidens värde. Det var speciellt viktigt att lära arbetare som var vana vid lantlivets stilla tid att veta hut och anpassa sig till en »socialistisk arbetsdisciplin«. Fredrick Taylors program för så kallad vetenskaplig arbetsledning, med allt vad det innebar av noggranna tidsmätningar och hårt styrda, nästan robotartade rörelsemönster, fick också mycket riktigt lovord från både Lenin och Trotskij. (Då hade även sekundvisaren funnit sin plats på urtavlan, och med den kom en ny typ av klocka, stoppuret, som kunde brukas av exempelvis en tidsstudieman till att skiva upp tiden i än tunnare segment.)

Århundraden av sträng folkuppfostran och civilisering har lett till att normer som den förindustriella människan såg på som vore de absurda fantasmagorier nu tagit stadig plats i vårt undermedvetnas halvskymning. Vi tänker att varje dag för med sig nya gåvor, gåvor som tiden själv bär bort om vi inte hetsade griper efter det flyende nuet. Genom att bygga upp våra liv runt finmaskiga scheman med allt större noggrannhet kan vi visserligen vinna lite tid men samtidigt får vi allt mindre tid över till varje punkt och framför allt mister vi den frihet som ligger i just bristande precision. Det är då lätt att glömma bort att den snävt uppmätta tid mellan sömn och sömn och mellan födelse och död som uret tickar bort, den tiden är ingen upptäckt utan liksom uret en uppfinning ur historien. Att bli påmind om ett dylikt faktum och att lära sig att inte förväxla natur och historia, är enligt min mening en av de stora poängerna med studier i historia. Vi får en chans att pröva vår egen världsbild, att se att många av dess till synes oomkullrunkeliga byggstenar inte är eviga begrepp som oanfrätta klivit fram ur tidens gryning, utan att de ofta är rätt färska skapelser; de järnhårda strukturer som man tryggt kunnat vila på känns med ens mjuka som svampar, och man förnimmer hur marken rör sig en aning under fötterna.

Den nya tidens instrument vann bara långsamt insteg i människornas vardagliga liv. I början av 1500-talet kom de första fickuren. I regel var det stora och klumpiga äggformade tingestar, men det förekom också mer konstfulla varianter som så kallade formklockor, som var skapta som djur eller blommor. Det verkliga genombrottet för fickuret dröjde dock fram till slutet av 1600-talet. Nu när klockorna blivit alltmer tillförlitliga blev man intresserad av att också göra dem mer okänsliga för stötar och annan yttre påverkan. Det var först i och med detta som man verkligen kunde bära med sig sin klocka, utan att hela tiden riskera att ruinera den. (Det kan också ha varit en åtgärd för att kontra den formliga epidemi av klockstölder som gick genom Europa vid samma tid.) Den mekaniska klocktiden blev alltmer oundviklig och påträngande när människorna bokstavligt talat bar den på sig.

Fickurets form muterades under 1700-talet, från att vara cylindrisk eller lökformad till att bli allt plattare. (Att det var fransmännen som gick i täten för denna märkliga evolution kan bero på att man i det landet lade större värde vid skräddarmässigt behag än i andra länder; de gamla ovala uren gav upphov till fula små knölar när man stoppade dem på sig och, som Landes skriver, »modet avskyr bulor«. På 1770-talet hade fickuret fått sin slutgiltiga klassiska form som vi nu alla känner och som sådant skulle det komma att totalt dominera klockmarknaden i drygt 150 år, fram till armbandsurets stora genombrott.

Armbandsurets sociala historia torde ta sin egentliga början år 1914. Då gick det gamla Europa sin undergång till mötes med en glad sång på läpparna och huvudet fullt av floskler. Bredvid de städse frammarscherande kolonnerna med blommor i gevärspiporna stod den glade gentlemannen på trottoaren och hurrade i augustisolen, med klockkedjan till sitt fickur i en glänsande båge över kulmagen, som ett emblem för tiden och ett ofelbart klassmärke.

Uret självt fanns med som stum aktör i kulisserna. Telegrafen och tåget hade tvingat fram en ny samordning rent tidsmässigt mellan länder och kontinenter. Det fanns sedan ett par år en enda tid på jorden, ett enda världsur – Greenwichtiden – och det uret tycktes snurra i en allt snabbare takt. Den kris som lett fram till kriget hade accelererats av telegrafen: den förvägrade 1914 års diplomater och statsmän de möjligheter till rådrum som deras föregångare haft när depescherna inte kom snabbare än en häst kunde galoppera eller en båt kunde segla. Och tåget fångade generalerna i sina tidtabellers tyranni: ingen vågade töva ens en dag av rädsla för att den andre skulle göra bruk av den förlorade tiden.

Detta var »kriget som skulle göra slut på alla krig«. Vad säger man om den gamla avhånade frasen? Åtminstone dog det forna Europas krig ut där, under de där första rysliga månaderna, då en gammal tids sätt att föra krig mötte en ny tids teknik. Anfall utfördes till de käcka tonerna från militärorkestrar som trampade fram mellan de tätt packade leden av fotfolk. I täten för denna semifeodala uppvisning av militär idioti red officerare till häst, som de sista riddarna – många av dem obeväpnade i den gamla föreställningen att själva dödandet var en syssla som inte passade för gentlemän och därför bäst lämnades till de meniga. Och som alla gentlemän bar de också fickur.

Sedan kom så skyttegravarna, gasen, gyttjan och allt det där.

Fickuret är gjort för en herre i upprätt position, en fabrikör och gentleman som drar fram sin skinande rova med en snygg, svepande gest. Men när en man hukar i en lerig löpgrav eller krälar runt på botten av en krevadgrop är ett dylikt ur mycket opraktiskt, då det kräver att hans ena hand är fri och då det dessutom är svårt att få fram ur sin skyddade plats innanför rocken eller i byxfickan. *Exit* fickuret.

Detta sker samtidigt som händelseutvecklingen ställer alltmer hårt skruvade krav på tidspassning och exakthet. Slagen blir en grym tävling i materiel, slagfältet blir tomt, skenbart öde. Man ser i regel aldrig sin motståndare eller ens det man skall angripa; infanteriet går fram helt mekaniskt, efter en viss kompassbäring, på ett visst givet klockslag. »Mina herrar, vi synkroniserar våra klockor.« Vi har alla sett den filmscenen.

Det dök också upp en rad mer eller mindre absurda taktisktekniska innovationer som ställde krav på en exakt och, framför allt, lätttillgänglig tidsmätning på slagfältet. En sådan var »den krypande stormelden«. Tanken var att infanteriet skulle gå fram med en noga kalkylerad hastighet av runt 25 meter i minuten, alltmedan artilleriets eld i samma takt sakta kröp framåt framför dem som en gardin av dånande stålflisor och rök. Här gör alltså armbandsuret sin stora debut. (Det första gjordes också 1914, av en fransk tillverkare för den tyska krigsmaktens räkning.) Det är främst att se som en militär accessoar som var helt nödvändig att ha i det första världskriget.

Men jostle and climb to meet the bristling fire.
Lines of grey, muttering faces, masked with fear,
They leave their trenches, going over the top,
While time ticks blank and busy on their wrists.

Så när det stora kriget var till ända, gjorde någon skum modemässig nyck att armbandsuret blev kvar – precis som trenchcoaten och cigaretten, två andra ting som fick sin stora publik via skyttegravarna – trots att dess kvalité var klart mycket sämre än jämförbara fickurs.

Efterfrågan på fickur föll kraftigt. Urindustrin i världen drabbades av en kris, som slog allra hårdast mot bolagen i USA, främst därför att deras ur alltid var lite tjockare och lite mindre eleganta än konkurrenternas. För schweizarna gick dock omställningen till armbandsur bättre och de kunde på så vis befästa sin ställning än mer.

Men armbandsklockans genombrott är nog inte bara en nyck. Kanske är det ett sublimt exempel på det som den finske författaren Paavo Haavikko syftar på när han talar om militariseringen av freden. Förr liknade kriget freden – soldaterna hade med sig hustru och barn, möblemang och husdjur ut i fält och sökte leva ett helt vanligt familjeliv mellan drabbningar och belägringar –, men nu liknar enligt Haavikko freden kriget: krigets former sipprar in i vårt tal och vårt sätt att leva.

Det speglar nog också att världsurets takt blivit än mer uppjagad – 1991 års män har på grund av de ballistiska missilerna några minuter på sig där 1914 års hårt pressade män hade dagar – och framför allt mer ofrånkomlig och allestädes närvarande. Det är ingen som bryr sig om naturens tid längre, för den abstrakta klocktiden lämnar oss aldrig någonsin. Tiden finns med som en ständig påminnelse, en evig förebråelse, där vi går omkring med det stora krigets märke på våra handleder.

Om kokta sovmöss och god smak

STÄLLD INFÖR julbordets svårt ångestskapande gytter av kolesterol och kalorier tvivlar man ibland på huruvida världen verkligen bara är text. Sillen, skinkan och prinskorvarna tycks nog så svåra att läsa; julbordets intresse ligger nog icke heller så mycket i dess funktion av dokument som i dess egenskap av topografi. Vi står helt enkelt inför något som en gång varit ett slagfält, där alla spår av den gamla drabbningen sedan länge sjunkit in och blivit ett med marken.

Vad jag tänker på är 1600- och 1700-talens hårda kamp mellan borgare och aristokrater, ett krig med många fronter, där ett av slagen stod på matbordet och där vapnen var kapuner och kryddor, fat, karotter och kokett spretande lillfingrar. Det var i samband med detta slag som den så kallade Goda Smaken uppkom, eller snarare uppfanns. Detta får självfallet inte tolkas så att smaken i sig blev bättre eller mer raffinerad, om det nu var någon som trodde det. Att smaken och matlagningskonsten har skiftat genom tiderna är dock helt klart. I det antika Rom var maten ofta mycket kryddad och dränkt i olika pikanta såser, ofta med söt eller sötsur smak. I Apicius klassiska kokbok från tiden för Kristi födelse – den enda som lär ha överlevt från denna epok – finns det till exempel inte mindre än ett tiotal recept på vit sås. (Seneca berättar om Apicius att han gjorde av med enorma summor på mat: en dag upptäckte han så att han bara hade tio miljo-

ner sestertier kvar, varpå han i pur skräck inför tanken att svälta
ihjäl tog sig själv av daga med gift.)

Hans kokbok är en hisnande läsning för en modern människa
med mer beskedliga matvanor. Där finns dels vettiga recept på
ren vardagsmat som äts än i denna dag – korv, pannbiff och ärt-
soppa –, dels olika kulinariska excentriciteter som inte alltid får
det att vattnas i munnen på en. Där finns till exempel recept på
fyllda grisspenar (inkråmet består av peppar, kummin och saltad
sjöborre), kokta sovmöss, flamingo med dadlar och purjolök
och påfågelsfärs. Så här lyder ett av hans mer konventionella re-
cept: »En osträtt med vilken salt fisk du vill: du kokar fisken i
olja och rensar den. Du tar kokta hjärnor, fiskkött, små kyck-
linglevrar, hårdkokta ägg, uppvärmd mjuk ost och värmer allt
detta i en gryta. Nu stöter du peppar, libsticka, mejram, ruta-
bär, vin, honungsvin och olja, lägger detta i grytan och ställer
den över sakta eld så att det kokar. Du reder med råa ägg, garne-
rar, strör över finhackad spiskummin och bär in.«

Även om många av Apicius rätter kan verka nog så äventyr-
liga, så är det ett faktum att det romerska riket aldrig föll rent
kulinariskt. Det finns en stor kontinuitet mellan det romerska
och det medeltida köket. (Enda riktigt stora förändringen var
soppans genombrott samt givetvis införandet av den underliga
gallo-germanska seden att sitta och äta, som helt trängde ut det
romerska liggandet till bords, något som bland annat innebar att
man kunde börja bruka kniv och sked vid måltiderna.) Så till
exempel fortfor man att vara svag för olika sura smaker. En jäm-
förelse mellan några medeltida och några tidigmoderna kok-
böcker visar att smaken faktiskt blivit allt mindre sofistikerad
genom åren: i de medeltida verken används det hela nio olika ord
och uttryck för att beskriva surt (*aigre, aigu, vert, verdeur, goût de
verjus*, till exempel) medan de från 1600- och 1700-talen faktiskt
bara har tre (*aigre, pointe* och *piquante*). Men – och detta är intres-
sant – de senare kokböckerna visar upp en helt annan och myc-

ket rikare vokabulär när det gäller rätternas kvalitet. Under senare tid är man alltså sämre på att skilja de olika smakerna åt, samtidigt som man helt tydligt blir alltmer upptagen med att väga och utvärdera dem. Se där en god metafor för det moderna.

Den stora kulinariska brytningen ligger alltså mellan medeltid och den tidigmoderna epoken. Förutom att mathållningen i gemen blev mer monoton – köttet, som tidigare varit vardagsmat blev alltmer sällan skådat på vanligt folks bord – så ändrades också kokkonsten. Tidigare var man bland annat mycket begiven på att ge maten bjärta färger, bara för den visuella effektens skull. (Apicius har till exempel små tips hur man kan få sina grönsaker att bli vackert smaragdgröna.) Även under 1600-talet var man förtjust i färgad mat – saffran var populärt för sin gula lyster och för att det var så dyrt – men då främst som ett sätt att förstärka rättens naturliga smak och egenskaper. Kryddningen minskade också i både mängd och exotism. Man ville istället lyfta fram matens egen naturliga smak. Här börjar mycket av den europeiska svagheten för »det naturliga«.

Om man jämför Apicius verk med den år 1650 i Stockholm utgivna *Een lijten kockebook* så framträder dessa skillnader tydligt. Även om en svensk kock vid denna tid givetvis inte kunde förvänta sig att bruka råvaror som struts och papegoja, är det uppenbart att matvanorna blivit enklare och smakbrytningarna mindre hisnande. Hans recept på lamm kokt med svarta vinbär är rätt typiskt: »Tag svarta vinbär, gör dem väl rena och stöt dem i en mortel med blött vetebröd. Med vin gör du det så tjockt att det väl kan gå igenom ett durkslag eller hårsikt, gör sött med socker och kanel och låt så sjuda det väl upp; giv strax på fatet och gör lagom tjockt. Man kan ock låta det bliva kallt i fatet, ty det är gott både kallt och varmt, huru en vill.«

När även adeln började ta åt sig folkliga köksvanor, som till exempel att steka i smör och att bruka olika inhemska bär, örter och svampar, slöt sig på så vis en kulinarisk klassklyfta en liten aning. Samtidigt öppnade sig dock en ny. Under 1600-talet började nämligen den uppåtstigande borgarklassen att för första gången utmana den gamla adelns ekonomiska och politiska makt. Nyrika borgare imiterade adeln i deras överdådiga vanor och resultatet blev en yster kapprustning i karreter, siden och palats. Denna tävlan med de allt resursstarkare borgarna kunde inte adeln vinna i det långa loppet. Aristokratins svar blev därför den goda smaken. Det gällde inte bara att ha mer av allt, sade de med en fnysning så att allongeperukerna krullade sig på alla banala nouveaux riches, det gällde istället att veta vad som var det rätta, att ha *smak*.

Detta var särskilt lätt att visa i samband med just festätande. Ännu framemot slutet av 1700-talet härskade nämligen den serveringsideologi som kom att kallas »à la française«. Det innebar att många olika rätter ställdes fram på en gång. En dylik kulinarisk kalabalik kunde bestå av över 80 olika anrättningar. Måltiden i sig var ett fyrverkeri av olika aromer och smaker: salt och sött, surt och beskt korsades om vartannat. Cajsa Wargs bekanta *Hjelpreda i hushållningen för unga fruentimber* från 1761 brukar ses som den svenska kulmen i denna äldre mattradition. Sedan vänder vinden och in blåser en helt ny gastronomi, som bygger på förfining och *ordning*, och som når sitt kanske främsta uttryck i Anthelme Brillat-Savarins *Smakens fysiologi* från 1825. Där träder han fram, den självmedvetne borgaren med embonpoint som nu erövrat middagsbordet och som vill visa upp en nyvunnen förfining genom att tala och konversera om mat. Och kanske kan vi se den gastronomiska rörelsen från ett tumultariskt kaos av smaker till en helt ny Ordning, som en spegling av den samtida utveckling som gick att se inom alla europeiska nationalstater, vilka gick från mångfald mot en stram kulturell, politisk och ekonomisk enhet.

Denna äldre matkultur med dess förbistrade mångfald av rätter och aromer är borta i dag; den återstår egentligen bara i form av vårt nutida julbord med alla sina korvar och syltor och revbensspjäll och sallader. Även i sin moderna avmagrade form ställer denna sentida avkomling till adelns tungt dignande bankettbord till med magproblem och svårartat tarmbuller, just därför att folk i sin heliga enfald får för sig att äta sig rakt igenom det. Så var det alltså aldrig tänkt. I motsats till servering »à la russe« som gäller i dag, med dess noga reglerade följd av rätter som alla förväntas att sätta i sig, var poängen med den franska serveringen just att man skulle välja fritt bland det som sattes fram. Matbordet blev på det viset till en arena, där man kunde visa upp sin egen goda smak i sitt val av ditt och ej av datt, och ett slagfält, där olika smaker ställdes upp mot varandra.

Smaken blev det nya sociala skiljemärket. Själva termen tar alltså sin början i aristokratins nyenkla matvanor. Sedan överförs detta begrepp till de litterära och konstnärliga områdena. Men funktionen är densamma. Det finns nämligen många sätt att bygga upp och försvara sociala skrankor. Förr hänvisade man till börd, bildning, rikedom, etcetera, men nu har vi, som historikern Jean–Louis Flandrin har visat, en nyhet: en social distinktion som bygger på människan i hennes egenskap av konsument.

Framemot slutet av 1700-talet började alltså servering »à la russe« bli allt vanligare. Middagarna krympte: de behövde inte längre ta en hel kväll utan kunde paras samman med olika vackra utbrott av sällskapsliv – den nyrike borgaren kunde slinka in och äta en bit mat, efter teatern eller före förförelsen. Denna skiftning i de högre skiktens matvanor gjorde plats för en nu så välkänd modern institution: restaurangen. Det handlar dock icke bara om förändringar i sättet att bulla upp mat på borden. Den moderna restaurangen spårar mycket av sina rötter tillbaka till franska revolutionens oro och kaos. När den revolutionära terrorn svepte fram över den franska adeln blev ett av dess indirekta offer de otaliga tjänarna i nobilitetens stora och luxuösa hushåll; bland de skaror av yrkesmän som hips vips fann sig gjorda både arbets- och husbondelösa av den fiffiga uppfinning som uppkallats efter hr dr Joseph I. Guillotin fanns det ett stort antal kockar. För att finna en ny utkomst öppnade många eget, där de serverade mat – ofta av ett lite finare snitt – till dem som hade råd att betala.

Restaurangen var till en början en revolutionär institution: den hjälpte till att demokratisera lyxen och gjorde att sådant som fram till denna tid varit adlig egendom blev tillgängligt för borgaren – samtidigt som givetvis slödder och skarn hölls borta med hjälp av allt från höga priser och karga dörrsluskar till snirkliga regler för uppträdandet. Man kan med fog säga att den moderna restaurangen redan från första början hörde samman med den borgerliga kulturen och också med hela det moderna projektet. Restaurangen är inseglet på borgarens seger över den feodale adelsmannen.

Uteätande har kommit att bli ett av de allra mest populära fritidsnöjena i den moderna staden. Varför? Hur kommer det sig att så många finner nöje i att stoppa i sig föda tillsammans med människor de inte känner? Mat är inte bara mat, om det nu var någon som trodde det. Barthes, Bourdieu och Lévi-Strauss har alla betonat att födan har en viktig social och kulturell betydelse. Och om vi trots allt försöker att se vår mat som en text, så är restaurangen den stora scen där denna text upphöjs till ett drama. Matställena har blivit till sociala akvarier, där det gäller att se och att synas. (I många fall har detta fått ett direkt avtryck även rent arkitektoniskt: se till exempel Grand Hôtels stora inglasade veranda i Stockholm eller Operakällarens Café Opera.) Restaurangen är en offentlig scen med all den rekvisita som krävs för att individen skall kunna spela rollen som rik, belevad, lyckad, smakfull och så vidare.

Sociologen Joanne Finkelstein är starkt kritisk mot den nutida restaurangen; hon hävdar att detta uteätande bidrar till att göra våra liv än mer triviala, platta och ociviliserade. Restaurangätandet speglar enligt henne många drag hos det nutida samhället. Det visar väl hur alltmer i det moderna livet tar varuform (en gammal tanke hos Marx). Hon menar att maten blivit till en bisak i restaurangen: det man framför allt betalar för är att få leva ut en fantasi, för en stämning av intimitet, en känsla av lycka. Privata önskningar kröks till att bli något som kan köpas och säljas. Och när känslor blir till varor så krymper den andra människan ihop till ett objekt, till blott ett medel att stilla de egna behoven.

I en värld där Historien (med stort H) sägs ha tagit slut och där snart allt annat än Marknaden (med stort M) har drunknat i den stilla grodgöl som heter förnuftets självförverkligande anar vi i detta ett slags omvänd utopi, en så kallad dystopi, av den Sköna Nya Värld som nu väntar. Individens uppmärksamhet riktas mer och mer in på det materiella, vilket leder till att livet i allt högre grad levs på ytan – vilket bygger på en förvriden och djupt felaktig idé om att vi kan fullborda våra liv genom att vinna kontroll över den synliga världen. Den kultiverade och lyckliga människan blir till slut detsamma som den mest drivne konsumenten, den som köper mest, bäst, flest. »Homo sovieticus« är gudskelov död nu, men vid synranden tornar den kolossale »Homo consumicus« upp sig, ryslig i sin oändliga banalitet.

Om den vackra naturens historia

»BLOMKVARTERET«, skriver den kände svenske diplomaten Schering Rosenhane i sin lilla skrift om godshushållning från mitten av 1600-talet, »är ansett till lust och prydna.« Han ger där många goda råd om hur man bäst ordnar med odlingen av blommor. Barockens besatthet av raka geometriska former och likaså dess förväxling av prakt och skönhet skymtar fram: trädgården skall vara en väl planerad och strikt historia, med »en regularitet och vacker ordre i alla saker«. Gångarna skall vara av tillstampad vit sand; de kan gärna prydas av »bröstbilder av gamla kejsare och förnäma män, eller små piltar som beteckna fem sinnen eller fyra årsens tider«. Har man god tillgång till vatten kan mycket väl »några små språng och vattukonster här och där i kvarteret inrättas«. Det allra viktigaste är dock att ha en myckenhet »utav levandes, sköna, välluktande och av åtskilliga höga färger förblandade gräs och blommor«. Ett drygt hundratal sorter anser Rosenhane att även den mindre bemedlade bör lägga sig till med i sin lilla trädgård; där är tulpaner, liljor och buxbom, hyacinter, rosor och iris, scilla, krokus och hundtand, anemoner och cyklamen, lotus, lejongap och clematis, kaprifol, malva och violer, och så vidare. En del av dessa kan sättas i målade »blompottor« som man låter göra hos krukmakaren och, som han för säkerhets skull tillägger, som skall ha »hål i botten«.

Vad vi ser här är krukväxtens och trädgårdens inmarsch i vår kultur, ett tecken på att ett stort och viktigt skifte håller på att ske i det europeiska medvetandet. Redan under medeltiden odlade man blommor, men det var i en rätt modest skala och det är först i tidigmodern tid som »trädgårdsrevolutionen« inleds. Mellan tillkomsten av det nya yrket landskapsförbättrare på 1600-talet och uppfinnandet av gräsklipparen på 1830-talet ligger en period då odlingen av prydnadsväxter fick ett enormt uppsving. År 1500 fanns det runt 200 odlade växter i England, på 1830-talet cirka 18 000. De flesta av de blomster som nu går att se i våra trädgårdar och krukor kom till där emellan.

Under en mycket lång tid – vi talar här om tusentals år – hade synen på naturen varit präglad av bonden och hans bundenhet vid jorden och dess cykler. Människorna stod mitt i skapelsen, en del i ett evigt ekologiskt system, rädda tjänare under en nyckfull och tyrannisk natur. Under den kärva och konservativa rationalitet som det livet närde gick starka underströmmar av rent magiskt tänkande, som kyrkan, till exempel genom häxförföljelser, aldrig lyckades utrota helt. Det var en värld där döda bin gick att göra levande igen, där spannmål kunde regna från skyn, svalor övervintrade på sjöbotten och liv kunde uppstå helt spontant. (Det sistnämnda var en fast etablerad vetenskaplig dogm långt in på 1600-talet; Johannes van Helmont, mannen som upptäckte koldioxiden, har lämnat efter sig ett helt underbart recept på hur man gör möss ur ost och smutsigt linne.)

Men när krukväxten och den moderna trädgården gör sin debut under tidigmodern tid visar det att denna uråldriga syn håller på att försvinna. Det är istället en helt ny livsform som nu signalerar sin ankomst: staden. Det är där som den nya synen på naturen föds. Stadsborna lever i en miljö helt formad av människan, och det är de som kan börja bryta sig loss från jorden och årstiderna. Det är de som börjar idyllisera naturen, gulla med djuren, längta ut i det gröna och sjunga det stilla lantlivets lov. (Att dessa ideal och denna längtan efter den lilla stugan i skogsbrynet lever kvar så starkt är ett gott vittnesbörd om att vi ännu, någonstans i det som vi kallar för »jag«, gör envist motstånd mot en flerhundraårig industrialism.) Och det är de som börjar sätta vackra blommor i »pottor« som sedan bärs in under tak. Väl inne i husen kan de fungera som en ersättning för den idyll stadsbon längtar till och saknar, samt som ett sätt att dölja den gräns mellan dem och naturen som fönstret både bildligt och bokstavligt talat står för.

För den här människan är inte längre en del i naturen. Naturen har börjat att bli ett objekt, något man sätter sig i besittning av, ordnar, brukar med strikt vetenskapliga metoder och betraktar lite på avstånd. Det är nu Naturen upptäcks och blir till en källa till glädje, ett föremål för hänförelse. Och det är först när människan skiljer sig från naturen som hon kan upptäcka den, begapa den och stöpa om den till poesi. Ett tydligt tecken på att detta har börjat att ske är uppkomsten av det moderna landskapsmåleriet. En av dess allra första utövare var den nederländske målaren Philips de Koninck, född 1619, död 1688. Han kom till Amsterdam cirka 1640 och var en i kretsen runt Rembrandt. Under barocken fnös man gärna åt naturmåleri – det behövdes ju ingen större skicklighet att måla ett träd, det kunde ju för tusan se ut hursomhelst. De Koninck var därför mer uppskattad för sina porträtt än för de panoramalandskap som var något av hans gebit. Målningar av naturen hade visserligen förekommit förr, men det hade varit antingen som näpet staffage i något av tavlans hörn eller i form av helt fiktiva och hårt arrangerade bitar av skapelsen, där det majestätiska gjorde sitt bästa för att slå ihjäl det dramatiska och vice versa – lite höga berg här, lite stormpiskade skyar där och så vidare. Koninck var en av de allra första som började att måla realistiska landskap. I hans bilder stod naturen själv i mittpunkten och människorna var gjorda till ovidkommande små krumelurer, som till exempel i hans »Vidsträckt landskap med ruiner« från 1655. Hans målningar var ett svar på den stora efterfrågan på landskapsbilder som uppstod under 1600-talet bland olika storstadsmänniskor som drabbats av hänförelse inför den grönska som de inte längre kunde skåda i sitt vardagliga liv.

Mycket av denna hänförelse, som går att se från senmedeltiden och framåt, visar sig dock i förstone som lek och maskerad. Ett exempel på detta har vi i Marie Antoinette när hon kokett utklädd till lantflicka mjölkar kor i Petit Trianon eller i form av de yrkeseremiter som adeln under 1700-talet hyrde in (per år) som chica accessoarer till sina noga anlagda låtsas-vildmarker hemma på baksidan av slottet. (I modern tid har leken ibland tagit mer beska former, som då stora klasar av unga gravallvarliga ryska intellektuella på 1870-talet skenade iväg ut på landet, i ett lika patetiskt som misslyckat försök att leva som bönder bland bönder. När deras svenska ståndsbröder drygt hundra år senare krängde den lilla stickeluvan på huvudet och sprang till skogs med ett knippe får inklämda under armen, fortsatte de på sitt vis att leka denna gamla aristokratiska lek.)

Denna syn är ihoptvinnad med en annan strömning, nämligen längtan till naturen som en form av symbolisk opposition. Framför allt för adeln, som satt där alltmer klämd mellan den svällande tidigmoderna staten, med dess maktkåta solkungar och stramt hållna hovkultur, och en knoppande kapitalism, var herdeidyllernas naturromantik ett sätt att fly undan. På samma gång demonstrerar dessa på höga styltor framvinglande pastoraler hur långt man redan har fjärmat sig från allt som heter natur. Ta till exempel ett verk som Gustaf Philip Creutz kända »Atis och Camilla« från 1761, med dess inte så lite tröttande flöde av myrtenskogar, balsamdoftande blomsterbäddar, ljumma sommarregn och ljuvligt friska källor. Där möter man en hårt parfymerad bild av det vilda, som bara kan målas upp av en person väl inlåst i de mondäna salongernas svalka. Det är i sanning naturen skådad genom ett dubbelglasat fönster. (Creutz är

viktig i dessa sammanhang. Hans »Sommarkväde« från 1756 är
ett av de första i en genre som sedan dess har blivit till något av
en svensk nationalhelgedom: hyllningen till sommaren, i hans
fall komplett med blyga smultron och allt. Han är Taube och
Bellman i en tidig inkarnation.)

Herdeidyller som »Atis och Camilla« är intressanta, för att de
också bär fram uttryck för en nygammal tankeriktning: teriofi-
lin. Det är idén att naturen egentligen är mer klok och moralisk
än människan, en tanke som drevs med viss iver av de antika
grekerna. Demokritos prisade djuren för att de inte söp, och
Aristoteles talade lyriskt om de kretensiska getternas medicins-
ka kunskaper, de sånglektioner som näktergalarna ger till sina
barn eller om de fiffiga sköldpaddor som botar sig genom att
knapra på oregano när de är krassliga. (Teriofilin var nog ett rätt
naturligt sätt att tänka för den förindustriella människan, som
levde nära en natur som skrämde henne till underkastelse ge-
nom sin våldsamma storslagenhet och fyllde henne med häpnad
genom sin kraft och skenbara förslagenhet, som syntes vara lika
oändlig som oförklarlig. Den hade alltså en helt annan grund än
den nymornade teriofili som går att se i dag. Nu springer den
dels ur det moderna industrisamhällets alltmer akuta och plåg-
samma självmotsägelser, dels ur det behov många uppenbarli-
gen har av en ny tro som kan ge dem det löfte om frälsning och
evig godhet som en Gud eller en politisk utopi brutit.) Den ti-
digmoderna naturromantiken gav nytt liv åt dessa idéer. Hos
Creutz är det den allvisa naturen som ger de älskande tu lov att
bryta de hårda regler som ligger i vägen för deras amour, för,
som en från himlapällen nedfladdrad Diana säger till Camilla:

Din låga är så ren, att han naturen hedrar;
att älska är en drift, som hjärtat ej förnedrar.
Jag känner ingen dygd, som onaturlig är.

Krukväxten är, på samma vis som den ovan nämnda landskaps-målningen, ännu ett av uttrycken för den nya vurmen för natur-en. Liksom det vid samma tid raskt uppblossande intresset för katter och deodorantiserade knähundar visar det att naturen inte längre sågs som lika vild och hotfull som förr. Europén har bör-jat se på sig själv som triumfator i den långa kampen mot natur-en; det anade herraväldet ger honom den självsäkerhet som krävs för att skjuta gränsen mellan vild och tam ännu ett stycke bort och till och med flytta in delar av naturen inomhus, som vore de i triumf hemburna troféer efter ännu ett vunnet slag i ett långt krig där segern nu äntligt står att ana vid synranden.

Krukväxten förstärker dock känslan av makt mer än vad en vacker å i olja kan göra. I sin odling är människan »den enda des-potiska härskaren över allt levande« som en handbok från 1716 så stolt hävdar. (Som ett exempel på en devot utövare av denna oinskränkta makt kan nämnas Isaac Newton, som då han inte fick äpplen i huvudet eller kokade ihop infinitesimalkalkyler, styrde en trädgård »där det aldrig rådde oordning«.) Blomman är ej odlad för sin nyttas skull utan för sin skönhet, men hon är ändock helt underkastad människans hårda styre. Krukväxten och trädgården är båda sinnebilder för den kuvade och tämjda naturen.

Framåt 1800-talet uppstår, som historikern Keith Thomas har visat, en icke nyttoinriktad syn på naturen. När det vilda disku-teras handlar det allt mindre om naturens förmenta genialitet och höga moraliska halt och alltmer om hur den lider i männi-skans våld. Man börjar att tycka att skogsskövlingar är fula, starta föreningar för att hindra grymhet mot djur, upprätta fon-der för humana kuskar och grunna på om tomaterna månne har ett själsliv. (Medlidandet blev vid denna tid till en Fin Känsla, ett helt oundgängligt tillbehör i var civiliserad persons emotionella garderob.) Alla delar i naturen fick ett eget värde. Paradoxalt nog var det alltså först då, när människan stod i begrepp att nå sitt länge åtrådda herravälde över naturen, som detta herravälde började att sättas i fråga. Och här ser vi början på en allt mer sammansatt konflikt mellan den varma kärlek för naturen som har fötts ur den moderna tillvaron och det hårda utnyttjande av samma natur som är själva grunden för denna tillvaro.

Om fattigdomens historia

DET ÄR OMÖJLIGT att inte skakas i sitt innersta när man som en så kallad modern europé ställs inför armod; och när vi upprörs av åsynen av kvinnan som hukar i solgasset med det avtärda barnet i famnen och den kloliknande handen framsträckt störs vi ofta lika mycket (om inte mer) av omgivningens karga liknöjdhet och uppenbara brist på intresse. I den stunden står inte bara i-värld och u-värld varandra under ögonen, där möts också ett gammalt och ett nytt sätt att se på armodet. För medan fattigdomen som fenomen alltid har funnits, så är fattigdom sett som ett socialt problem något rätt nytt historiskt sett.

Armodet var en oundviklig del av livet i den förindustriella epoken; på bilder skymtar de fattiga som grå fåglar vid vägen, inne i kyrkan, utanför kyrkan eller intill hörnet på gatan där de rika samlas: de lytta, de arma, de sjuka, med sina gnälliga, sjungande ramsor om hjälp. Någon egentlig motsats mellan dem och den rike mannen som stod bredvid kunde man inte se. De sågs snarare som varandras förutsättning. Den fattige bara fanns där, som ett givet inslag i bilden, lika självklar som fälten eller himlen eller träden och minst lika evig. Att vissa människor levde i fysisk nöd var inget att känna förvåning eller harm över. Den nödlidande kunde nonchaleras, kanske avskys eller till och med vördas. Men som något socialt problem sågs han inte.

Rik och fattig var inte så klart skurna ekonomiska kategorier som i dag. En människa kunde vara fattig utan att för den skull ha låg social status. Fattigdom kunde till exempel vara en väg till Gud. Bland annat i riddaridealet fanns det ett klart asketiskt inslag, och det odlades bland vissa ett slags förfinat och i hög grad självpåtaget armod, där elände tid efter annan avnjöts i små smakliga doser när omsorg om själen så krävde. När så många fromma män och kvinnor av fri vilja sökte vad som i alla fall var eländets yttre tecken ledde det till att en del av deras prestige liksom gneds av på de verkligt arma. Därav vördnaden. Det går visst att hitta uttryck för verklig ömkan av de fattiga under medeltiden, men den är ofta rätt stereotyp till sin natur. Allmosan var en gärning av plikt, som dock gav den fattige en uppgift i samhällsordningen. Biten bröd eller skärven eller de två slevarna mjöl till den fattige fyllde nämligen flera olika funktioner. Den var en god och kristelig gärning som hjälpte givaren ännu några fjät bort från skärselden; den bekräftade på samma gång att världen var som man tänkt sig, att den höge var hög (och god) och den låge låg (och tacksam); dessutom gav allmosan de rika en chans att på ett snyggt och opåkallat sätt prunka med sitt välstånd. Hur paradoxalt det än låter kom alltså nådegåvan och den fattige att bli en av rikedomens allra bästa ursäkter.

Givandet av allmosor var en stor affär under medeltiden – detta i ordets alla bemärkelser. Den polske historikern Bronislaw Geremek berättar i sin bok om den europeiska fattigdomen att man i samband med olika illustra dödsfall ofta delade ut bröd och vin eller annat till digra skaror som ibland räknades i tusental. (En borgare i Lübeck föreskrev 1355 i sitt testamente att man efter hans död skulle dela ut allmosor åt inte mindre än 19 000 fattiga.) Då flockades arma från när och fjärran, för dessa tillställningar var stora folkfester. Många kloster åtog sig dylika arrangemang: det visade sig ofta vara en lönsam bransch för den som visste att utnyttja de rikas dåliga samvete och behov av lite rituell barmhärtighet. (Det var sannolikt bara en mindre del av de pengar som samlats in som kom de nödlidande till del.)

Men dessa massallmosor till trots var de medeltida tiggarna få. Som ett exempel kan nämnas en skattelängd från Augsburg 1475, där det bland 4 485 personer finns allt som allt 107 tiggare. De verkar ofta ha framlevt sin varelse som stolta yrkesmän – ibland samlade i sannskyldiga bolag – väl inpassade i stadens gemenskap och tvungna att betala skatt precis som alla andra. Detta har till en del sin förklaring i tidens välvilliga attityder till fattiga, men det beror också på att epoken faktiskt var rätt välmående. Helt visst var det en tid plågad av våld, elände och synd, men i jämförelse med de närmast följande seklerna rymde den ändå häpnadsväckande mycket av välstånd och trygghet. Den mörka medeltiden var som bekant inte hälften så mörk som det ofta antagits.

Tanken att fattigdomen skulle kunna vara skamlig började att slå rot i Europa framemot 1200-talet. Historikern Giovanni Ricci har visat hur det skedde genom att tre till en början helt skilda begrepp – fattigdom, tiggeri och skam – steg för steg smältes samman till att bli ett. Denna skamliga fattigdom kan först ses i staden, till exempel i olika större kommersiella centra i Flandern och norra Italien. Där fanns de värderingar, det överflöd av pengar och den kontrast mellan rik och fattig som krävdes för att detta nya fattigdomsbegrepp skulle kunna inkarneras i en handfast social form. Begreppet fattig snävades in steg för steg, för att till slut bli en beteckning för en människa som var beroende av hjälp från sin nästa för att kunna leva.

Framemot tidigmodern tid får så de nya attityderna till de fattiga sitt stora genombrott. Den barmhärtiga fördragsamhet som dittills härskat sveps bort. Geremek har visat exakt när det stora omslaget ägde rum: det skedde på 1520-talet. Då härjades Europa av en sällsport lång och svår period av missväxt. Den nöd som följde i dess spår slet masken av en kontinent som dittills verkat befinna sig i jämvikt, men som istället visade sig vara i fatal obalans. Denna brist på balans hade flera olika orsaker. Dels var den en följd av att befolkningen visat sig växa snabbare än livsmedelsproduktionen. Dels var den ett resultat av att de traditionella agrara strukturerna i Europa hade börjat att falla i bitar och ge vika för något amorft och sökande som sedan skulle bli till vår nutida industrikapitalism. I spåren av detta hade en djup omvandling av jordbruket inletts. Många småbönder trängdes bort från sina gårdar och blev förvandlade till daglönare och backstugusittare. De breda massornas materiella läge blev klart försämrat. (Emmanuel Le Roy Ladurie har räknat ut att slåtterkarlens del av skörden under 1500-talet minskade från 10 till 6 procent.) Den utarmning som pågick på landsbygden fick än mer fart genom de ofta återkommande försörjningskriserna: varje missväxt födde fram nya skaror med hålögda vrak som vinglade bort från sina gamla åkerlappar, där nu storgodsägarens får betade i pastoral frid, ut på vägarna, bort mot de stadsmurar som hägrade i fjärran.

De upprepade kriserna under den första hälften av 1500-talet ledde till ett masselände av aldrig förut skådat slag. Överallt drogs de fattiga mot städerna. Där vinkade arbete, välstånd och frihet från livegenskap och annat feodalt betryck. Städerna hotades ett tag att översvämmas av dessa arma från den uthungrade landsbygden. De fattiga och egendomslösa nästlade sig in bland husen, födde sina förfrysta barn i portgångar och källarprång och visade en oförskämt stor benägenhet att dö av här och var på gatorna, till de ordningssinnade stadsborgarnas förtrytelse. I Stockholm fanns det under 1600-talets senare del stora fattiggravar som stod öppna mest hela året. Däri slängde man både kreperade trashankar och allsköns annat skräp; dessa gravar var kända som tillhåll för lösspringande grisar och hundar, som bökade i trasorna och stanken och åt på de döda kropparna.

Den svåra krisen på 1520-talet var en av dessa djupa och genomgripande händelser som leder till att mentalitet och ideologier rubbas i sina grundvalar. Den europeiska historien har sett ett antal av dessa skickelsedigra brytpunkter. Digerdöden är en, trettioåriga kriget en annan, och det samma gäller för franska revolutionen och första världskriget. Troligen är de nyligen skedda omvälvningarna i öst ännu ett exempel på en dylik vändpunktskris. Dessa kriser rymmer en myckenhet av eggande dramatik och färgstarka händelser, och även om dessa givetvis icke saknar betydelse är de ofta seismiska ytfenomen som bara bär vittnesmål om stora och dunkla rörelser i djupet. Och när dessa kriser är till ända lupna, när dammet har lagt sig, de döda har myllats ned och man rätar en smula på nacken för att titta sig omkring, då ser allt annorlunda ut; och även om man ibland med stor trånad önskar sig åter till den svunna världen finns det som alltid i historien ingen väg tillbaka, bara en väg framåt, ty livet och det sätt varpå vi ser på livet har en gång för alla förändrats.

Så var det också på 1520-talet. Ställda inför hotet från den nya massnöden och de svällande hoparna av tiggare smalt mycket av den medeltida barmhärtigheten raskt bort. I dess ställe kom en surögd misstro; den medeltide Tiggaren, som framtonar som god, ja nästan from, där han med sin utsträckta hand hjälper den rike att hjälpa sig själv in i saligheten, han går upp i blå luft och hans plats intas av Lösdrivaren, en otäck och farlig uppenbarelse, ett möjligt hot mot ordningen som sänder vassa rysningar av rädsla längs borgarnas ryggbast. Armodet stör ännu inte: misär kunde vara något som överklassen roade sig med i lustiga små upptåg eller herdeidyller. Men fattigdom blir mer och mer ett stigma, ett tecken på en moralisk brist, och den fattige är nu ett problem, javisst, dock icke ett socialt sådant utan snarare ett polisiärt. Fattiglagar börjar ta form överallt i Europa, men det är bestämmelser gjorda inte för utan mot de fattiga. (I vårt land kom de första nya lagarna mot tiggeri på 1520-talet, och på 1540-talet höll Gustav Vasa sina dånande predikningar över alla de kringvandrande »löskedrängar, inhysesmän, överflödiga räv- och fåglafångare samt spanntalströskare med flera tjänstlösa manspersoner« som nu blivit till en landsplåga.) Den godmodiga allmosan blir ersatt av en samling med förtrycksverktyg som allteftersom tiden går blir allt hårdare. De fattiga börjar nu att definieras, räknas, registreras, märkas, uppfostras, reformeras, diskrimineras, hotas, bötfällas, förvisas, pryglas, fängslas och hängas. För att helt kort sammanfatta vad som sker: på 1500-talet ger man den främmande tiggaren mat varefter man propellerar ut honom genom stadsporten; på 1600-talet rakar man av honom håret, piskar honom hårt för att sedan propellera ut honom genom stadsporten. (Detta då om man inte slår vederbörande i järn på något nyss inrättat arbetshus. För detta är den stora inlåsningens tid i Europa, då fattiga, galna, vanartiga med flera spärras in i en ursinnig takt. Dessa låsta arbetshus och spinnstugor var dessutom på många platser ett fiffigt sätt att skaffa arbetskraft till den knoppande industrin, något som länge visade sig vara svårt.) Och den moderna fattigdomen blir till, med allt vad det innebär av låg social status, maktlöshet och utanförskap.

Jakten på de fattiga under 1500- och 1600-talen är dock inte bara ännu en av förflutenhetens trista jävligheter. Det är en händelse av vikt i Europas historia. För det var just i kriget mot de hotfulla fattiga som den moderna statens förtrycksapparat fann mycket av sin form. Det var också i samband med detta krig som man på allvar började att odla idén om att lyckliggöra människor mot deras vilja, med tvång om så krävdes, en helt galen tanke som funnits kvar att plåga oss sedan dess. Det var i mycket ur de låsta arbetshusen och spinnstugorna som Fabriken som system växte fram. Och det var när tiggarna och lösdrivarna skulle tuktas som den nutida attityden till arbete – det skall vara hårt, hederligt och fast – för första gången blev upphöjd till oomkullrunkelig sanning. Detta i grund kapitalistiska arbetsideal kom sedan att tas över av arbetarrörelsens olika grenar. Där transmogrifierades det till kravet på arbete åt alla, en ideologisk formel som dock alltid när den har fått kropp i verkligheten, som till exempel i DDR, blivit till tvångsmässigt lönearbete åt alla.

Det är under den andra hälften av 1700-talet som fattigdomen upptäcks i Europa, det är först då Den Fattige som Socialt Problem uppstår. Det är ett fenomen som främst hör samman med industrialismen. Den ekonomiska utvecklingen kokade upp en ny tidvåg av egendomslösa och utslagna. Sakta stelnade de till en trasklädd underklass som var om något än större och än eländigare än den som flockades runt stadsmurarna på det svältgrå 1520-talet.

Var det månne så enkelt: att armodet vid denna tidpunkt växt till i en sådan grad att det bara inte gick att förtränga längre? Det finns en annan möjlighet. Det var ju först under industrialismen som löftet om ett visst folkligt välstånd lät sig anas. (1500- och 1600-talen var som nämnts en epok då många fick se ersättningen för sitt arbete krympa ihop. De höga vinster som följde av de sjunkande reallönerna gav kapitalismen god skjuts framåt i ett kritiskt skede av dess utveckling. Denna spiral nedåt mot misär och utarmning bröts under 1800-talet. Det har beräknats att den genomsnittliga lönen för en tysk arbetare mellan åren 1801 och 1951 steg hela tolv gånger, alltmedan järn bara blev dubbelt så dyrt och priset på spannmål endast tredubblades.) Kanske var det inte förrän utplånandet av fattigdomen såg ut att kunna bli en verklig möjlighet som Den Fattige som Socialt Problem blir till. Först då lyfter resignationens ovissa dunkel från den tiggande kvinnan och hon räknas bort från livets kalla fakta och ett verkligt medlidande med henne blir möjligt. Tanken är intressant i dag, när upptäckandet och botandet av olika problem har blivit till en väldig industri. Kanske är det i många fall inte så att vi först snavar över ett problem och sedan söker lösningen; månne är det så att först när Lösningen svagt går att ana i fjärran går Problemet att se?

Barnet med segerhuvan

ETT BARNS födelse är alltid en vidunderlig händelse, men nedkomsten av ett kungligt barn var under 1500- och 1600-talen en särskilt andeingiven akt. Erik XIV:s födsel skall ha varit ovanligt full av omen och illavarslande tecken. Vissa säger att han föddes på ett olycksbådande klockslag, andra påstår att han kom fram ur moderlivet med blodiga händer. Det är inte svårt att finna fler sådana historier. Hans far, Gustav Vasa, sades ha sett dagens ljus utrustad med både hjälmformad segerhuva – det vill säga med fosterhinnorna kvar på huvudet – och ett rött kors på bröstet. När Gustav II Adolf föddes spejade astrologer kisande mot skyn och fann att timmen och tecknen var ovanligt gynnsamma. (Senare började folk även dra sig till minnes en viss komet i stjärnbilden Cassiopeja som förebådade födseln av en furste som skulle uträtta stora dåd i Tyskland.) Inför Gustav Adolfs dotter Kristinas födelse var astrologerna ense om att tidpunkten var illavarslande. Flickan lär också ha fötts med segerhuva, luden över hela kroppen och med en stark, grov stämma, vilket till en början sägs ha lurat barnmorskor och andra att tro att det framfödda barnet var en gosse.

Alla dessa berättelser om segerhuvor, kometer och mysteriösa tecken är i regel sagor, en del av den samtida politiska mytologin. I ett Sverige där ordningen att kronan skulle ärvas ännu inte hunnit bli till en vördnadsbjudande tradition var en tronföljares födelse givetvis en händelse av stora mått, inte minst politiskt. Det betydde att dynastin och allt vad den stod för kunde leva vidare. De olika historierna visar hur ett kungligt barns födsel var en offentlig akt, laddad av förväntningar, och hur dessa barn föddes in i sin roll. Historierna ville bevisa att deras öde var givet från det första andetaget. Erik var förutbestämd att bli en dålig monark, på samma vis som Gustav Adolf var skickad att utföra stordåd i Tyskland. Det är givetvis paradoxalt, då dessa barn samtidigt gavs en mycket grundlig uppfostran som utgick från en helt motsatt princip, den som sade att människan måste förberedas för att själv skapa sitt öde. För att den nyfödde så småningom skulle kunna bli regent räckte det inte med gott blod och goda omen, utan telningen måste noga förberedas för sin uppgift. Och här kom den furstliga pedagogiken in.

Erik XIV går att se som en representant för en ny typ av kung i Sverige: den framskolade regenten, som från spädaste år beretts för sitt stora värv. I detta skilde han sig från de flesta av sina föregångare på tronen. De hade i regel slagit sig fram till makten med hjälp av en märklig blandning av list, styrka och skrupelfrihet; Erik fick makten till skänks av sin far. De förra kan ses som mörka inkarnationer av olika socialdarwinistiska principer, han som ett pedagogikens drivhusblomster.

Den kungliga barnkammaren var något av pedagogikens ideologiska kraftcentrum under denna tid. Man behöver bara nämna ett namn som Erasmus Rotterdamus, den kände holländske humanisten, och hans bok om fursteuppfostran. Han framhöll hur viktig de kungliga barnens skolning var och hur deras fostran skulle kunna bereda dem för deras kommande värv. Hans bok – en märklig blandning av renässanshumanism och en äldre traditions »furstespeglar« – var ett banbrytande verk. Och hans bildningsideal med dess betoning av klassiska auktorer, latin och teologi kom att få stort inflytande.

Man skall inte överdriva det egenartade i furstepedagogiken.

De blivande monarkerna fick i mycket samma fostran som aristokratins barn. Skillnaden var nog inte främst kvalitativ utan mest av kvantitativ art. I de kungliga barnens värld var de fostrande principerna förda till sin helt logiska fulländning: där hade alla fromma förhoppningar och välmenande avsikter fått kropp. För dessa barn kunde inga pedagogiska planer vara ambitiösa nog, inga mål för högt satta. Om vi dessutom mer tittar på uppfostrans former än dess innehåll, går det att där finna vissa drag som syns vara gemensamma för många barn i 1500- och 1600-talens samhälle.

Precis som i aristokratin genomgick de furstliga barnen vissa faser på sin väg mot inträdet i vuxenlivet, ett inträde som skedde i femtonårsåldern. Under den första fasen levde barnen i mycket i en kvinnovärld, där modern, kvinnliga släktingar och framför allt olika ammor hade ansvaret för deras fostran. Erik XIV, till exempel, sköttes först av en amma, Apollonia Larsdotter, och det var inte förrän han lämnade hennes vård som det var dags att börja skola honom till kung.

Uppfostran inleddes tidigt under denna tid i aristokratin: syftet var att lägga grunden för senare utbildning och att betvinga det djuriska som man ansåg att barnet hade i sig sedan födseln. Barnet betraktades som en motsträvig materia som fördärvades utan en noggrann och sträng fostran. Arvsynden gjorde även spädbarn till förhärdade syndare och nyfödda barn sågs som orena tills de hade döpts – de var ju i realiteten hedningar. Det gällde att få ondskan och synden ur de små medan de var formbara. Noga inpräntades flit, fromhet och lydnad hos dem. Och så fort barnen ansågs vara mottagliga började de delges vissa smärre baskunskaper. Det handlade mest om religiös skolning samt om grunderna i läsning och skrivning.

Det ingick som ett moment i tidens uppfostran att härda barnen. De skulle från »späda barndomen vänja sig vid varmt och kallt, ont och gott«. Strävan var att inte tillåta excesser i barnens livsföring, de fick inte skämmas bort. Denna princip upplevdes som viktig från sakkunnigt håll; det fördes senare på 1600-talet en livlig debatt bland läkare och filosofer, där mödrar gjordes till åtlöje för överdrivna omsorger om sina telningar. Bakom allt detta låg inte någon känslokyla, utan framför allt en vilja att förbereda barnen inför ett svårt och påfrestande vuxenliv – det gällde särskilt för små adelsgossar som med hög sannolikhet hade att vänta ett liv i fältläger och på slagfält.

Detta gällde också för kungliga barn. Karl IX tog tidigt med sig sin son Gustav Adolf ut på härdande resor. Och det berättas att då Gustav Adolf en gång besökte Kalmar med sin dotter Kristina frågade man om man skulle låta bli att skjuta salut för att inte skrämma den tvååriga flickan. Svaret blev: »Låt skjuta! Hon är dotter till en soldat och måste vänja sig.«

I tidens uppfostran lades också stor vikt vid de kroppsliga bestraffningarna. Agan sågs som ett helt oundgängligt medel som skulle göra barnet dygdigt och disciplinerat. Under 1500-talet hade utvecklingen också gått mot en stegrad hårdhet mot barnen. Detta berodde delvis på den nya stränga livssyn som reformationen dragit med sig. Den starka betoningen av bestraffningens och agans roll kunde leda till att även barn ur de finaste familjer fick genomleva sannskyldiga martyrier. Agneta Horn har i sin berömda levnadsskildring berättat om de »långa och elaka 2 år« som hon genomled i Ebba Leijonhufvuds vård; hennes lille bror dog, ögonskenligen av vanvård, och själv tvingades hon »till det ringaste få en gång om dagen och stundom tre gånger ris«. Det är nog missvisande att tro att detta var regel: i Agnetas ögon framträder den behandling hon får som ovanligt hård, och den lättade också betydligt när hon kom till sin mormor.

En viss förändring på denna front inträffade under 1600-talets gång. Nya pedagogiska idéer kom i svang, bland annat fanns det de som började tala för en ny mildhet i fostran; kroppsstraff skulle vara en sista åtgärd efter det att alla andra medel misslyckats. Ute i Europa fanns det flera röster som argumenterade för moderation i bestraffningarna, och försök att minska barnmisshandeln förekom verkligen, även om det bara innebar att riset ersattes med, som man trodde, mer »förfinade« metoder som inlåsning. Förordandet av måtta i bestraffningarna – som trots allt antyder att agan även för samtiden kunde vara oacceptabelt brutal – tog sig många former. Traktater i uppfostran rekommenderade föräldrarna att »ej aga i vredesmod utan i besinningen« och talade mot alltför stor stränghet. Det handlade dock ingalunda om ett ifrågasättande av agan, utan bara om ett försök att begränsa överdrifterna. Även samtida ordspråk talade i dessa banor. Ett flitigt citerat sådant var »Agelös lever, ärelös dör«, det vill säga att den som inte utsätts för straff och tuktan går det sällan väl för. Andra ordspråk talade måttfullhetens lov: »Agan är god när mått är med«, man menade att »Alltför skarp tuktan gör blödigt barn«.

Även de kungliga barnen fick smaka riset. Kristina spöades vid några tillfällen av sin mor, men för det mesta sköttes den detaljen av hennes hovmästarinnor. Ändå var rådet bekymrat, de ansåg att hon inte agades nog, och de hotade att skaffa henne en mycket strängare hovmästarinna om hon inte började lyda. Agandet av de kungliga barnen var dock inte helt utan komplikationer. Hur bär man sig åt för att ge ris åt ett barn som vet sig vara den framtida regenten? Efter ett blasfemiskt yttrande blev Kristina hotad med stryk av sin lärare Johannes Mattiae. Hon sade då trotsigt, med en befallande min, att »jag vill icke smaka riset, ty det skulle ni alla bittert ångra«, och Mattiae darrade framför henne.

Det får en att förstå att detta var barn som inte kunde undgå att få höga tankar om sig själva och sin egen betydelse. Vid ett tillfälle då den lille Gustav Adolf bars runt av en jungfru blev hon stoppad av en bekant som ville tala med henne, men pojken befallde bara: »Gack utur vägen, eller vet du icke, att jag är en herre?« Omgivningen behandlade dem helt självklart med en stor respekt. Redan som sjuåring uppträdde Erik XIV som en furste, som steg fram värdigt i procession, med drabanter främst och en svans av adliga kamrater efter.

Under denna tid var det vanligt i alla samhällsklasser, att barnen i stor utsträckning uppfostrades utanför hemmen och av andra människor än de biologiska föräldrarna. Adelns barn tillbringade ofta stora delar av sin barn- och ungdom separerade från sina föräldrar. (Under detta ligger bland annat en annorlunda syn på familjen än vår. För adeln stod släkten, ätten i centrum, snarare än den mindre kärnfamiljen.) Syskonskaror splittrades ofta och anförtroddes åt olika släktingar eller vänner. Det samma gällde för Vasarnas barn. Kristinas uppväxt skedde på en rad olika platser, under en rad olika uppfostrare. Även om hon kan verka som ett extremt fall var sådan ambulerande uppfostran inte alltför ovanlig inom aristokratin i gemen.

De långa perioderna av separation lade givetvis hinder i vägen för ett nära och naturligt förhållande mellan barn och föräldrar. Släktingar, hovmästarinnor eller lärare fick ofta fylla platsen för den mor eller far som sällan var där. Det är betecknande att Kristina kallade sin lärare Mattiae för pappa. Den tidigt faderlösa Kristina hade dessutom ett sällsynt dåligt förhållande till sin mentalt instabila mor. Avståndet till föräldrarna kom att förstärkas genom att de kungliga barnen redan från första stund måste lära sig att uppträda korrekt och hålla distansen. När Erik XIV som barn mötte sin mor och far blev han tillsagd att inte rusa emot dem, sådant var ej rätta manér, utan istället stanna på avstånd tills han fått en nådig vink som tecken att närma sig varefter den unge gossen skulle nalkas sina föräldrar med blottat huvud och falla på knä. Tydligare än så blir inte det kungliga barnets underkastelse inför sitt öde.

I sitt nu klassiska arbete *Barndomens historia* menar den franske

historikern Philippe Ariès att den höga barnadödligheten skall
ha fungerat som en spärr mot alltför starkt känslomässigt enga-
gemang från föräldrarna, framför allt när det gäller de minsta
barnen. Visavi de minsta skulle endast de ytligaste känslor ha
utvecklats; förlusten av ett barn resulterade möjligen i saknad,
men inte i sorg.

Detta är en tvivelaktig slutsats. Reaktionen på ett barns död
under denna tid, som den går att utläsa i dagböcker, brevväx-
lingar och likpredikningar, var i allmänhet stark; man kände i
regel djup sorg, stark smärta och saknad när man förlorat en av
sina små. Insikten om att döden ständigt stod med handen på
dörrvredet verkar inte ha lett till likgiltighet. Snarare verkar det
ha resulterat i en hög beredskap inför ens barns eventuella död.
En svensk adelsman bad i ett brev hem till sin hustru att hon
skulle hälsa barnen, med den reservationen att det gällde om de
ännu levde. Insikten om dödens närhet fick framför allt sitt ut-
lopp i religionen – denna tids människor hade genom sin fasta
tro en helt annan möjlighet att hantera denna fråga än mången
sekulariserad nutidsmänniska. Religiösa rationaliseringar hjälp-
te människorna att hantera detta hot och att tämja sin sorg och
hjälplöshet; ofta talar man om barns död som en befrielse från
den onda och mörka världen. Barnen togs aldrig för givna, de
var ett lån från en mörk och bister Gudom som närsomhelst
kunde kräva dem tillbaka.

Just under 1600-talet går det att märka en växande ovilja att
stoiskt acceptera detta; istället fanns det en beslutsamhet bland
föräldrarna att trots sin hjälplöshet inför sjukdomar söka bota
sjuka barn och rädda dem från döden. Att inställningen till barn
ingalunda var präglad av ointresse och likgiltighet visas också av
att barnamord – som inte var en särskilt vanlig förbrytelse – sågs
som ett av de allra mest avskyvärda brotten.

Onekligen går det att finna varma, kärleksfulla relationer
mellan föräldrar och barn under denna tid, och det gäller också

Vasarnas barn. Återigen kan man ta Kristina som exempel; samtidigt som hon hade en dålig relation till sin mor tycks hon trots allt ha hyst en stor och besvarad kärlek till sin far. Kristina själv påstår att hon efter avskedet från fadern 1630 grät »så bitterligen i tre hela dagar utan uppehåll att detta skadade mina ögon, så att jag nästan förlorade synen«. Och trots det dåliga förhållandet till modern verkar hon ändock senare ha sörjt den påtvingade separationen från henne.

Det gäller också att ha i minne att förhållandet mellan förälder och barn under denna tid var en asymmetrisk relation, där barnens kärlek främst skulle yttra sig genom lydnad, och där föräldrarnas auktoritet förutsatte en viss distans. Det är intressant att se att när Karl IX i sin minnessedel till sonen Gustav Adolf talade om kärlek, var det i förhållande till tjänarna: dem skulle han »älska«, sina föräldrar skulle han bara »hedra«. Det säger också en del om distansen att Kristina vid ett upprört tillfälle skall ha sagt att modern skulle »lära sig att hon är min undersåte och ej min moder«.

Det ligger en hel del i Ariès resonemang att det är först på senare tid som familjen har fått en känslomässig funktion och att dess syfte förr främst var ekonomiskt och socialt. Och det går knappast att tänka sig en familj vars existens var mindre beroende av verklig kärlek än en kunglig i äldre tid. I dessa de diplomatiska resonemangspartiernas epok var familjebildningarna en fast del av storpolitiken. Detta gjorde även de kungliga barnen, deras fostran och även deras familjeliv till politik och statsangelägenhet. Kristina sade själv att »ett barn som föds till tronen är en statens tillhörighet«. En kunglig barndom var ingen familjeangelägenhet utan ett ämne för bekymrade debatter i råd och riksdag, vilka också ibland kunde ingripa på olika vis.

Vi börjar förstå att dessa barn hade en barndom som på ett avgörande vis skiljer sig från den vi själva upplevt. Det går ändock att finna små bilder i källorna, frusna ögonblick, som visar att de på ytan till en del levde samma liv som andra barn före dem och som andra skall genomleva i framtiden. Det handlar om besvärliga anfall av feber eller tandvärk. Någon förfryser en fot under en ridtur på vintern eller får mässlingen. Ett av barnen springer omkring på en sommaräng och leker, en annan får i ett obevakat ögonblick tag i en yxa och skadar sig i benet – och översköljs sedan av bekymrade förmaningar. Och som andra barn får de höra tjat från föräldrar och vårdare: tvätta dig om huvudet, ät inte så mycket snask, slarva inte med kläderna, var försiktig när du leker.

Hur kunde en dag i dessa barns liv egentligen se ut? Vi får en rätt god föreställning av detta om vi tittar på den sju år gamle Erik. Han steg upp klockan sju på morgonen – förutsatt att det inte var vinter, då fick han dra sig ända till åtta. Efter bön och en lätt frukost började han och de adliga kamrater som var hans sällskap med latinsk grammatik, följt av läsning ur katekesen eller ur Aisopos fabler. Sedan fick Erik leka med sina kamrater, dock i »all tuktighet« och under en lärares vakande öga. Lekarna avbröts klockan tio för middag. Måltiden var noga övervakad av hovmästare, tuktomästare och läkare, som alla såg till att den unge telningen åt så snyggt som det anstod en sådan fin herre. Det var inte tyst under ätandet, utan man förde en god konversation eller läste något lämpligt, allt för att hålla pojken vid gott humör. Dagen förrann vidare på detta vis, med en stadig kombination bokliga studier, lek och olika kroppsövningar som fäktning eller armborstskytte.

Det visar sig igen att det fanns många beröringspunkter mellan den fostran aristokratins barn och de kungliga barnen fick. Vi ser det i den mycket ambitiösa skolningen – som går att ana i den unge Eriks dag – där av allt att döma hovet och kungafamiljen gick i täten och samhällets toppar var snara att följa. Efter att de förberedande åren var över och »alla barnsliga later« var bortlagda gled barnet någon gång runt sjuårsåldern in i nästa fas. För

adelspojken innebar det att han klev in i de vuxna männens
värld, något som markerades genom att han ifördes en klädedräkt som var en nästan parodisk miniatyrkopia av de vuxna
männens, med barnvärja och allt. Pojkarnas skolning inleddes
nu på allvar.

Alla de ämnen en adelsgosse förväntades studera när han lämnade ammor och andra bakom sig kan grovt delas in i fyra
block. Det första blocket är det vi kan kalla basämnen: det var
läsning och skrivning, språk, matematik, fysik, filosofi, geografi samt religion. Det andra blocket skulle kunna sägas vara
ämbetsmannaämnen: statskunskap, juridik, retorik och även
historia. Block nummer tre kan vi kalla för militära ämnen: det
var träning i de så kallade ridderliga idrotterna (fäktning, ridning, olika kroppsliga övningar) men även studier i ämnen som
fortifikation och artilleri. Det sista blocket kan benämnas klassämnen: det var undervisning i hur man klädde sig, i umgängeskonst och passande tidsfördriv. Uppdelningen är en abstraktion, samtiden såg dem som en helhet, men den hjälper en att
förstå tankarna bakom utbildningen. Man ser hur noga de unga
gossarna styrdes in mot två möjliga framtida karriärer: krigarens eller ämbetsmannens.

De kungliga barnen skolades efter i stort sett samma linjer;
de utbildningsplaner de olika specialanställda pedagogerna var
satta att förverkliga var bara i regel något större och än mer ambitiösa. Man kan inte undgå att både imponeras och förfasas när
man ser bredden och svårighetsgraden i de kunskaper som man
bankade in i huvudet på de blivande monarkerna. Den unge
Erik fick lära sig historia, geografi, medicin och astrologi, logik
och retorik samt mycket religion. Språken hade en mycket stark
ställning i undervisningen. Eriks bror Johan lärde sig att tala tyska, engelska, italienska, latin och polska och hade kunskaper i
franska och grekiska.

Tjocka dammiga band med antika auktorer tornade upp sig

runt de kungliga piltarna. De klassiska språken och i synnerhet latinet intog en särställning. Det var en självklarhet att känna till det antika kulturarvet. Bilder och symboler från den epoken satte sin stämpel på det mesta från politik och samhällsliv till konst och poesi. Latinet var något av en statussymbol för eliten under denna tid, men också ett språk för lärda och diplomater. Det förde också på ett mycket naturligt sätt över till en annan viktig del i undervisningen: vältaligheten.

En hörnsten i skolningen av både aristokratiska och kungliga barn var drillandet i uppförande och stil. Det handlade om att lära sig det mesta från dans, bugningar, fint bordsskick och passande konversation, till hur man skrattade på rätt sätt eller snöt sig snyggt. För att makten skulle bli erkänd under denna tid måste den ta sig ett synbart uttryck i stat och förfining. Det var särskilt viktigt för en blivande monark att lära sig att klä sig och föra sig rätt. Ett av verken i den rika belevenhetslitteraturen menade att om en furstes uppträdande var dåligt så ledde det till att allmogen föraktade honom, vilket till slut ändade i oordning och uppror.

De ridderliga idrotterna – fäktning, ridning, tornering, löpning, stenkastning och så vidare – och jakt, hörde i viss mån till de rena tidsfördriven. De var dock framför allt ett sätt att bereda de unga för krigets hantverk. Gustav Adolfs lärare Johan Skytte kallade de ridderliga idrotterna för »ett fundament och preparatif till alle krigssaker, och göra en god soldat och berömmelig krigsfurste«. För de små prinsarna var den militära skolningen ett mycket viktigt moment. Det finns flera anekdoter om Gustav Adolf som litet barn med ett stort och naturligt intresse för krigiska ting, men de skall nog ses som en del av mytologin kring Lejonet från Norden, som vill visa hur han var förutbestämd att bli en stor fältherre. Sanningen är givetvis den att han som så många andra prinsar fick en grundlig militär skolning, och från tidiga år präglades i krigiska ting. Den ljuslockige lille

Gustav Adolf fick vara med på inspektioner i krigsmakten, vid manövrar och drill med trupperna. Det anordnades också regelrätta barntorneringar, där de små pucklade på varandra »att lust var att se på«, som en av Gustav Adolfs lärare nöjd skrev i sin dagbok. Och fadern Karl IX kunde till sin oförställda glädje se hur pojken tillsammans med brodern Karl Filip och andra jämnåriga efterapade de olika krigsövningar som de fick se. Det finns en uppgift att prinsen sex år gammal lekte halshuggning med sina kamrater. Om episoden är sann kan den ses som en illustration till dessa små pojkars militariserade och våldsbemängda barndom.

Det mesta av vad som sagts om skolningen gäller givetvis främst de unga prinsarna. Hur var det då med de kungliga flickebarnen? Inom aristokratin hade pojkars och flickors fostran många likheter i början av uppväxten, man hade ej sällan samma kläder och lekte med samma leksaker. Men snart skildes könen åt. Det var en epok med mycket fasta könsroller där män och kvinnor levde i helt skilda världar. Den bokliga skolningen var inte lika viktig för flickorna. De fick istället främst koncentrera sig på olika »kvinnlige dygder«, de skulle vara »tyste, blygsamme« och lärde sig »nyttige bohags sysslor«. Detta verkar även ha gällt i de kungliga familjerna.

Kristina är ett intressant undantag från detta mönster, då hon medvetet från första början gavs en manlig uppfostran för att hon skulle kunna fylla rollen som monark. Liksom för alla andra barn ur eliten – oavsett kön – var religionsundervisningen det grundläggande i hennes mycket ambitiösa utbildning. Från unga år fick hon studera historia, geografi, matematik och astronomi. I latin fick hon läsa långa klassiska historieverk och rabbla upp sidor ur dem som utantilläxa och lärde sig snart både att tala och att skriva språket. Hon lärde sig också tala de flesta av de stora europeiska tungomålen. De manliga dragen i hennes fostran var påfallande: hon tränades i både fäktning och jakt.

Axel Oxenstierna tog själv hand om undervisningen i militär-
strategi, diplomati och ekonomisk teori, något som kunde ta
upp till fyra timmar per dag.

Men den teoretiska skolningen nådde efter ett par år sitt slut,
och de kungliga barnen fick då lära sig regerandets konst prak-
tiskt under de vuxnas vakande blickar. Redan som barn skulle
Erik en dag i veckan sitta i kammarrätt och ta del av rättskip-
ningen på slottet. Vid 15 års ålder började han slussas ut i vuxen-
livet och fick då axla flera av de bördor som väntade honom som
kung. Gustav Adolf var med i offentliga sammanhang från åtta
års ålder och bevistade rådet och olika audienser från tio, för att
redan som tolvåring utföra mindre värv. Vid pass femton ville
han inte längre låta »tukta sig«. Han ägnade sig då mest åt nöjen,
jakt och krigsövningar, biträdde sin far på tronen och krävde att
få befälet i kriget mot Ryssland. Kristina fördes in i sitt offentliga
värv från det hon var tretton år och förklarades fullärd vid fjor-
ton. Det verkar alltså ha gått någon gräns runt femtonårsåldern.
Pojkarna blev då förklarade »varaktiga«, det vill säga mogna att
bära värja. Därmed var uppfostran, skolningen och även barn-
domen till ända lupen.

Inte heller här var dessa små något unikum utan följde ett
mönster som gällde för alla barn i detta samhälle. Ariès har be-
tonat att barnen under denna tid mycket snabbt fördes in i
vuxenvärlden; fostran av de små skedde genom samvaron med
de vuxna i form av ett slags lärlingstid. Det är precis detta vi ock-
så ser hos Vasarnas barn, vilka som visats tidigt fick pröva på
regerandets konst. Den egentliga barndomen var kort för alla
barn i detta samhälle. Från att ha varit ett barn blev den unge
snart en liten och svag vuxen. Bakom alla historierna om den
brådmogne Gustav Adolf som tidigt visar sig vara furste och
krigare ligger denna syn. Han framställs egentligen som en liten
vuxen. Det är betecknande att man nöjt sade om honom att han
»var aldrig barn, utan strax konung«.

Ariès menar dock att det skedde ett avgörande omslag på den-
na punkt under 1600-talet. Då började skolan ersätta lärlingsska-
pet som medel för fostran av barnen. Detta omslag går intres-
sant nog också att ana i dessa barns fostran. De verkar befinna
sig i en sorts mellanfas i utvecklingen: de fostras både genom
lärlingsskap och genom skolning. Bakom de kungliga barnens
ambitiösa uppfostringsplaner och specialanställda pedagoger
med deras bekymrade omsorger går det att se en ny syn på bar-
net. Det finns en gryende insikt i barnets särart, att den lille inte
bara är en förkrympt vuxen, utan att denne är inne i en egen och
avgörande utvecklingsfas. Barnen föds inte till färdiga små vux-
na – oavsett stjärntecken eller segerhuvor – utan fostras till det.

Hela tiden lyser denna epoks outvecklade barndomsbegrepp
igenom. Fort präglades de kungliga barnen till hårda maktmän-
niskor. Mycket tidigt gjordes de medvetna om de roller de skul-
le fylla som vuxna. En lekkamrat fann en gång Gustav Adolf i
tårar. Kamraten frågade varför och prinsen svarade, att med tan-
ke på Sveriges ställning och de många hotande krigen och att
han var det framtida hoppet i detta svåra läge, »fattades hans sin-
ne av bekymmer«. Och i den här sorgsne pojken ser vi ett barn
som gått förlustig sin barndom och tidigt fått betala maktens
pris.

Vad kan dessa små strödda skärvor ur barndomens historia
säga oss om den stora helheten? Då vi betraktar den kungliga
och aristokratiska barnuppfostran under denna tid ser vi egentli-
gen det moderna barnet i vardande. Det finns de som menar att
den moderna långa barndomen skapades i samhällets borgerliga
skikt, men det stämmer troligtvis inte. Mycket talar för att den
nutida barndomens rötter snarare står att finna i den tidigmo-
derna aristokratins krets. Dess barn fick en helt ny uppmärk-
samhet och betydelse, och det tidiga livsstadiet erkändes som en
avgörande tid i människans utveckling. Men det skulle dröja in-
nan en barndom förunnades alla barn, även bondflickan i sollju-

set ute på åkern eller pojken nere i kolflötsens mörker, och inte var ännu ett privilegium för de små som ett gynnsamt öde låtit födas till makt och härlighet.

Om missnöje och andra historiska känslor

OCKSÅ KÄNSLOR har en historia. Eller rättare sagt: också käns-
lor har en historisk karaktär. De träder fram och får en betydelse
under vissa epoker, då de blir en viktig del av den tidens mentala
horisont och speglar vad det är som berör och sysselsätter män-
niskorna.

Två exempel.

Under medeltiden färgades medvetandet starkt av en skrian-
de känsla av Förgänglighet. I Guillaume de Lorris »Romanen
om rosen« från 1200-talet talas det om

> ...tiden, som ej något motstår,
> Om också hårdare än järnet,
> Ty allting härjar den och slukar;
> Ja tiden, som allting förändrar,
> All växt befordrar, allting föder
> Allt nöter och till ruttnad bringar

I François Villons sorgsna dikter faller både snö och ögonbryn
ned och skönheten slocknar och blir till »ett slitet mynt som ing-
en tar«. En ändlös rad av ruttna, maskstungna lik med gapande
käftar och händer krökta till klor finner sin form i olja eller mar-
mor och tråder sin dans genom ett Europa som ännu skakar av
chock efter digerdöden. Just 1400-talet var som besatt av denna

svårt smärtande känsla av förgänglighet. Som Johan Huizinga har visat kom detta till en betydande del ur en vitt spridd materialism av medeltida snitt, som gjorde människorna fixerade vid den kroppsliga döden och inte kunde ställas inför skönhetens och lyckans förgänglighet utan att också börja tvivla på skönheten och lyckan över huvud taget.

Europa var länge märkt av denna känsla som levde kvar långt in på 1600-talet. Georg Stiernhielm återkommer ofta till förgängligheten, som till exempel i »Herkules«:

Tänk, här är inte bestånd i världen, och allt är i loppet.
Såsom en eld, en ström, ett glas, ett gräs och en blomma
brinner och rinner och skin och grönskas och blomstras
                                                    om afton,
men finns släckt, stilld, bräckt och torkat och vissnat
                                                    om morgon.

Mycket av den här känslan av förgängelse hade inkarnerats i vetenskapen, till exempel som idén om *mundus senescens* – den åldrande världen – som gick ut på att världen precis som vilken levande organism som helst höll på att bli gammal och svag och alltså löpte mot sitt oundvikliga slut. En av 1600-talets allra viktigaste debatter handlade just om detta, huruvida det verkligen var sant att allt bara blev sämre eller om det månne gick att bygga en ny och bättre värld. Det var i mycket en renkonterstrid mellan det gamla och det nya Europa, där olika uppåtstigande skikt inom adel och bourgeoisie hävdade en käck framstegsoptimism, detta i skarp motsats till den gamla maktägande aristokratin, som satt där och runkade på sina skallar och mässade entonigt om förfall och förgänglighet, alltmedan marken skalv.

Man kan alltså säga att upptäckten av framtiden tog död på förgänglighetskänslan. Och det var en annan affekt som slog an tonen under den tidigmoderna epoken, nämligen Ovissheten.

Europas gamla maktstrukturer höll på att brytas ned i ett rökigt vimmel av krig, revolutioner och ekonomiska kriser. Traditionella auktoriteter riste i den skarpa vinden, och bristen på fasta värden – inom politik, inom religion och vetenskap, inom konst – fyllde människorna med oro och tvekan. En känsla av ovisshet lade sig tung över en kontinent som bara vagt anade vad den var på väg att bli. Den här ovissheten och osäkerheten går i dagen överallt. Den står att avläsa inom filosofi och litteratur; den är tydlig i det febrila sökande efter ordning i naturen som alla från astrologer och alkemister till neoplatoniker hängav sig åt; den möter en i manieristernas tavlor med allt vad de rymmer av överdrifter, kontraster och groteskerier; den finns i barockkonstens spända och jagade storslagenhet. En hel civilisation söker skrämd fast mark under fötterna.

Finns det då någon känsla som skulle gå att utnämna till Den Moderna Emotionen? Kanske skulle man kunna välja Allsmäktigheten, om det inte var en känsla som var så, så ... 1800-tals-mässig. Socialismens solnedgång i öst och Ekologismens uppåtstigande i väst är båda tydliga tecken på att den här känslan av politisk och teknologisk omnipotens, som var ett vackert barn i vaggan på 1600-talet men som sedan växte sig kolossal och rytande vild under det nittonde seklet, nu har fallit i bitar. En annan modern känsla som dock i motsats till Allsmäktigheten ännu lever och andas är Missnöjet.

Mycket talar för att det moderna missnöjet föds med kapitalismen. Ett av de största hindren för kapitalismens tillkomst var att marknaden var för liten. Lönearbetarnas skara ökade förvisso, och de var ju helt beroende av marknaden för sin försörjning; i dem fanns det en möjlig massmarknad. Problemet var bara deras förindustriella mentalitet, som den visade sig i det som på nationalekonomiska brukar kallas för »the backward bending curve of labor supply« – arbetskraftsutbudets bakåtböjda kurva. Bland lönearbetare under tidigmodern tid fanns det ingen föreställning om värdet i ett städse ökat materiellt välstånd. De arbetade så mycket som krävdes för att få ihop till livets enkla nödtorft, sedan tog de helt enkelt ledigt. Detta var ett gammalt och välkänt faktum i Europa. På 1400-talet hade lönerna stigit drastiskt som en följd av den stora bristen på arbetskraft efter digerdöden. Arbetarna hade då svarat på detta med att arbeta allt mindre. Sättet de gjorde det på saknar inte poänger: de firade helt enkelt fler och fler av de olika helgondagar som den medeltida kalendern var så generöst utrustad med. Även om borgarna var högst skeptiska till denna snabbt uppblossande religiositet hade de inget annat val än att finna sig i den.

Om lönerna ökade, så föredrog folk alltså att arbeta mindre framför att köpa mer. Denna attityd – som ju också förfärar en nutida svensk skattereformatör – retade givetvis tidens alla kapitalister och ekonomiska tänkare, som aldrig höll upp med att gorma och bullra över tidens slöhet och lättja. (Mycket av det där gnället var djupt orättfärdigt, i synnerhet under 1500- och 1600-talen, då reallönerna i många länder halverades inom loppet av cirka hundra år. De sjunkande lönerna innebar ett viktigt, för att inte säga avgörande bidrag till uppbyggnaden av kapitalet i ett skede då kapitalismen fortfarande höll på att bli till.) Men, så småningom bröts arbetarnas säregna sätt att tänka ned, och med det försvann en av skrankorna för massmarknadens uppkomst.

År 1690 gav den engelske filosofen John Locke ut sitt stora verk, *Essay concerning human understanding.* Locke skisserar där på ett ställe ett slags begärets psykopatologi. I centrum för denna satte han något han kallade för »uneasiness«, en känsla av olust: det är enligt honom den främsta drivkraften bakom all mänsklig strävan. (Begreppet var nytt: Lockes franske översättare hade stort besvär att finna en fullgod fransk motsvarighet. Han fastnade för »inquiètude« – oro, bekymmer –, men satte ordet i kursiv för att markera att det användes i en ovanlig betydelse.)

Och det som skapar denna olust är begäret, detta begär som enligt Locke kan få människor att skrika ut: »Ge mig det jag önskar, annars kommer jag att dö.« För Locke är det inte vad vi har som får oss att handla, som driver oss framåt, det är istället det vi saknar. Detta kan förresten ställas i kontrast till Montaigne, som framställer den eggelse begäret skapar som värdefullare än den känsla som uppstår när begäret mättas. Blaise Pascal sade det rent ut i sina *Pensées*: »Det är inte bra att få alla sina behov tillfredsställda.« När man upphöjer längtan till ett välsignat tillstånd är det sannolikt ett adlande av bristsamhällets nödvändighet till en filosofisk dygd. Men vi berör ändock här något viktigt i den förindustriella mentaliteten, som yttrar sig just i en annorlunda syn på begäret.

Lockes skrik på tillfredsställelse är också romantikens begär – vi anar den unge Werther som står och lider där nånstans i bakgrunden; begäret har blivit mittpunkten i människornas värld. Detta är dock fortfarande ett begär som skänker oss kunskap om oss själva och driver oss att förverkliga den mänskliga potential vi bär inom oss. Men redan hos den gamle surkarten Schopenhauer går det att ana något som liknar det moderna missnöjet, där så fort ett behov stillas ett annat tar vid, i en evig kretsgång »över glödande kol«, som Schopenhauer säger.

För det är det som den moderna känslan av missnöje handlar om: en aldrig ändande jakt efter tillfredsställelse av en aldrig sinande ström av behov, vilka liksom utseendekomplex hela tiden tenderar att flytta på sig och poppa upp i nya spännande former. För nånstans började alltså daglönarna och hantlangarna att hellre köpa mer än att arbeta mindre. Nånstans börjar man tro att man kan kvitta det människan tappar i flyktiga, själsliga värden med handfasta, kroppsliga kompensationer – en känsla av tappad frihet kompenseras med ett ting, eller två, tre. Tyvärr fungerar det inte så. Vi vadar runt i alla tingen på massmarknaden och blir istället fast i en evig känsla av missnöje därför att vi i så hög grad söker lyckan där den inte finns, i den där varan jag ännu inte haft råd att köpa. Någon tillfredsställelse står ej att nå därför att de olika behoven inte är mål i sig, utan i stort sett bara trappsteg som hjälper en att gripa efter än mer. För det jag har är intet, och det jag saknar är allt.

Denna känsla av otillfredsställelse kommer också av det vi kallar för utvecklingen. I och med kapitalismen bryts det gamla agrara Europa upp; former för liv och arbete som varit i stort sett oförändrade i hundratals, ja tusentals år slogs sönder. Det tidigare feodala samhället var utomordentligt stabilt och traditionalistiskt. Var man gick lydigt och nästan utan att tänka vidare i sin faders fotspår, ärvde hans sociala ställning, hans arbete och levnadsvillkor. Med kapitalismen införs begrepp som »utveckling« och »framsteg«. De uppåtstigande borgarna hyllar sådant som »självförbättring«, att börja med två tomma händer och arbeta sig upp, etcetera. Var generation strävar vidare, uppåt, uppåt. Ingen levnadsform är längre evig, utan ses istället bara som ett högst tillfälligt tillstånd, där otillfredsställelsen river som en klåda under huden.

Men som filosofen Agnes Heller har påpekat så beror denna ständigt närvarande känsla av missnöje ytterst på att de moderna vis varpå behov skapas och sprids i sig stärker missnöjet – detta oavsett om det handlar om några verkliga behov eller om dessa behov blir verkligt tillfredsställda eller ej. Det finns en inbyggd logik i kapitalismen och industrialismen som leder till att folk orienteras mot konsumtion, mot begär utan tillfredsställelse. Och i det förvirrade hopkok av önskningar som fyller oss springer somt ur oss själva, medan somt är inplantat utifrån, alltså sådant som vi begär bara därför att det för tillfället värderas högt av andra. Vår oförmåga att skilja på det ena och det andra gör det hela etter värre. Behov och begär förväxlas med varandra.

Låt oss dock inte bara fnysa åt detta eviga missnöje. Att det

blivit så allomfattande är till del ett resultat av att det demokra-
tiserats, att missnöjet nu är var mans egendom. Den tidiga ar-
betarrörelsens strider kan till viss del faktiskt tolkas som en
kamp för rätten att få vara missnöjd, att inte nöja sig med sin
lott. Dock är detta missnöje faktiskt en viktig del av systemet.
För om människorna slutade med att vara missnöjda med allt
från sin sociala position till sin näsas form, skulle troligtvis ka-
pitalismen och hela det moderna samhället som vi känner det
inte längre kunna leva vidare. Det missnöje som visar sig i det
som brukar benämnas »lönematcher« och »facklig kamp« är
ingen utmaning, det är istället en känsla som bevarar detta sy-
stem. Utmaningen kommer inte från dem som vill tjäna mer,
utan från dem som vill arbeta mindre. Precis som på 1600-talet.

Om ensamhetens historia

DET ÄR i ensamheten som den moderna människan för första gången möter sig själv.

Fram till dess upptäckten av den goda ensamheten sker under den tidigmoderna epoken är den för sig själv stående människan något av en rubbning. Hos Aristoteles blir ensamheten till något av det värsta som kan drabba en människa: den som inte har behov av att leva med andra »måste antingen vara ett odjur eller en gud«. Under hela medeltiden ansågs det vara opassande för en människa att vara ensam, i synnerhet för en människa ur samhällets övre skikt. En hövdings eller adelsmans sociala status var direkt beroende på hur stora skaror av folk han kunde samla runt sin egen person. Ju fler desto bättre. Ensamhet sågs som en olycka att frukta, ett öde att beklaga, den värsta formen av fattigdom – det var därför den söktes av den asketiske eremiten, där han levde sitt »vita solitaria« i världens tomma och öde utmarker. Det fanns i stort sett bara ett enda tillfälle då ensamheten inte var skamlig och det var i samband med bön. (Den avskildhet man sökte här var dessutom bara i viss mån rumslig, utan framför allt själslig. Om man ville dra sig undan kunde man göra det genom att gå in i sig själv och på så vis stänga ute den larmande världen.)

Medlemskapet i Gruppen – oavsett om den hette familjen, ätten, byn, skrået eller ståndet – var något helt centralt i den medeltida människans liv. Det var det som skapade henne och hennes hela levnads bana. Det var genom Gruppen hon blev till, levde och dog. Den ständigt närvarande ångesten över äran, som är så typisk för den förindustriella eran, och som vi har så svårt att begripa, den handlade ytterst om medlemskapet i Gruppen. Ärans kod sade vad det var som var godkänt och inte godkänt beteende; det var drömmen om livet som det borde vara och borde levas. Att förlora sin ära var att förlora godkännandet från sin grupp; och utan Gruppen blev människan av med en viktig del av sin identitet, och livet blev då mer eller mindre utan mening. Det var därför de kunde dra värja över minsta lilla chikan och våga liv och lem för vad som för oss ser ut som nulliteter. (Detta är ännu en punkt där den feodale adelsmannen och den kapitalistiske borgaren skiljer sig åt. Som Norbert Elias har sagt betyder den sociala utestängningen alls inte lika mycket för borgaren. De värderar helt olika saker. Att tappa i prestige, att bli av med sin ära betydde samma sak för ädlingen som en finansiell förlust eller en konkurs för den burgne borgaren.)

Under denna tid hörde livets alla sidor offentligheten till; yrkesroll och privatliv flätades samman. När vi ser människan under denna epok är det därför oftast tillsammans med de andra i gruppen, i den gemenskap som gör henne synlig: karnevalen, festen, högtiden, mötet, marknaden. Livet levdes utåtriktat. Hemmet var en offentlig plats. Födelse, sjukdom och död skedde inte i avskildhet utan följdes alltid av en nyfiken samling grannar, släkt och vänner som hela tiden vandrade in och ut genom dörrarna. Hushållen var också högst voluminösa. Kärnfamiljens täta slutenhet var okänd här, och huset rymde ofta ett stimmigt myller av pigor och drängar, tjänare och lärpojkar, far- och morföräldrar. Dessa klämdes samman på en liten yta, i regel i ett eller två stora men överbefolkade rum. Att dela säng med andra än sin älskade var därför en självklarhet under medeltiden – vilket är en förklaring till varför sängar under denna tid var så stora: i vissa av dem kunde man ledigt klämma ned en åtta tio personer.

Denna sammanflätning av privat och offentligt var kanske allra tydligast just i statsapparaten. Ämbetsmannen såg på sin tjänst som vore den en personlig egendom. Inom hovet tog kungens mest intima handlingar – som till exempel påklädningen på morgonen – med hjälp av ett snirkligt ceremoniel karaktären av pompös statshandling, medan på samma gång den mest intrikata statliga operation – som ett krig – kunde tolkas som vore den en personlig akt. (Det är bland annat detta som gör att medeltida politik tid efter annan syns så svår att förstå. Där vävs nämligen olika förnuftiga ekonomiska och maktmässiga motiv samman med högst personliga dito, som begär efter hämnd – just blodshämnden hade en central plats i den medeltida livsuppfattningen och därmed också i den medeltida politiken.) Att privata och offentliga intressen flöt in i varandra togs för givet i denna värld av eviga dynastiska förvecklingar. Det är över huvud taget svårt att finna någon som hävdar idén om att de borde skiljas åt.

Det är framåt slutet av 1500- och början av 1600-talet som upptäckten av den goda ensamheten äger rum. Ensamheten kom att omvärderas och ses som en källa till glädje i sig. Ensligheten på landsbygden blev mer och mer hyllad, och ställdes då gärna i motsats till det elaka vimlet i staden. I Sverige skriver Johan Ekeblad om det goda livet på landet, och i Bretagne strövar madame de Sévigné ensam omkring i timmar bland träden med bara en god bok i handen. Om man läser svenska kärleksvisor från 1600-talet är det slående hur vanligt det är att de älskande drar sig undan och möts ute i den gröna naturen. För de allra flesta var det endast där som man kunde uppnå någon sann avskildhet; under denna epok var sex en sysselsättning som i hög grad idkades under öppen himmel.

Bakom detta går det att ana en helt ny livshållning: det är det moderna privatlivet som träder fram. Ensamhet föder intimitet, intimitet kräver avskildhet, en privat yta utanför det offentliga, där det dolda och det tysta har en egen plats. Efter en period som varat från cirka 1100 till 1400, då nästan intet hänt rent arkitektoniskt, börjar nu hemmen att förändras. Rummen krymper i storlek och får bihang i form av små alkover och kammare dit människorna drar sig undan. Fram till denna tid har alla rum i regel legat i fil. För att nå ett visst rum fick man därför alltid gå genom de andra. Men korridoren ändrar på detta; genom den skils rummen från varandra. Rummen börjar också snart anta särskilda funktioner: man sover i en kammare, äter i en annan, arbetar i en tredje, etc. Historikern Orest Ranum har en intressant teori om denna utveckling. Han menar att den gick till så att sådant som tidigare bara varit ett föremål i huset svällde ut till att bli ett särskilt rum. Detta kan ses tydligt i franskan, där ord som *bibliothèque* och *écritoire* ännu är en benämning både på en viss möbel – hyllan, skrivbordet – och på ett särskilt rum – biblioteket, skrivrummet. Allt detta avspeglar ett ökat behov av ensamhet och avskildhet. Nya, mer personliga, mer innerliga och mer inåtvända former för religiositeten krävde en privat zon; detsamma gällde även för det nya bruket att läsa böcker tyst för sig själv. En liknande effekt fick också skambeläggandet av allt som hade med kroppens olika funktioner att göra – det är nu som piss, skit och spyor blir särskilt fult och äckligt. Det började ritas upp en skyddad sfär runt varje individ och förbuden mot olika typer av fysisk kontakt blev allt hårdare. *Noli me tangere*.

Upptäckten av ensamheten går också att koppla ihop med tidens stora sociala och politiska rörelser. Det finns en mycket intressant paradox här. Skapandet av den moderna centraliserade staten i Europa skedde i regel på den traditionella och lokala maktens bekostnad; när olika gamla kollektiva former för social kontroll sveptes undan uppstod så ett vakuum, eller rättare sagt, en fri social yta. Det var denna fria yta som individen kunde inta, göra till sin och bli ensam på. Det är alltså värt att notera att den moderna individen stiger fram, i förstone inte i trots mot staten, utan i dess stora skugga.

Samtidigt blev ensamheten nästan på en gång också en politisk handling, om inte en direkt protest så i alla fall en metod att dra sig undan statens krav. Medan religionskrigets skräcksyner skakar hans land i slutet av 1500-talet sitter Michel de Montaigne i självvald isolering i det lilla tornet på sitt slott och knåpar på sina små »försök«. Ett av dem handlar om den goda ensamheten. »Vi måste reservera ett inre rum för oss själva som bara är vårt, fullkomligt fritt«, skriver han, »där vi upprättar vår verkliga frihet.« För Montaigne var den föregivna oegennyttan i arbetet för det allmänna bästa ofta intet annat än klent omsminkad lystnad efter ära. I ensamheten ligger friheten.

Så småningom blir det nästan en egen litterär genre, detta prisande av det stilla lantlivets fröjder. Att få fly undan, undan från en ful värld och en krävande stat, till ensamheten och lugnet på landet blev allt viktigare för många i överklassen, detta oavsett om det rör sig om den svällande statsapparatens hårt trälande tjänare eller dess stukade offer. De sistnämnda grep efter stoicismen som ett värn för människans inre, privata liv mot de aristoteliska kraven på god samhällsnytta; de förstnämnda visar bland annat med sina sejourer ut i den lantliga ensamheten hur offentlig karriär och privat liv har börjat att hållas isär. Den moderna individualismen föds.

Framåt 1800-talet blir det riktigt fint att vara ensam. Då har den tidiga industrialismens urbana masselände börjat att göra ensamheten till en lyx att njuta för den bemedlade. Byron talar om nöjet i de stiglösa skogarna, hänryckningen på den tomma stranden, där ingen stör eller tränger sig på; Wordsworth vandrar allena som ett moln och sjunger salig om ensamhetens lycka.

Avskildheten blir mytologiserad, inte minst som ett medel till konstnärligt skapande; den blir till ett måste för en Beethoven, en Goya eller en Proust.

Det dröjer dock inte så länge innan det går att se en reaktion mot kulten av ensamheten och uppkomsten av det moderna privatlivet. Det uppstår redan under 1700-talet stämningar av nostalgisk längtan åter till gamla, svunna former för gemenskap. Detta går att se till exempel hos Diderot och hos Rousseau i hans vurm för den noble vilden, som lever i ett tillstånd där inget privatliv är möjligt, ett samhälle som Jean Marie Goulemot kallat för »genomskinligt«. Denna trängtan åter till en mer eller mindre drömd gemenskap har kommit åter gång på gång sedan dess. Vi berör här en paradox som nog är olöslig därför att den har sitt ursprung i den mänskliga naturen, i det faktum att människan, som E.M. Forster har uttryckt det, »är det hjordlevande djur som vill vara ensamt även då det mår bra«. Denna paradox har väl aldrig varit synligare än i dagens urbana kultur. Aldrig förr har människorna varit så tillsammans och på samma gång så ensamma som i den nutida storstadens tätt packade anonymitet. Där odlas också en närmast medeltida panik inför avskildheten (och dess akustiska skugga tystnaden), som yttrar sig i en omättlig och i grund djupt tragisk hunger efter att bli uppmärksammad. För många går ensamheten inte att bära därför att man på något vis behöver de andras ögon för att alls existera: Jag är sedd, alltså finns jag till. Knappt har individen slitit sig loss ur Gruppens kvävande famn så börjar hon känna sig allena och övergiven.

Om mörker och ljus

UTAN MÖRKRET går ej den förindustriella människan att förstå. Hennes liv var fyllt av skarpa motsatser. Avståndet mellan sorg och lycka, sjukdom och hälsa var större och upplevdes långt mer intensivt än nu. Detta ledde till bjärta känslor av njutning och smärta, olycka och livsglädje, av en magnitud som är hart när omöjlig att uppleva för en medborgare i en modern välfärdsstat. Och ett av detta livs allra viktigaste motsatspar var ljus och mörker.

En människa som lever i en modern stad har nästan aldrig upplevt verkligt mörker – eller verklig tystnad för den delen –, det mörker som är ogenomträngligt och absolut på gränsen till påtagligt, det mörker som man kan skåda på hösten under en stjärnlös natthimmel ensam i en skog; för den moderna människan, som förlorat mycket av sin känsla för nattens skönhet, är mörkret alltid punkterat av någon vass strimma av ljus och en skarp dager finns ständigt bara en fingerknyck bort.

De medel som fanns för belysning var i stort sett desamma för en hyresgäst i en romersk *insula* som för en piga i en svensk backstuga på 1700-talet. Under dagen silade ljus in genom öppningar i taket eller små fönstergluggar. Framåt kvällen tog man till olika typer av öppen eld: brasor, tjärstickor – som hade den stora fördelen att de kunde hållas i munnen, vilket lämnade händerna fria till annat –, facklor och enkla oljelampor. Alla dessa ljuskällor hade det gemensamt att de var besvärliga och opraktiska. Ljus av talg eller vax var inte mycket bättre. De var akuta brandfaror som krävde ständig tillsyn. Passning och putsning var också av nöden för att de inte skulle falna. Den belysning man fick från dem var dessutom klen: det ljus man får från hundra brinnande vekar är i regel mindre än det man får från en enda glödlampa, och det var i längden ansträngande för ögonen att läsa eller skriva i deras vaggande sken. Särskilt de ljus som var gjorda av talg gav dessutom ifrån sig ett skämt os som stack i ögonen. Länge var ljus av vax en dyr lyx förbehållen överklassen; rik inomhusbelysning var skrytkonsumtion av allra yppersta märke. En berömd bal på Stockholms slott 1844 hölls visserligen under en ljus sommarnatt, men detta rubbade inte arrangörerna som såg till att alla fönster var noga fördragna så att de tusentals ljusen av vax kom till sin rätt – allt skött av en grupp män uppe i taket, som ej kunde komma ned förrän allt var över, varför de bestyckats med mat, dryck och varsin potta.

Framåt slutet av 1700-talet kom dock en viktig uppfinning som innebar att mörkret en gång för alla började skingras i de europeiska hemmen. Det var den så kallade Argand-lampan, en oljelampa med en veke av nät som satt inne i en cylinder av glas; lågan blev på så vis ovanligt stadig och intensiv, och en enda lampa kunde brukas till att lysa upp ett helt bord. Snart följde en lång rad förbättringar. Nya och allt finare bränslen blev också införda – valolja, kamfin och fotogen. Gas användes först bara utomhus och i utrymmen som folk normalt inte vistades i. Som Witold Rybczynski har visat fanns det i förstone ett stort motstånd mot att bruka den i hemmen. Den bristfälliga förbränningen i lamporna gjorde att gas läckte ut i rummen och gjorde dess innevånare drogade och trötta. Gaslamporna gav också ifrån sig en myckenhet sot som lade sig över tak och textilier. (Detta, tillsammans med de rökiga kolkaminerna, födde vårstädningen, då taket skurades och alla lortiga möbler bars ut och befriades från de tunna lager av grå aska som var ständigt närvarande i 1800-talets hem.) Men gasens stora genombrott efter 1840 ledde till en radikal förbättring av belysningen – en beräkning ger vid handen att den faktiska ljuskraften i ett genomsnittligt hem i Philadelphia ökade tjugo gånger mellan åren 1855 och 1895. Att rummen blev ljusare ledde, som Rybczynski har påpekat, bland annat till en ökad läskunnighet och »ett ökat medvetande om renlighet, både personlig och huslig«.

Men fram till denna tid så var livet inomhus under en stor del av året framlevt i ett slags ständig clairobscur. Människorna satt omslutna av små skimrande bubblor av ljus här och var i de mörka rummen. Knappast någon har fångat detta ljusdunkel så som målaren Georges de La Tour, född 1593 och död 1652. Få fakta är kända om denne bagarson, som hela sitt liv var verksam i den lilla nordfranska staden Lunéville. Han försvann in i glömskan omedelbart efter sin död och blev inte uppmärksammad igen förrän fram på 1900-talet. (Hans för vinden spridda konstnärliga kvarlåtenskap håller fortfarande på att samlas ihop; ännu under det tidiga 80-talet upptäcktes det nya målningar av honom.)

Hans nattliga bilder är unika och passar egentligen inte in i någon tradition; sannolikt finns det ingen som klarat av att återge skenet från levande ljus på ett sådant underbart vis som de La Tour. Hans teknik är driven och detaljrik, bitvis nästan pointillistisk. Bilderna är gåtfulla och känsliga och visar upp ett lugn som ofta saknas hos många av hans samtida kolleger, som var besatta av stora gester och en nervös och uppsvälld storslagenhet. Hans interiörer präglas av dessa starka kontraster mellan dunkel och dager. De visar ofta en eller flera människor vid ett enda ensamt ljus, som slår ett litet hål i dunklet. »Kvinnan med lusen« är en av dessa målningar och är ovanlig såtillvida att den återger en banal vardagsscen: löskningen före sänggåendet. Det är annars en typisk de La Tour. På hans tavlor sitter människorna

alltid så, med sina ansikten vända mot ljuset. De är alltid så en-
samma. Litet eller intet av omgivningen finns att se, för bakom
deras ryggar börjar ett kompakt mörker, ett mörker som liksom
belägrar dem. Hans bilder är talande.

Bristen på god belysning gjorde folk starkt beroende av so-
lens ljus och utlämnade dem åt nattens mörker. Som den danske
historikern Troels Troels-Lund har påpekat fick detta stora följ-
der både i det praktiska livet och för sättet att se på världen.

För det första: Utan ett gott ljus inomhus var man tvingad att
leva en stor del av sitt liv ute i det fria, i dagsljuset. Eftersom man
var så beroende av solljuset avstannade allt arbete mer eller
mindre av sig självt när mörkret föll. Detta styrde i hög grad
hela tidsuppfattningen, som var fast förankrad i solens och natu-
rens egen rytm. (Till exempel kunde timmarnas längd variera
med årstiderna.)

För det andra: Den klena belysningen och de starka kontras-
terna mellan ljus och mörker satte en stark prägel på människor-
nas psyken. Alla var mörkrädda – även en sådan som den skägg-
löse dunderguden själv, Karl XII, som gärna sov med sitt huvud
i någon krigares trygga knä. Det var en dunkel värld rent fy-
siskt, där människorna som på Georges de La Tours målningar
satt hukande runt sina små fattiga ljus, omgivna av ett hav av
mörker där Gud-vet-vad drog runt. Det var där i de många
skuggorna de levde, trollet, tomten, mylingen, nicken, vittran,
bjäran, gasten, ljotan, varulven, häxan och så vidare. Detta var
väsen som ännu på 1600-talet hade en fullt erkänd officiell exi-
stens – 1607 betalar Stockholms stad 4 daler som ersättning till
en borgare som blivit biten av näcken när han suttit på dass, och
1691 blir en dräng utanför Göteborg dömd till döden för att ha
haft samlag med ett bergrå.

Det fanns ett direkt samband mellan den yttre, materiella
upplysningen och den inre, andliga dito. Upplysningen – bara
valet av metafor säger ju det mesta – var ju rationalismens attack

mot allsköns fördomar, övertro och skrämselsagor, det grälla ljuset som tränger in i alla dunkla vrår och får små ertappade hopar av sömnyra vättar att springa för livet. Så var det tänkt eller i alla fall sagt.

Men upplysningen handlar ju också om ett annat ljus, nämligen det övervakande och disciplinerande, som det till exempel går att skåda i form av Jeremy Benthams »Panopticon« från 1791, den fängelsebyggnad som var uppbyggd så att varje cell var helt genomskådlig från en enda punkt och där ljuset blivit till en fälla. Det starka ljuset verkar länge ha förknippats med just övervakning. Robert Louis Stevenson citerar i sin hyllning till gasen elektricitetsrädda som anser att det skarpa ljuset var en styggelse för det mänskliga ögat: »Ett sådant ljus skulle bara skina på mord och offentliga brott, eller i sinnessjukhusens korridorer, en fasa att förhöja fasan.« Den yttre upplysningen av Europa har också från början en klart disciplinerande för att inte säga polisiär funktion; redan i början av 1700-talet förbrukas över 90 ton ljus per år för att lysa upp Paris gator, och under århundradets lopp blir utebelysning allt vanligare. Att lysa upp gator och torg var till en del givetvis en fråga om bekvämlighet. Att gå runt i en stad efter mörkrets inbrott var ett företag som krävde både envishet och en stor portion tur, där man kryssade fram mellan lort och skräp. Stevenson har i det ovannämnda verket beskrivit den stackars ensamme nattvandraren som snubblar runt i det spöklika mörkret med sin dinglande lilla lampa, som »gav ifrån sig förblindande strålar in i bärarens ögon«, som går där med dag och natt svängande fram och tillbaka över fötterna. Det blev också betydligt lättare att färdas när gatorna lystes upp. Det främsta syftet med de offentliga lamporna var dock att göra det lättare att upprätthålla ordningen under natten.

Den andliga upplysningen gör inte heller kål på all övertro; den handlar mer om hur överklassen distanserar sig från folk-

kulturen. Som etnologen Jan Garnert säger dröjer den sig nog
kvar ända till dess det elektriska ljuset gör sin entré i stugorna.
Det är sannolikt först då som den siste vätten går upp i dunst.
Om ens då.

Om stank och smuts

NÅGON HAR sagt att om en nutida människa skulle förpassas ett par hundra år bakåt i tiden för att träffa Voltaire skulle hon utan större svårighet kunna ge sig in i ett gott samtal med denne och då finna att de båda delade en lång rad idéer som vi gärna vill kalla moderna. Men vår tidsresenär skulle nog ändå känna ett stort avstånd till den gode filosofen: hon skulle säkert bli helt chockerad över hans dåliga hygien och tycka att han stank.

För det gamla Europa luktade illa, riktigt illa. Patrick Süsskind talar i sin roman *Parfymen* om den stank som förr var ständigt närvarande, en stank »som vi moderna människor knappast kan göra oss en föreställning om«: »Gatorna luktade spillning, bakgårdarna luktade urin, trapphusen luktade ruttet trä och råttlort... Människorna luktade svett och otvättade kläder; ur deras munnar kom lukten av ruttna tänder... Floderna stank, torgen stank, kyrkorna stank, det stank under broarna och i palatsen.«

Förvisso har olika epoker olika dofter och förvisso kan man se att attityden till dålig lukt har skiftat en hel del genom tiderna. Det säger sig självt att i en mindre antiseptisk värld än vår måste dofter ha haft en större betydelse än nu. Bilden är dock högst sammansatt. Vi skall nog inte föreställa oss att det går en rak linje från en illa doftande tidernas gryning till en skönt doftfri nutid. Så till exempel luktade 1600-talet mer illa än 1400-talet.

Kristendomens införande ledde av allt att döma till en försämrad hygien och en ökning av stanken. Detta berodde delvis på de kristnas avsky för kroppen: lite lort i skägget kunde ses som ett tecken på god asketism. Visst har vi alla hört om medeltidens fenomenala stank, till exempel i form av berättelserna om hur avföring och sopor vanemässigt bara katapulterades ut genom fönstret när man inte längre kunde lida deras närvaro inomhus – varvid de förbipasserande ibland blev översköljda med fast och flytande träck. Detta är dock bara en del av historien. Allt var inte bara lort och stank. En hel del av den antika badkulturen – liksom dess mer återhållsamma latrinvanor – överlevde in i medeltiden. Den blev kvar bland annat i form av de små tvättrum som fanns i slotten, herrgårdarna och klostren. Det fanns även offentliga bad: i det sena 1200-talets Paris fanns det exempelvis 26 sådana inrättningar öppna för allmänheten. Särskilt under periodens senare del, då det mesta av moralisternas misstänksamhet mot baden gått i stå, blommade denna badkultur ut för fullt. Det badades visserligen rätt flitigt i den tidiga medeltiden, men badet verkar då främst ha varit en ritual. Så till exempel kunde ingen större middag inledas utan att alla gästerna fått tvaga sig, och ett samlag borde också helst föregås av ett varmt bad. Att tvätta sig själv och andra verkar ha varit en särskilt kvinnlig syssla: i litteraturen flödar vattnet över de skamferade hjältarna nyss vända hem från torneringen, och riddaren som stannat till över natten gnuggas, kammas och putsas av värdens dotter. Även under senmedeltiden var vattnet främst ett medium för rit och nöje, men dess funktion som hygieniskt medel verkar att ha förstärkts. Att fördriva stank blev också viktigare. En handboksförfattare som Henri de Mondeville visade hur man kunde göra sin andedräkt väldoftande genom att tugga anis, lakritsrot, kummin eller kardemumma och hur man skulle parfymera nytvättade kläder med viol och irisvatten. Det är uppenbart att man under medeltiden lade stor vikt vid hur saker och ting luktade. När man i litteraturen skulle skildra sällhet och lycka använde man oftare beskrivningar av sådant som subtila lukter än rena bilder. I Dantes helvete ligger också »de onda dunsterna« stundtals täta över de stackars syndarna, och det är uppenbart att njutande av elak stank ses som en del av deras straff.

I och med 1500- och 1600-talen inleds en ny epok i stankens historia. Georges Vigarello har visat att renligheten blev allt sämre: man ägnade sig främst åt det som syntes – ansikte, händer och kläder – och struntade i regel i att tvaga sin kropp. Även under medeltiden hade man tvättat sig på detta ytliga vis. Det som gör att man ändå kan tala om en försämrad hygien har att göra med det ändrade bruket av vatten. De offentliga badhusen lystes i bann, med viss rätt stämplade som elaka pesthärdar där gemensam nakenhet, syfilis och annat grasserade. Dessutom odlades det särskilt framåt 1600-talet en stor misstänksamhet mot vattnet över huvud taget. Det sågs som en bärare av smitta och därför var det olämpligt att bruka det till rengöring, ja att över huvud låta det komma i nära kontakt med kroppen sågs som något av ett vågspel: det kunde ju då lätt ta sig in genom dess otaliga håligheter eller via hudens miljontals porer. Vatten var helt enkelt farligt och borde därför undvikas. Detta var inget tomt mummel utan togs ad notam av de flesta. Som ett exempel kan nämnas Ludvig XIV, som bara badade två gånger i hela sitt liv, och båda gångerna blev han också mycket riktigt sjuk. Vid det första tillfället hade hans läkare beordrat fram ett bad till kungen för att »fukta« honom en smula efter ett antal gedigna åderlåtningar. Uppenbarligen hade beslutet om bad fattats med viss bävan, och nedsänkningen föregicks också av digra förberedelser. Bland annat fick solkungen ett lavemang, och han var också väl utvilad för att klara av den kommande prövningen. Kungen klev i vattnet vid tiotiden, men han hade knappt kommit i så slogs han av en knallande huvudvärk, och de nervösa doktorerna fann för gott att raskt avbryta experimentet.

Även om man under 1500- och 1600-talen nog luktade mer illa än under medeltiden så såg man troligtvis renare ut. Man sysselsatte sig som nämnts än mer än under den föregående epoken med det synliga. Tre medel användes för att uppnå detta ideal av optisk renlighet. Det första var torkningen. Istället för att blaska sig i vatten gned man av sig lorten på torra dukar och tvättlappar. (Kli eller olika typer av pulver användes för att tvätta håret, för även denna del av kroppen borde helst inte vätas i onödan. Ofta gick det till så att man gned in medlet i fråga vid sänggåendet för att sedan kamma bort det på morgonen.) Det andra medlet var det parfymerade pudret. Puder användes av både män och kvinnor och var under 1600-talet inte lika skarpt vitt som det senare kom att bli. Det var rätt diskret och brukades mest som ett slags torr parfym. Parfym användes över huvud taget i stora mängder. Den fina doften fick dölja olika egna små hygieniska skavanker. Tanken var att luktade det gott så var det rent. Väldoft – i form av puder, parfym eller kanske en liten blombukett inkörd under näsan – var också ett medel att hjälpa en förbi de luktmässiga prövningar som man ständigt utsattes för, till exempel när man på stadens sommarheta gator trippade fram praktfullt skrudad mellan högar av flugbemängda sopor och pölar av grönt, stillastående träckvatten. Det tredje och kanske viktigaste medlet var linnet. Hemligheten med den torra renligheten var att man bar linnekläder närmast kroppen och att dessa plagg byttes ofta. Linnet ansågs suga upp all svett och smuts. Att byta kläder var för 1600-talsmänniskan detsamma som att tvätta sig. En av Vigarellos allra mest intressanta poänger är att mycket av den moderna renligheten faktiskt växte fram via denna tidigmoderna fuskhygien. Det flitiga bruket av linnekläder ledde till en allt större åtskillnad mellan de kläder som bars närmast kroppen och de som bara fungerade som ytterplagg, mellan finare vävda material och mer grova tyger. Skrymslen och prång på kroppen som ditills varit rätt bortglömda blev upptäckta när folk började bruka linneunderkläder. Och känsligheten för starka dofter och svett ökade.

Redan tidigare hade man sett på »den dåliga luften« som något ont som helst borde undvikas. De lärda visste att sjukdomar på något dunkelt vis kunde överföras via luften. Under 1700-talet började man tycka att stank inte bara var något äckligt utan även något farligt. Tre fenomen som dittills varit i stort sett skilda från varandra, nämligen smuts, stank och sjukdom, blev då länkade samman till ett. Dessutom tvingade befolkningsexplosionen i städerna fram en ny syn på detta med renhållning och hygien. Gator och torg rensades upp. De värsta kräftsvulsterna förintades, som när man i Paris 1786 i en märklig nattlig operation helt enkelt flyttade en av de groteskt överfulla kyrkogårdarna inne i staden genom att gräva upp de många tusen liken och kärra bort dem. (Ögonvittnen har skildrat denna händelse: ett långt tåg av vagnar skramlar fram i det fladdrande skenet av facklor; kärrorna är överlastade med halvruttna kroppar och gamla ben, staplade huller om buller i stora vajande högar; hela tiden ramlar rester från döda ned från de gungande vagnarna, och den förruttnelsesöta luften är fylld av ett rytmiskt rabblande av böner.)

Vattnet togs till heders igen på 1700-talet. Historikern Daniel Roche har visat att medlen för städernas vattenförsörjning var i stort sett oförändrade i 500 år från den tidiga medeltiden. Förbrukningen av vatten sjönk till och med i vissa snabbt växande städer under 1600-talet, då många av de gamla medeltida brunnarna blev nedlortade och det var svårt att finna någon ersättning för dem. Vattenkonsumtionen ökade dock radikalt framåt slutet av 1700-talet. Från att ha varit en fara blev vattnet då de hygieniska reformatörernas kanske främsta hjälp. Bland annat sökte man att hålla gatorna rena genom att regelbundet spola av dem. För att ytterligare jaga bort den elaka stanken sökte man också öppna stadsbilden och ge vinden bättre spelrum inne bland alla trånga gränder och krokiga bakgator där husen stod skyggt sammangyttrade; i Paris fanns det till och med planer på att i vissa gathörn sätta upp ett slags enorma äggvispar, som skulle röra om i den stillastående luften med stora roterande vingar.

Kampen mot lort och dålig luft pågick också inne i hemmen. Så till exempel gjorde den första riktiga vattenklosetten, »the Bramah Valve Closet«, sin entré i England mot slutet av 1770-talet. (Den bestod av en toalettskål som höll en konstant nivå på vattnet, vilket skulle hålla borta all vass stank.) På grund av tidens rätt bristfälliga rörmokeri dröjde dock dess verkliga genombrott till nästa sekel, då känsligheten för dofter nådde en ny topp. I 1800-talets borgerliga kultur ingick det en mani för renlighet och en ej förut skådad känslighet för stank och dålig lukt. Borgarnas hem var extremt väl vädrade – betydligt bättre än nya hus i dag –, de avskydde rök från tobak inomhus och kände sånt äckel inför matos att köken lades så avsides som möjligt, trots att det var i hög grad opraktiskt. För första gången sedan medeltiden skapades det också särskilda rum där människorna kunde tvaga sina smutsiga kroppar. I 1600-talets hus fanns det i regel inga särskilda utrymmen för sådana sysslor. (Sådant gjorde man där det fanns plats. När så krävdes gjorde man också sina behov i de vanliga rummen och då utan större ceremonier. Anne Boleyn – en av Henrik VIII:s senare avrättade fruar – lämnade inte bordet när hon ville träcka under sin kröningsmiddag 1533, utan täcktes då bara för med ett lintyg; Ludvig XIV blygdes aldrig för att sitta på nattstol och tömma sin tarm alltmedan hovstaten flockades runt honom som en skock av artigt dresserade pudlar.) När badrummen i borgarnas hem framemot slutet av 1800-talet fick låsbara dörrar var det ännu en yttring av den borgerliga kulturens skräck för otäcka utsöndringar, ännu en sten i den mur av blygsel och skam som rests runt individen och hennes kropp. Även om de lägre skikten i samhället inte på länge skulle dela borgarnas stora skräck för stanken var det bara en fråga om tid innan även de tog åt sig luktfrihetens alla vackra ideal.

Dessa olika konjunkturer i stankens historia visar att det icke bara är fråga om en enkel utveckling mot allt hårdare skruvad civilisering och självkontroll. Känsligheten inför stank har skiftat och är inte enbart ett modernt påfund. Förklaringen till dessa förändringar står nog att finna i stankens roll som ett socialt teckensystem. Det fenomen som apropå 1800-talets borgarklass har kallats för deodorantisering – alltså en ökad känslighet för stank – går även att iaktta under andra epoker. En dylik »deodorantisering« hänger sannolikt samman med ett speciellt system för makten som bygger på hierarki och ett ökat avstånd mellan styrande och styrda. I ett fattigt samhälle där de flesta inte har någon chans att upprätthålla en god hygien kan stanken och dess motsats, väldoften, precis som klädlyx, brukas till att legitimera just genom avstånd.

Att en överklass bygger upp en ideologisk text med hjälp av frangipanivatten, mysk, lavendel, jasmin, bergamott och zibet är alltså inget nytt. Det upphöjda har alltid omgetts av väldoft, verklig eller inbillad. (De antika grekerna ansåg att parfymen hade ett gudomligt ursprung, och hos Montaigne – som själv tyckte hjärtligt illa om dålig kroppslukt – hittar man uppgiften att Alexander den store hade en svett som luktade gott.) Och stank har visat sig kunna verka som en särdeles verksam barriär mellan klasserna. George Orwell skriver i *Vägen till Wigan Pier* att den inlärda formeln »de lägre klasserna luktar« är »den verkliga hemligheten med klasskillnaderna i västerlandet«. Olika skillnader i religion, ras, utbildning och så vidare går alltid att strunta i; den fysiska motviljan är däremot omöjlig att överbrygga. Aversionen inför en dålig andedräkt eller en härsken doft av svett befäster klassklyftorna mycket mer effektivt än nånsin »utbildning, pengar eller börd«. Den dåliga lukten fungerar nog inte längre som det oöverstigliga klasshindret som på

Orwells 30-tal, även om en del av detta finns kvar, om än outtalat, dolt, för att inte säga inkapslat i medelklassens högst diskreta snobbism. Nu fyller stanken en annan funktion, även i dag som en skapare av »vi« och »dom«, men nu är det inte främst de lägre klasserna som luktar, nu är det de andra kulturerna.

Om skräckens historia

NÄR MONTAIGNE i en av sina essäer skriver att rädslan »är svårare och outhärdligare än döden« har vi svårt att förstå honom. För vad kan finnas som är värre än döden? Kanske fruktade han fruktan så mycket därför att det var en så vanlig känsla under hans tid. Det finns de som talat om 1500- och 1600-talen som »skräckens århundraden«, då en atmosfär av hart när ständig rädsla rådde. Jean Delumeau skriver i sitt verk om fasans historia att Europa länge var behärskat av en »belägringsmentalitet«. Kontinenten var präglad av en känsla av att vara ansatt från alla håll och kanter av starka fientliga krafter, som dag och natt gjorde allt vad de kunde för att störta kristenheten ned i en mörk intighet.

Det förindustriella samhället var statiskt och ur det föddes ett statiskt sätt att tänka som gjorde att människorna ofta reagerade med oro inför allt som syntes vara ovant eller nytt. Hela den värld som låg bortom byns trygga horisont betraktades med misstro. Lejonparten av folkkulturens rika och högst sammansatta väv av riter, regler och symboler handlade om att hantera olika faror. Det stora hotet kom från naturen, som aldrig hörde upp med att fylla den lilla och svaga människan med bävan när hon ställdes mot dess vilda oändlighet. Framför allt havet skrämde på ett sätt som är svårt att förstå för oss nutida. Den europeiska kulturen var länge hårt bunden till den fasta marken, och det var bara med extrem motvilja man gav sig ut på sjön. Att havet var en källa till oändlig fruktan berodde dock inte bara på att det var så vågsamt att färdas på. Havet var också porten till det stora okända. Bortom det vilade farliga nya världar, endast kända genom förvirrade amsagor om jättar, cykloper och människor med otäcka hundhuvuden. Och över havet kom de fientliga invasionerna och de stora sjukdomarna tillika. Länkad till denna ångest över havet som bärare av det okända var en stor skräck för främmande. Det var svårt och besvärligt att resa, och vägfarande var en rar syn i de allra flesta delar av Europa. De betraktades därför ofta med en misstänksamhet som lätt slog över i ren skräck, för de sågs som bärare av allt ont från smitta och kätteri till märkliga sexualvanor. (Denna skräck är förklaringen till den mångfald av regler som omgärdade resandet förr, där det ibland krävdes pass och olika skriftliga tillstånd även för enkla färder inom det egna landet.) Storm och åska, stjärnor, mörker och natt ingick också som stycken i samma eviga skrämselsaga. Man bävade även inför olika fåglar och djur, verkliga (som vargar och fladdermöss) eller helt inbillade (som de rysliga havsvidunder med taggar, ofantliga ögon och röda pupiller som Olaus Magnus beskriver så ingående). Man skakade också av skräck inför tanken att möta någon av de olika magiska varelser och ojordiska röster som stod att finna snart sagt överallt i det sprängfyllda tomrummet runt människan. (Dessa onda väsen var ju ingalunda få. Bara antalet smådjävlar i världen uppgick enligt en samtida tysk kalkyl till en summa av inte mindre än 2 665 866 746 664 stycken.)

De styrandes skräck var i regel uppriktigt känd och inte någon föreställning uppförd för att lura folket. Folk och överhet delade den rädsla som vi finner något mer befogad, nämligen fruktan för krig, hunger och pest. Herrarna reds också av sina högst egna maror. Vad de fruktade över allt annat var uppror, revolter och omvälvningar, som förekom med en viss regelbundenhet under den förindustriella epoken. Adelns styva konservatism föddes ur deras ständiga sneglande mot det oberäkneliga folket. I deras ögon hotade det hela tiden att förvandlas till en ond massa, krönt av en hotfull myckenhet liar, klubbor och vaxbleka aristokrathuvuden prydligt uppträdda på stänger. Även en sådan fasa som tron på världens nära förestående undergång var en plåga för främst de övre skikten. Både under 1300- och 1600-talet var dessa dova undergångsstämningar en spegling av ett samhälle som kände att det höll på att förlora sig i en djup och till synes olöslig kris. (Ibland hanterades dock detta hot med en självklarhet som antyder en viss avtrubbning. Så till exempel ägde det i Uppsala 1647 rum en märklig dispyt mellan riksantikvarien Bureus och astrologen Simon Wollimhaus; de två slog vad om sina respektive hus huruvida domedagen skulle bryta in redan samma höst eller först nästa vår. Ingen vann.)

Något som bidrog till att underblåsa denna stämning av oro och hot var den ständiga ryktesspridningen. I det förindustriella samhället fanns det länge inte några organiserade vägar för spridandet av nyheter. I bästa fall kunde man bli tillslängd några små skärvor av information från predikstolen efter mässan, men det allra mesta kom i form av hörsägen och skvaller. Det säger ju sig självt att många av de rykten som nådde ut till folk bara var lögn och dikt; även helt korrekta informationer blev under sin långa väg från mun till mun i regel förvridna och svårt uppblåsta. Paniken levde på dessa dunkla historier som hela tiden sipprade fram. Skapandet av ett rykte var ofta ingen slumpmässig process utan kan enligt Delumeau ses som det första steget mot något slags reaktion där folk kunde få utlopp för sin ilska eller skräck. Uppror föregicks nästan alltid av ivrig ryktesspridning, och detsamma gäller för de anfall av häxhysteri som plågade Europa på 1500- och 1600-talen. Olika mer eller mindre fantasifulla historier var ofta den utlösare som behövdes för att en spänd situation skulle spricka upp i en lavin av ilskna anklagelser, kastade stenar och falsetthöga skrik på blod. (Det rikt flödande pratet ledde dessutom till att man aldrig vågade slappna av helt. Även stillheten kunde väntas att gå dräktig med något ont: alltid fanns det ju någon ominös hörsägen i svang.)

De övre skikten i samhället kunde dock gripa tag i denna stora skräck, benämna den, bryta upp den i mindre och mer hanterbara delar och styra om den i önskad riktning. (Det var i samband med detta benämnande av fasan som tidens allra värsta rysligheter, som skärseld och djävulskt häxeri, fann sin form i de lärdas studerkammare.) Den oro och de spänningar som uppkom i samhället kunde på det viset av de styrande föras över på olika lämpliga syndabockar. Och syndabockarna, vilka var det? Det var avvikare av alla möjliga slag: kättare, muslimer, judar, hädare, häxor och andra, som alltefter hur andan föll på kunde jagas, konverteras, isoleras eller helt enkelt bara rotas ut.

Det är av utomordentlig vikt för alla styrande att besitta denna makt över skräcken. De tidigmoderna eliterna brukade sin rätt att ge rädslan ett namn till att disciplinera folket. I modern tid har kontrollen över skräcken framför allt brukats till politisk mobilisering. Nazismen är nog det kanske allra mest framgångsrika exemplet på detta, i det att de lyckades förena uråldriga motiv – som bävan för den främmande avvikaren Juden – med den högst nutida ängslan som alltid ligger och lurar under ytan i en marknadsekonomi: skräcken för ekonomisk kollaps.

Det sker en del stora förändringar i denna skräckens grammatik framåt 1700-talet. Enligt Delumeau löses den gamla belägringsmentaliteten upp. En kontinent kikar upp bakom bröstvärnen och ser till sin oförställda förvåning att de tallösa horder av angripare som man alltid tyckt sig skymta på alla sidor nu lösts upp i tunn luft. De bjärt uppmålade hoten har helt enkelt vägrat att bli till kött; världen har inte gått under och häxornas onda trollformler har bara visat sig vara verkningslösa ramsor med ord. Lättad och med ett nytt självförtroende kan européen stryka sin lätt skamferade stormhjälm av huvudet och istället gripa efter kolonisatörens vita tropikhatt.

Det vi skulle kunna kalla för skräckformuleringsinitiativet gled över från kyrkans folk till olika typer av profan expertis. (Inget avkristnande hade varit möjligt annars.) Ett av de första exemplen på detta är från 1740-talet; då piskade främst läkare upp en stor skräck över hotet att bli levande begravd. En riklig litteratur vällde fram, fylld till brädden med sällsport otäcka skrönor om skrik ur stängda sarkofager, begravna som knaprat i sig sina egna lemmar, till synes döda som glatt stått upp igen, etc. Detta blev så småningom till en veritabel besatthet i Europa. Man började att töva med likens begravning så länge som möjligt, för att istället sveda dem med ljus och snitta upp deras fotsulor med rakkniv, allt för att försäkra sig om att de verkligen var så döda som de såg ut. I Tyskland byggdes det i slutet av 1700-talet upp en rad s.k. repositorier; där lades olika tveksamma fall på rad för att betittas, alla med små pinglor knutna till armarna.

På 1870-talet avfärdades slutgiltigt denna fara av samma skrå som en gång skapat den: läkarna. Det skedda gav en försmak av det fenomen som på senare tid har kommit att kallas för moralisk panik.

Rädslans objekt har också skiftat. Då tänker jag inte så mycket på syndabockarna och de stigmatiserade avvikarna, som finns kvar, även om de lite grann har bytt skepnad. Som etnologen Jochum Stattin har påpekat närde man förr en stor rädsla för naturen; i dag är det snarare tvärtom: nu är vi rädda om naturen och skräms istället av människan. Hotet kommer inte längre så mycket från naturen som från människan själv. Skräcken i förfluten tid tog dessutom oftast en högst påtaglig form: varulvar, troll, vättar, och så vidare. Människorna hade också tillgång till diverse regler och knep för att bemästra dessa faror (till exempel att avvända vampyrer med vitlök och spöken med tre droppar svavel). Den nutida skräcken är mer diffus till sin natur och därför också mycket svårare att hantera. Den är sällan knuten till det vardagliga livet och berör en inte alltid personligen. Skräcken kopplas istället gärna till hot av en mer fjärran, global natur – miljöförstöring, kärnvapenkrig –, som, även om de kan vara alltför verkliga, ofta är nog så amorfa för en enskild som söker att göra något åt dem.

Den moderna skräcken är dunkel och flyende. Man kan undra om månne detta inte har att göra med att Läkaren tagit den roll som fasans överstepräst som Prästen tidigare besatt. Bevarandet av kroppen har nu fått den centrala roll i människornas liv som förr intogs av bevarandet av själen. (Moderna människor har som bekant inga själar, bara psyken.) Prästen skrämde människorna genom att måla upp alla hot mot deras salighet, men samtidigt erbjöd han också en total förlösning från denna fasa: om man bara noga följde föreskrifterna och formlerna var själen garanterad räddning i den vackra hinsidesvärld som väntade. (Och det var ju ingen som kunde kontrollera att detta inte var sant.) Det är nog därför en 1500-talsmänniska som Montaigne kan säga sig frukta fruktan mer än döden. Döden var bara ett skenbart hot. Jämfört med en präst är en läkare tämligen maktlös. Kroppens trista förfall går möjligen att skjuta upp en smula, men i det långa loppet står köttet icke att rädda. För en människa som inte bara *har* kropp utan enbart *är* kropp finns i slutändan ingen räddning, ingen förlösning och ingen tröst. Den moderna dödsskräcken är därför ett beständigt och i grund obotligt tillstånd. Den dunkla fasa som plågar oss nuförtiden har nog även ett annat ursprung, nämligen den långa historiska process som inneburit att rädslan stöpts om till självtvång. Den sociala kontrollen i forna tider byggde främst på olika yttre hot. När det moderna Europa växte fram skedde det också en övergång från en kultur byggd på straff till en kultur byggd på skam; den yttre kontrollen blev ersatt med en inre dito, i form av ett malande dåligt samvete. Och med det har det, i den halvmedvetna skymning vi kallar vårt inre, inplantats en oro som vi aldrig nånsin blir riktigt, riktigt kvitt.

Om gråtens historia

EN AV DE saker som slår en modern människa vid mötet med det gamla Europas gester och vardagliga åtbörder är de ständigt närvarande tårarna. Det gråts i floder under *l'ancien regime*. Detta ymniga flöde kommer inte av att människorna skulle ha haft så mycket mer att fälla tårar över (det är ett högst tveksamt påstående, just av det skälet att det kläckts under 1900-talet, detta onda sekel som nog skapat mer elände och olycka än någon annan epok). Den dåtida gråten hade helt enkelt en annorlunda innebörd än vad den har i dag. Det var en annan gråt.

Starka känslor och tårar var mycket vanliga under medeltiden, både i mer privata sammanhang och i samband med olika öppna högtidligheter av religiös eller profan natur. Och alla gråter: kvinnor och män, hög och låg. Under denna tid kan även en stor krigarkung förlora sig i vild affekt. Karl den store står på de gröna fälten vid Roncevaux inför sin stupade nevö, skakar, omfamnar kroppen, dånar och faller ned på liket, kvicknar till en smula, sliter sitt hår, river i sina kläder och snyftar hejdlöst: »Jag vill inte leva längre.« Runt omkring honom står hans armé på 100 000 män, gråa av vapen, och alla är tagna av kungens hulkande sorg och »det är inte en som inte gråter våldsamt«. En liknande känslosamhet går att finna i den gamla sagan om kung Arthur, som är väl tryfferad med krigare som fäller tårar, svimmar och sörjer så högt och våldsamt att man börjar undra om inte liv och förstånd är i fara.

Det är uppenbart att man under den tidiga medeltiden satte stort värde vid starka, spontana och öppna känslor. Istället för att som i den moderna kulturen söka dölja olika intima känslor sökte man under äldre tid att förädla dess former, att klä om dem till att bli ett skönt skådespel. Tårarna var vackra och uppbyggliga. Att inte ha gåvan att gråta var en svår brist. Huvudpersonen i Gudrunskvädet sitter hos den döde Sigurd och sörjer stort. De som omger henne är oroade, för Gudrun gråter inte och hon går därför inte att trösta:

Till henne kommo kloka jarlar.
Sorgens förstening sökte de lösa.
Men Gudrun fick ej gråtens hugnad,
och bröstet var färdigt att brista av sorg.

Att inte kunna fälla tårar kunde även ses som en direkt rubbning. Till exempel ansåg man sig kunna få korn på häxor genom att de inte kunde gråta. Det var förmågan till starka känslor som gjorde människan till människa, detta oavsett kön.

Under 1500- och 1600-talen fortfor känslouttrycken att vara både starka och offentliga. Vissa fysiska uttryck för stor sinnesrörelse kom visserligen att mötas med onådiga miner, men det gällde inte tårarna. Det var en tid av hårt spända känslor, då gråt och snyft bland annat ingick som en ej oviktig del i den politiska kulturen. På svenska riksdagar under denna tid skär titt som tätt högljudd gråt, skrik och klagorop genom luften. (En nutida människa skulle säkert hissa upp ögonbrynen inför denna församling, som kanske skulle påminna henne om en korsning mellan en tungomålstalande frikyrkoförsamling och ett band med procedurkäbblande miljöpartister på konferens.) Manhaftiga krigare som tycker sig vara offer för någon högst olidlig affront springer ilskna runt och gråter så att det skvalar, varefter de rusar ut genom portarna för att segna ned på något av tidens många slagfält. Gesterna är yviga, ropen höga. Detta är en del av det Johan Huizinga kallat för »livets starka färger«, en speciell känslosamhet där allt man upplevde ännu bar »samma omedelbara och självklara prägel som glädje och sorg alltjämt äger för barnasinnet«. Detta yttrade sig bland annat i en förmåga till snabba och tvära stämningsskiften, där, som Lasse Lucidor skriver, »lust följer på gråten; gråt ändas i sång«.

Tårar var alltså ännu allmän egendom, detta oavsett position och kön: det som Gunno Dahlstierna kallar för »ögats pärledike« nyttjades ofta och gärna även av män. Pseudonymen Skogekär Bergbo betygade stolt sin åtrådda Venerid att »om mina tårars flod ditt hjärta kunde blöta,/ så gräte jag än mer och kund' ej annat sköta«. Under 1600-talets gång förstärktes dessa olika sentimentala attityder. (Under den tidiga barocken hade kärleksdiktningen varit klart intellektuell till sin natur, men utvecklingen gick mot en mer renodlad känslosamhet som även går att ana i andra typer av konst, till exempel måleriet.) Och även under nästa århundrade var det fullt tillåtet att gråta offentligt, under en stor högtidlighet, vid högläsningen av en gripande roman, och så vidare.

Hur skall vi förstå dessa eviga tårar? Det är helt klart att vi har att göra med ett annat lynne än det moderna. Den europeiska människa som här träder oss till mötes har ännu inte motats in i civiliseringens hårda bur av järn. Hennes självbehärskning är lika outvecklad som hennes psyke är komplicerat, i det att det gjuter samman så starka motsatser. Låt oss icke för ett ögonblick förlora oss i den tidsmässiga provinsialism som menar att denna människa var mer »barnslig« eller »outvecklad« än vad vi är. Deras rationalitet var bara en annan.

Den ymniga gråten var sannolikt inte bara en följd av att dessa människor var mindre känslomässigt behärskade – hämmade? – än vad vi är. Det hänger nog även i hög grad samman med att gränsen mellan privat och offentligt var en annan då. När någon var sjuk fanns det alltid klungor med åskådare runt bädden; madame de Sévigné har beskrivit en scen där ett banalt kolikanfall blivit till ett skönt skådespel, där särskilt välavvägda skrik och gester möts med gillande kommentarer från dem som omger den sjuke. Det gick inte att dra sig undan – om man nu alls ville det; ensamheten skattades som bekant lågt i det förindustriella samhället. Det moderna privatlivet hade ännu att bli till. Lipandet under den tidigmoderna epoken var också delvis en klassfråga. Under denna tid utvecklades det en särskilt »fin« känslosamhet, där tårarna som fälldes vid högläsningen av en god roman var beviset på att man hade sinnets sanna adelskap.

Det är under 1800-talet som förändringen sker. Gråten privatiseras och feminiseras. Även tidigare har det funnits en skillnad mellan manliga och kvinnliga tårar. Den franska forskaren Hélène Monsacré har under sina studier av *Iliaden* sett en skillnad mellan de olika könens gråt. Kvinnorna ger uttryck för en sorg som är passiv till sin natur – vi har till exempel Andromache och hennes tjänstekvinnor som gjuter sina »ängsliga tårar« över Hektor innan han tar sin tagelsvajande hjälm på skulten och försvinner ut i strid mot akajerna. Männen lider mycket mer aktivt: deras våldsamma sorg är ett uttryck för deras manlighet och skiljer dem från det kvidande och gnälliga fruntimret. Det går att ana en viss könsskillnad även under tidigmodern tid. Mäns tårar sågs tydligen som mer värdiga än kvinnors. Karlagråten är precis som i fallet med *Iliaden* mer pampig: män snyftar helst i samband med stora offentliga tillställningar, som på teatern. Kvinnors tårar vill man däremot gärna koppla till små vardagliga trivialiteter. Det är olika skala på de två könens gråt. En gråtande kvinna kunde därför liksom Pamela – i Samuel Richardsons kända brevroman från 1740 med samma namn – få en rejäl avbasning för sitt hulkande och fick stå ut med att bli kallad en »fjollig liten gås«. Alla tårar var inte lika vackra.

I början av 1800-talet ändras tårarnas mening i grunden. De blir alltmer ett exklusivt privat tecken, samtidigt som gråten börjar försvinna ur det offentliga livet. Den starka affekten ger också vika för en ny typ av känsla, den sorgsna melankolin. Känslornas riktning styrs så att säga om, från att vara bullrigt utåtriktade till att bli mer sublimt introverta. Människorna skruder sig i ensamhetens mörka kåpa och börjar liksom Byron fälla sina tårar i tysthet.

De koder som styr känslolivet och dess uttryck börjar skifta. Skillnaderna mellan könen ökar. Som Anne Vincent-Buffault har visat börjar gråt också bli till något särskilt kvinnligt. (Det var så feminint att frånvaro av tårar hos en kvinna av vissa sågs som ett tecken på homosexualitet.) I sin genomgång av litterära skönandar som Stendhal, Balzac, Flaubert och de Musset har hon även kunnat visa hur tårar också blir alltmer opassande för en man. Det kunde bara tillåtas honom vid vissa särskilda tillfällen, som till exempel då någon nära och kär dött. Detta är den viktorianska epoken, och den nya tidens man, den prydlige borgaren, är helt sprängfylld av sucksamma griller om återhållsamhet och sträng självkontroll; att ha ett fast grepp om de egna känslorna blir lika viktigt som att kunna kontrollera sin sexualdrift eller sitt konto på banken. Framför allt under den andra hälften av 1800-talet går det att se en sällsport stark attack mot all frisläppt känslosamhet, som befnyses som billig sentimentalitet – en attack som förresten rullat vidare in i vårt eget sekel. Gråt ses som något lite löjligt, som bara hör kvinnor och förklemade barn till. Och tårarna, de kvinnliga tårarna, vänds till att bli ännu en anklagelse mot kvinnorna. Deras eviga bölande och snörvlande var ännu ett bevis på deras nervsystems undermålighet, på den känslomässighet som gjorde dem stört omöjliga att lida i samhällslivet.

Regeln är nu att man inte skall visa sina allra starkaste känslor offentligt. Gråten har blivit obscen, otäck och oanständig: män i min generation ertappas hellre med stånd än i tårar. I det gamla Europa fanns det väl utvecklade koder som hjälpte människorna att hantera alla dessa mer ovanliga och inte så lite omskakande upplevelser – födelsen, kärleken, döden och så vidare –, koder som nu gått förlorade för oss. Vi är fria från deras styva ritual, men fria till vad? Skulle en människa ur förflutenheten se oss i dag skulle hon säkert tycka att vi verkar vara känslokalla. För det som är underligt, det är inte att de grät så mycket, utan att vi gråter så lite.

Flickan och ostronen

INGEN tillfällig betraktare av 1600-talets bildkonst skulle väl komma på idén att uppfatta den som speciellt svårbegriplig, men så är det i alla fall. Även genremåleriets små hemtrevliga interiörer ur vardagslivet, med allt vad det har av lekande barn, fulla män och glada kvinnor, kan lämna en nutida åskådare fritt svävande i ett slags ikonografiskt vakuum. Dessa till synes enkla bilder är nämligen sprängfyllda av symboler och allegorier som vi sällan ser och nästan aldrig begriper.

1500- och 1600-talen var en tidsålder då en i huvudsak muntlig kultur började ge vika för en kultur som i hög grad byggde på ögats förnimmelser. Och någonstans i det ännu smala gapet mellan poesi och bildkonst växte alla dessa symboler. Kulturen var helt genompyrd av dem och med hjälp av detta välkända bildspråk – som stelnat till ett slags system av hieroglyfer – kunde de samtida dechiffrera de olika konstverk de ställdes inför. Det som för oss ser ut som ett knippe spontana gester och trivialiteter ur vardagen var för de samtida en text som de kunde läsa som en text i en tidning. Själva står vi där och plirar. Nederländskt genremåleri kan på sätt och vis vara lika svårt att begripa som nutida abstrakt konst: om vi prompt vill avkoda dessa bilder behöver vi i båda fallen tillgång till diverse teoretiker. (Skillnaden är dock att medan en 1600-talsmålning av Jan Miense Molenaer eller Frans Hals är fullt njutbar i sin egen rätt, så krävs det kanske ett icke obetydligt mått av estetisk självövervinnelse att tycka detsamma om en Willem de Koonig eller en Jackson Pollock.)

För visst kan bilderna från det sjuttonde seklet vara svåra. Kanske anar vi svagt att den lilla hundvalpen står för läraktighet, kanske kan vi med lite hjälp förstå att druvklasen som någon håller i stjälken är en symbol för trohet i äktenskapet, men hur i hela friden skall vi veta att persikan står för sanningsenlighet och att kringlan är en sinnebild för kampen mellan ont och gott? Se bara den nederländske konstnären Jan Steens bild av en flicka som äter ostron, målad vid slutet av 1650-talet.* De flesta av oss skulle väl vid en kort blick på tavlan uppfatta den som en högst oskyldig framställning av en liten måltid på ostron, bröd och vitt vin. Det är fel. (Broby Johansen gör faktiskt det misstaget i sin postumt utgivna *Liv i konsten.*) Bilden är egentligen starkt erotiskt laddad. För att begripa det måste man veta att det flickan äter, ostron, ansågs vara ett afrodisiakum. På bilden ligger de öppna för att strö kryddkorn i; de går utan vidare att tolka som enkla bilder av det kvinnliga könsorganet – på det ostron hon håller i handen finns till och med en slidmynning antydd. Lägger vi till detta flickans märkliga, lite lekfulla min och – mycket viktigt – sängen som skymtar bakom, tror jag betydelsen är klar. Vad vi ser under den enkla vardagsscenen är en sexuell invit, en erotisk flirt i olja. Men visst är bilden tvetydig, och just tvetydigheten är något betecknande för sexualitetens historia under 1600-talet.

Vad kan vi egentligen veta om sexualiteten under denna epok? Flickan med ostronen illustrerar väl hur svårt det kan vara att närma sig sådana frågor, just därför att så mycket av föreställningar och teckensystem förändrats: det som är erotiskt laddat för forna tiders människor behöver inte vara det för oss och vice versa.

På ytan kan allt synas enkelt. Sexuell frispråkighet, fräcka

* Bilden återfinns längst bak i boken på pärmens insida.

skämt och oblyga gester var en del av atmosfären i 1600-talets Europa. Kyrkans hårda och skuldladdade attityd till könslivet verkar ej ha slagit riktig rot bland människorna vid denna tid. Istället var den sexuella öppenheten stor.

Det fanns till exempel av allt att döma en avsevärd fördragsamhet med olika uttryck för barns sexualitet. Den moderna regel som säger att barnet skall hållas noga avskilt från alla anspelningar på könslivet gällde inte då; skabrösa skämt och lekar var alls ingen ovanlighet i umgänget med de små. Denna intimitet var dock inte incestuös till sin natur, utan skall ses som en aspekt av tidens öppenhet och outvecklade barndomsbegrepp. Det fanns tydligen ingen som trodde att sexuella anspelningar skulle kunna smutsa ned ett barns oskuldsfullhet.

Det finns emellertid en del som talar för att sexuallivet bedrevs med något mindre flit på 1600-talet än i dag. Den nästan kroniska trångboddheten och bristen på avskildhet – något som både hög och låg led av –, avsaknaden av effektiva preventivmedel samt undernäringen, den dåliga hygienen och de många sjukdomarna lade ofta hinder i vägen. Familjen var vid denna tid främst en ekonomisk enhet, och de ofta förekommande resonemangspartierna torde ha utgjort en mäkta karg grund för det äktenskapliga samlivet. Dock ledde utvecklingen mot kärleksäktenskap och ökade känslomässiga band inom familjen till att den sexuella njutningen fram emot århundradets slut fick större plats inom det äkta ståndet.

Men även om sex sågs som något som var helt nödvändigt för den mentala och kroppsliga hälsan, så talades det ändå mycket om sexuell återhållsamhet under denna tid. Detta gällde särskilt för mannen; hans orgasm sades ha en given gräns som det var direkt farligt att överträda – de lärde grälade om den låg vid fem per natt eller två per månad. Vätska från hela kroppen, och då särskilt från hjärnan, sades gå åt till produktionen av sperma, och därför var det farligt med för många utlösningar. (I en handbok nämndes bland annat det rysliga fallet med en man som hade haft sex så ofta att hans hjärna krympt ihop till en knytnäves storlek.) Alltför mycket sex kunde leda till försämrad syn, klent minne och till och med förkortat liv.

Återhållsamhet var också av vikt då man trodde att barnets beskaffenhet till en ej obetydlig grad styrdes av föräldrarnas fysiska skick vid befruktningsögonblicket. Ett alltför idogt sänggående antogs kunna resultera i telningar som blev sjukliga, klumpiga eller till och med imbecilla. Kopulation skulle helst äga rum bara då båda parter var utvilade, nyktra och vid god vigör. De sakkunniga tillät inte heller vilka samlagspositioner som helst; bara sådana ställningar fick förekomma som a) befrämjade befruktningen och b) ej gick mannens ära förnär. Stående och sittande knull var mindre lämpliga av hänsyn till punkt a, och alla ställningar med kvinnan ovanpå avvisades med hänvisning till b. (Ett barn som blev till under ett samlag i den ställningen sades dessutom kunna bli vindögt eller till och med dvärg.)

När det gäller preventivmedel så fanns det kunskaper om flera olika tekniker under denna tid, men de verkar inte ha varit speciellt omfattande till sin natur eller särskilt allmänt spridda. (Bruket av preventivmedel ökade dock uppenbarligen bland de högre klasserna i Europa framemot slutet av århundradet.) *Coitus interruptus* fanns givetvis alltid som en möjlighet och var utan tvekan den vanligaste preventivtekniken, samt dessutom *coitus reservatus* – samlag utan att mannen når utlösning –, kombinerat med olika alternativa tekniker som analsex. (Det finns indikationer på att oralsex inte var så vanligt, sannolikt på grund av den bristande hygienen, inte minst genitalt.) Det fanns dessutom en stor arsenal av olika underkurer, drycker, örtdekokter, etcetera, men de hade sannolikt en mycket liten praktisk betydelse. Kondomer uppträdde först under slutet av 1600-talet, men de var svåra att få tag på och sågs inte främst som ett preventivmedel utan som ett skydd mot veneriska sjukdomar. (Det fanns ett ständigt hot från veneriska sjukdomar under denna tid, och det hotet kom från både gonorré och syfilis. Den sistnämnda sjukdomen hade varit epidemisk, snabb och dödlig till sin natur men var vid det här laget hejdad med hjälp av den farliga kvicksilverkuren.)

Fanns det då någon skillnad i sexuella vanor mellan olika klasser? Den engelske historikern Lawrence Stone menar att de lägre skikten i samhället var mer pryda och mindre uppfinningsrika än överklassen: mycken erotisk exotism som förekom inom överklassen var okänd bland vanligt folk, menar han. Frågan är om det verkligen stämmer. I vårt eget land på 1600-talet framställdes ofta bönderna av adeln som råa driftsvarelser som söp, slogs, spydde och bolade om vartannat. Adelsmannen däremot skildrades som den förfinade som behärskade sina låga passioner och lustar. Det finns risk för förvrängningar på båda håll: i England ingick det i den anti-rojalistiska retoriken att framställa kung och kavaljerer som erotiskt lössläppta (och därmed moraliskt klandervärda), i Sverige är det bönderna som får bära det ideologiska hundhuvudet. I det gamla Europa ingick olika typer av fult sexuellt förtal ofta i den politiska retorikens undervegetation. Det är talande att vid praktiskt taget samtliga fall av detroniseringar av regenter under den tidigmoderna epoken rymde kampanjerna mot dem moment av sexuell svartmålning: så var fallet både med den engelske kungen Karl I (dekapiterad 1649) och med den franske monarken Ludvig XVI (dekapiterad 1793). Vår egen Gustav IV Adolf – som slutade som en supig och förvirrad överste Gustafsson på värdshuset »Zum weissen Rössli« i S:t Gallen i Schweiz – var plågad av ryktena om Gustav III:s impotens och att hans egentlige far skall ha varit den väl utrustade hovstallmästaren Adolf Fredrik Munck; vad gällde honom själv var en hel del rykten i svang om hans märkliga sexuella aptit.

Den stora öppenheten till trots fanns det ändock ett stort sexuellt betryck under 1600-talet. Även om till exempel homosexualiteten inte var särskilt uppmärksammad och uppenbarligen inte sågs som något större problem, så fanns det ett mörkt arv från medeltiden, som på något dunkelt vis kopplade samman homosexualitet och kätteri. Homosexuella tycks alltid ha fått sitta emellan i tider av oro och förföljelse – de verkar vara en lagom svag och lagom avvikande grupp som det är lagom riskfritt att ge sig på; och en del av de offer som krävdes i all den hysteri som piskades upp runt häxjakterna var just homosexuella.

För övrigt så finns det forskare som tror att den moderna manliga homosexualiteten kommer till under denna epok, något som man intressant nog har velat koppla till kärleksäktenskapets genombrott. Detta ledde till att hustrurollen blev omformad: de känslomässiga och sexuella funktioner som tidigare i mycket varit älskarinnans göra, kom att alltmer bli en angelägenhet för den lagvigda makan. Den separata mansvärld som funnits tidigare försvann, vilket anses ha skapat förutsättningen för homosexualiteten som vi känner den i dag. Dessa förändringar får fullt genomslag först under 1700-talet. Tidigare kunde en man sätta på en annan man utan att någon för den skull satte hans manlighet i fråga eller tvivlade på vederbörandes intresse för kvinnor. (Detta var som allra mest utpräglat i det antika Grekland, där dessa sexuella kontakter nästan uteslutande skedde mellan äldre män och unga pojkar, och då som ett nästan rituellt spel som talade om social underkastelse och dominans. I Rom sågs sex med unga gossar som ett fullgott alternativ till samlag med vuxna kvinnor – det sistnämnda alternativet skrämde somliga då det ansågs kunna väcka okontrollerbara passioner.) I 1700-talets London stiger dock »Mollyn« fram, den flirtige man som tagit till sig det feminina sättet att röra sig och tala: en han-hon som bara var sexuellt intresserad av män.

Detta var något nytt.

Det fanns över huvud taget en väl utvecklad dubbelmoral som de flesta levde både efter och under. Mannen skulle gärna ha sexuella erfarenheter före äktenskapet, medan kvinnan helst skulle vara oskuld. Den äkte mannens små amorösa eskapader var i regel högst förlåtliga medan kvinnlig otrohet fördömdes med stor skärpa och iver. Ren fattigdom och olika typer av beroende fanns ofta med i bakgrunden då män tog sig älskarinnor – särskilt tjänarinnorna i hemmen var svårt utsatta för detta – och karlar i höga positioner kunde ibland kräva sexuella tjänster av de underlydandes fruar eller döttrar.

Det tvetydiga i 1600-talets sexualitet visar sig inte minst i synen på kvinnan. Kvinnan framställdes i många olika sammanhang som en i hög grad könslig varelse, vars drifter ofta var starkare än mannens. Både i den lärda världen och i den folkliga kulturen talade man gärna om kvinnans omättliga lust, och många menade också att kvinnor var mer sexuellt krävande och kunniga än män. (I dessa sammanhang underlät man inte att påpeka att kvinnan i motsats till mannen var kapabel till upprepade orgasmer: en kvinna kunde ju avverka en hel rad män innan hon var helt tillfredsställd.) Den kvinnliga sexuella njutningen sågs som något av en självklarhet. I Georg Stiernhielms lilla dikt »En allvarsam gåta, ställd till alle vackre damer« är kvinnan högst aktiv: det är hon som för sin egen tillfredsställelses skull tar initiativet till samlaget, och det är hon som för det till sin fullbordan.

När som mig kommer an en lust at jag vill leka
så går jag till min vän, min fröjd och tidsfördriv;
jag fattar'n om sin hals och trycker'n till mitt liv.
Jag gripern på sin snarr: Ho vill mig det förneka;
jag drager'n upp och ned; jag tager'n på sin kvicka;
jag gnider'n av och till, till dess han riktig står;

sen ställer jag min vän emellan ben och lår.
Och börjar så en lek, som bäst sig månde skicka.
Jag fingrar'n, fiddlar'n till mins hjärtans lust och fröjd;
jag går'n upp och ned, till dess jag är förnöjd.

Gifta män hade en äktenskaplig plikt att tillfredsställa sin hustru,
en plikt som inte sällan skildrades som en belastning: unga fruar
kunde anklagas för att trötta ut sina män i sängen. En mycket
målande bild av den kättjefyllda, krävande kvinnan står att finna
i dikten »Bröllops besvärs ihugkommelse« – ett anonymt verk
från århundradets senare hälft. Där beskrivs hur den nygifte Pär
Ersson, slak och utmattad av dagens plikter i »ämbet och hus-
håll«, beger sig hem för att sova:

Ville där han i sängena söt, sitt stora bekymmer
glömma och ligga i ro, förstärka de kraftlösa lemmar
kommer då hustrun i fläng, som gick hela dagen i vällust,
med sin vitblöta kropp, upptänd, upphetsad till älskog,
lägger sig hos sin man, som låg i sötaste sömnen,
med sin köttrika kropp, att bräden i sängena knarka.
Antingen är hon kall om lår som liket i graven,
eller är hon fullstinn, skum-sjudande, pustande, droppögd,
eller och är hon vred och svärjer i tusende former,
putlar och ramlar i säng så länge som halsen han orkar,
mannen tänker, han är då vaknad i helvetes förhus,
tvivlar om han får se med liv den signade dagen,
eller är hon både vänlig och from, med mysande munne,
lägger sig hos sin man, ler, kittlar, klappar och kysser -
Fattig Pär Ersson, han måste däran, han vill eller intet.

Den starka kvinnliga sexualiteten förklarades till en del som ett
rent biologiskt faktum; den länkades samman med den mänsk-
liga reproduktionen. Under 1600-talet färgades föreställningar-

na om livets uppkomst i mångt och mycket av Galenos teorier, som sade att det fanns både en kvinnlig och en manlig spermie. Och i motsats till gamle Aristoteles propåer – som dominerat under 1500-talet – gavs kvinnan av dem därför en aktiv roll i befruktningen: även hennes säd behövdes om ett barn skulle bli till. Det fanns också en vitt spridd föreställning om att kvinnans orgasm var nödvändig för befruktningen. Orgasmen behövdes enligt vissa för att kvinnan skulle ge ifrån sig sin säd, andra menade att den fick livmodern att öppna sig för mannens sperma. (Intressant nog tillät den franska katolska kyrkan under 1600-talet just av dessa skäl kvinnlig onani, förutsatt att den ägde rum antingen strax före samlaget eller i de fall mannen fick orgasm men kvinnan själv blev utan.) En fransk läkare vid namn Venette ansåg att livmodern hade en nära nog omättlig hunger efter manlig säd: utan mannens sperma skulle den ymnigt framflödande kvinnliga säden bara samlas upp och börja ruttna, något som till sist skulle driva kvinnan från vettet.

Kvinnan framställdes alltså vid denna tid som lustfylld av naturen, och det hade man gjort sedan medeltiden. Kvinnan blev i och med detta också farlig, en hotfull fresterska – ännu under medeltiden avbildades ju ormen i paradiset med kvinnligt ansikte och bröst. En spegling av dessa idéer om kvinnan och hennes farliga kön står att finna i tidens olika föreställningar om menstruationen. Under mensen sades giftiga ångor utgå från kvinnan – detta var orsaken till smärtor och olika mensstörningar. Dessa giftiga ångor gjorde en menstruerande kvinna farlig. En teori sade att de giftiga ångorna kunde kanaliseras ut genom ögat och att kvinnans blick kunde missfärga en spegel. En annan teori hävdade att om en menstruerande kvinna stoppade ned sitt hår i kodynga och höll det där nog länge skulle håret förvandlas till giftormar.

1600-talets kvinna var utsatt för ett hårt förtryck, hon sågs som en andra klassens människa och en tredje klassens medborgare. (Det är intressant att notera att från denna tid börjar dogmerna om kvinnans underlägsenhet i allt högre grad stöttas upp med mer eller mindre skruvade hänvisningar till naturen, och i en allt mindre utsträckning med olika teologiska sakskäl.) Denna märkliga tvetydighet, att kvinnan var både underlägsen och farlig, fick sitt allra mest otäcka uttryck i häxförföljelserna. Vissa moment i dessa händelser går utan tvekan att tolka som en attack mot den starka och vilda kvinnliga sexualiteten och som ett försök att tämja könslivet.

Häxjägarhandboken framför alla andra, *Häxhammaren*, sade det mycket klart: »Allt häxeri kommer från köttslig lust, i vilket kvinnor är omättliga.« Bilden av den kättjefyllda kvinnan var en viktig del av häxförföljelsernas ideologiska bas och psykologiska förutsättning. Kvinnans starka sexualitet vändes här mot henne, olika sexuella fantasier som kvinnor närde kom att diaboliseras och förvridas till svarta anklagelser. Detta angrepp mot den kvinnliga sexualiteten var bara ett moment i den långa utveckling som enligt Michel Foucault ledde till att barnets kön kom att pedagogiseras, avlandet socialiseras, avvikelserna psykiatriseras och kvinnokroppen hysteriseras. Detta angrepp mot den starka kvinnliga sexualiteten skulle komma att triumfera framemot 1800-talet, då kvinnan – i bjärt kontrast till 1600-talet – kom att framställas som en i grund asexuell varelse, vars lust blivit till en rubbning, en sjuka.

Jan Steens tavla med flickan och ostronen visar sig ha ännu en botten. Den är både en skildring av en måltid och en erotisk bild. Men under denna sexuella flirt i olja går det att ana en tredje bild, bilden av 1600-talets kvinna, den lustfyllda, den farliga.

Den viktorianska sexualiteten

DEN 17 JUNI 1876 steg överste Valentine Baker ombord på ett tåg som skulle föra honom från den lilla orten Liphook i Sussex till London, en resa på några timmar som fullständigt skulle rasera hans liv. Hans enda sällskap i förstaklasskupén var en ung dam på några och tjugo år, miss Dickinson. De två började att tala om ditt och datt. Konversationen löpte lätt och när tåget passerade Woking hade den gode översten – som var veteran från krig både i Afrika och i Europa och alltså ingen lättskrämd herre – arbetat upp nog med mod för att våga lägga sin arm runt miss Dickinsons midja och ge henne en kyss. Det skulle han aldrig ha gjort. Miss Dickinson bröt sig fri. Hon drog i nödbromsen. Inget hände. (Den visade sig senare vara trasig.)

När de första passagerarvagnarna för tåg byggdes kom de att få en form som nästan var·identisk med de hästdragna diligenser som då trafikerade Europas vägar. Detta betydde bland annat att det länge inte fanns korridorer i dessa vagnar: varje kupé var en egen liten avdelning som bara kunde nås från utsidan. Den unga damen, som uppenbarligen var helt skräckslagen, hade i sina egna ögon inget annat val än att öppna dörren till kupén. Vagnens utsida hade en liten avsats. På den vinglade hon ut. Där blev hon strax hängande i fartvinden, frenetiskt skrikande på hjälp, medan översten gjorde vad han kunde för att hindra att hon föll av. Efter en stund hejdades tåget av en person som sett miss Dickinson dingla förbi.

Under resten av resan åtföljdes miss Dickinson av en präst, alltmedan två andra herrar noga vaktade överste Baker. Affären sände en.skakning av skräck genom hela England. Den blev till och med uppmärksammad i parlamentet, där någon upprört beskrev det skedda som »ett av de mest skandalösa och skändliga brott som någonsin begåtts«. Det hjälpte inte att översten bad om ursäkt på alla upptänkliga vis, saken måste gå till domstol. Under rättegången mullrade domaren över Bakers grava brott: han hade faktiskt kysst en ung ogift kvinna utan hennes tillåtelse. Straffet blev också hårt: förutom att han skulle betala rättegångskostnaderna och böter på 500 pund dömdes Baker till ett år i fängelse. Men för vissa var detta icke hårt nog. Drottning Victoria var som vanligt inte road och såg därför till att Baker även blev avskedad ur armén. Översten var i och med detta helt skandaliserad. Efter att ha avtjänat sitt straff tvingades han att lämna landet och söka en något mer tolerant arbetsgivare, vilket han också fann i den turkiske sultanen, i vars tjänst han dog 1887. Det var inte vidare snyggt av överste Valentine Baker att kyssa den unga miss Dickinson utan lov. Straffet för denna överträdelse visar dock på en total brist på sinne för proportioner som är typisk för denna tid.

Det som gjorde fallet så laddat var givetvis dess dolda sexuella undertoner. Det är svårt att finna någon historisk epok så avsexualiserad och på samma gång så fullkomligt besatt av sex som den viktorianska. Sex var ingenstans och överallt. Det var inte bara en man som kysste en flicka vid fel tillfälle som kunde råka illa ut. En sockerbagare som sålde kakor med en lätt opassande form kunde strax finna sig finkad av polisen. För anständighetens krav styrde allt från stort till smått. Vid ordnandet av sin bokhylla skulle man helst akta sig för att ställa ett verk av en manlig författare invid ett verk av en kvinnlig dito – försåvitt inte de båda var gifta med varandra förstås; och ben på pianon och flyglar borde lämpligen döljas med specialsydda små kjolar. Språket blev till ett sannskyldigt minfält, där allt som kunde ge fula associationer noga måste undvikas eller oskadliggöras med omskrivningar eller tysta pauser. Konsten blev renad på samma vis. Små grå herrar med mittbena och pincené satt och kammade igenom Shakespeare, bytte ut fantasieggande ord som »resning« och skrev i rusigt nit om vad de tyckte var otäcka partier.

Det stora felet i det viktorianska tänkandet – ett fel som förföljer oss än i dag – var tron på att det fanns en sexuell norm, alltså ett slags erotisk motsvarighet till riksmetern, som kunde brukas till att dela upp aktiviteter i »normala« och »onormala«. Det som gjorde detta än mer vansinnigt var att man då inte heller såg normalitet som en genomsnittlighet; normen var snarare något som man med möda skulle sträva efter. Sexualiteten var ett djuriskt ont som möjligen måste genomlidas men alls icke avnjutas och som därför skulle tuktas, kuvas och gömmas undan. Olika auktoriteter som präster och läkare byggde upp nya, mer eller mindre godtyckligt satta gränser, fann på märkliga regler och satte ihop sexuella »problem« som genast ropade på sin »lösning«. En moralisk panik piskades upp runt en företeelse som onani, som förr bara mötts med förströdd uppmärksamhet. Små kyskhetsbälten för barn fanns att köpa, och det förekom även att man skar bort klitoris på masturberande flickor och kurerade stygga små gossar med omskärelser som var avsiktligt smärtsamma. Som Karin Johannisson visat i *Medicinens öga* blev anti-onanismen framemot slutet av 1800-talet »till en hel vetenskaplig industri«.

Hela det könsliga fältet laddades med skam och fyllde människorna med en ny ångest. Ta en sådan som Florence Nightingale, en av de »eminenta viktorianerna«. Dolda lesbiska böjelser, ett starkt erotiskt drömliv – detta var en tid då drömmande över huvud taget sågs som osunt, varför våta drömmar var något dubbelt fult – och olika masturbatoriska övningar fyllde henne med hemska kval, vilket går att se i hennes dagbok.

Det som säkerligen ökade hennes bävan var det faktum att hon var en kvinna och att hon som sådan förväntades vara ren från sexualitetens befläckelse. I skarp motsats till exempelvis 1600-talet framställdes 1800-talets kvinna som en i grund och botten asexuell varelse. Den kvinnliga lusten blev under denna epok till en sjuka. Vissa läkare hävdade att om kvinnor gav sig hän åt sex kunde detta ända med cancer i livmodern. Andra hotade med galenskap: dårhusen sades vara fulla med sådana njutande stackare, vilka låstes in med hjälp av olika fantasifulla och på skruvar satta diagnoser som nymfomani, andromani och clitorimani.

Ännu en del i den ideologiska apparat som brukades till att trycka ned den kvinnliga sexualiteten var det hövisk-romantiska kärleksidealet. Man skulle sträva efter den klara och rena kärleken, befriad från alla låga – läs: könsliga – belastningar (där exempelvis sådant som hångel i tågkupéer givetvis var en otänkbarhet). Det ideala äktenskapet beskrevs som kyskt och passionslöst, och den renaste av de rena, kvinnan, placerades högst upp på denna könlöshetens vackra men kalla pelare av kristall. Skyar med kysstäck poetik kunde dock inte riktigt dölja det faktum att den dyrkade figuren uppe på piedestalen var en andra klassens medborgare, makens enkla bihang, som ofta fick slåss som en furie för rätten att gå ut ensam i staden eller för att ens få en egen nyckel till porten.

Se bara på krinolinen, den klockformade kjol som har blivit något av ett emblem för denna epok. Det var ett plagg som man med hjälp av ovanliga doser skräddarfantasi fått att bli både vansinnigt opraktiskt och idiotiskt komplicerat på samma gång (det har också beskrivits som »maskinålderns första stora triumf«, detta att man vid konstruktionen av ett kvinnligt plagg gjorde bruk av alla de principer för ingenjörskonst som hittills använts vid byggen av sådant som stålbroar och palats). När man iklädde en kvinna ett dylikt monstrum i tyg och stålfjädersringar – som gjorde en så enkel sak som att sitta ned till ett smärre företag och urinerande till en mardröm – var det ett sätt att ytterligare markera att hon avskilts från det aktiva livet.

En annan viktig symbol för kvinnans underkastelse var korsetten, detta hårt snörda bisarreri som enligt Ronald Pearsall hade både en sociologisk och en filosofisk innebörd. Den höll kvinnan på plats, detta i ordets både bildliga och bokstavliga bemärkelse. Alla skulle bära korsett, även små flickor, och helst skulle man även ha den på sig i sängen (»medför inga vedermödor förutom något enstaka svimningsanfall« meddelade en tidning för kvinnor glatt). Det är förresten rätt märkligt hur stor del av vår egen tids erotiska tecken som spårar sitt ursprung till denna epok: korseletten och stövlarna, strumporna och höfthållaren, etcetera, är alla högst viktorianska utensilier. Vad betyder det? Intressant nog har deras betydelse kommit att bli en annan genom åren: när man förr behöll dessa olika plagg på under akten var det inte med avsikten att egga, snarare tvärtom. Att klä av sig helt och hållet för att ha samlag syns ha varit det allra yppersta av skamlöshet under 1800-talet: att behålla några plagg på var då en vacker anständighetsgest.

Men allt detta, den ytterligt stränga moralen och det programmatiska avkönandet av allt från småkakor till kvinnor ledde till att sexualiteten drevs under ytan. Vissa, som miss Nightingale, klarade av att vända sin blockerade sexuella energi till ett rastlöst arbete med sjukvårdens reformering, andra överklasskvinnor förlorade sig i akvarellmålning, broderi och pianospel. Men hos många andra tog sig dock sexualiteten olika förbjudna former.

Ronald Pearsall skriver i sin roande bok *The Worm in the Bud*, att om man skrapar på vilken respektabel viktorian som helst, så kommer det under den glatta men ack så tunna skorpan av

respektabilitet att lysa fram något fult och smutsigt. Allt tyder
på att han har rätt. För på samma gång som de snörpmynta vik-
torianerna talade sig röda om kinderna för sedlighet och sydde
små kjolar för pianoben kokade deras värld av prostitution, porr
och perversioner.

Enbart i London skall det under en period ha funnits omkring
100 000 fnask – detta på en befolkning av 2 360 000 – och uppåt
2 000 bordeller och »vanryktade hus«. Hororna fanns överallt,
på gatorna, torgen och i parkerna; vissa annonserade med hjälp
av sandwich-män som gick fram och tillbaka på Bond Street;
andra fanns kortfattat recenserade i särskilda små handböcker,
där den hugade också fann deras namn, adress och pris; det fanns
även speciella klubbar där man kunde se striptease som gick un-
der namnet »Poses Plastiques«. Även om det fanns en liten över-
klass bland hororna som levde gott och tjänade stora pengar, var
de allra flesta eländiga existenser som kanske kunde räkna med
fyra år på gatan innan det hårda livet gjort kål på henne eller i
bästa fall på hennes utseende. De utgjorde sammantaget ett väl-
digt socialt problem. Typiskt för tiden är att medan man arbeta-
de upp sig i armviftande ursinne över en kyss i en tågkupé så
ställde man sig nästan helt blind för prostitutionens träsk; det
fanns ett slags hemligt samförstånd att aldrig tala om bordell-
erna, att aldrig låtsas se de många hororna. Dock byggde den
institutionaliserade dubbelmoralen och avsexualiseringen av
kvinnan på att de fanns.

Det förekom även en utbredd sexhandel med barn. Bara i Li-
verpool beräknade man ett tag att det fanns 500 prostituerade
som var under 13 års ålder. Oskulder var särskilt eftertraktade,
bland annat för att vissa trodde att man kunde bota sin syfilis
genom att ha samlag med en ej deflorerad kvinna, som alltså
gick att få för en så där 20 pund.

Det fanns över huvud taget ett märkligt stort intresse för små
flickor och unga kvinnor under denna tid, ett intresse som

många män med en viss ansträngning lyckades hålla inom den offentliga moralens alla råmärken. Den kanske mest berömda av seklets alla krypto-pederaster var Lewis Carroll, som tyckte om att ta kort av små flickor i mer eller mindre avklätt tillstånd. Alice i *Alice i underlandet* var modellerad efter en av hans förälskelser, som han karaktäristiskt nog tappade intresset för när hon kom i puberteten.

Denna besatthet är mycket talande. En platonisk kärlek till en liten fröken i fräknar var ett alternativ för de många män som inte klarade av att upprätta ett sunt förhållande till de vuxna avsexualiserade kvinnorna som stod där uppe på piedestalen. Mycket av det man sade sig söka hos den vuxna kvinnan, som renhet, fanns ju dessutom i övermått hos tioåringen; hennes brist på intellektuell mognad var ingen större brist, då detta inte heller var något man värdesatte i någon högre grad hos en vuxen kvinna.

En annan av tidens underjordiska laster var sadomasochismen. Den manliga elit som gick igenom public school-systemet präglades ofta starkt av dess unkna atmosfär av rituella upprumpningar och dold homosexualitet. Män som dr Wool, rektor för skolan i Rugby – vars personliga rekord var 38 pojkar piskade på 15 minuter blankt – formade generationer av unga män, varav många kom att utveckla smak för risets esoteriska nöjen. Det fanns också särskilda horhus för dem som var sugna på lite pisk. En berömd bordellmamma vid namn Theresa Berkley drev ett dylikt etablissemang, där man kunde bli »birched, whipped, fustigated, scourged, needle-picked, half-hung, holly-brushed, furze-brushed, butcher-brushed, sting-nettled, curry-combed, phlebotomized« (som det står i en av hennes egna annonser). Mrs Berkley gjorde sig också en förmögenhet i branschen, bland annat genom att uppfinna historiens första piskningsmaskin. Den sadomasochistiska litteraturen var ymnig: det fanns till exempel en hel subgenre av flagellering på vers som kallades »Whippiads« och det skrevs till och med en komisk opera i ämnet.

1800-talet var den epok då pornografin – enligt kännaren Steven Marcus i regel dyr, repetitiv, trist och sprängfylld av clichéer – svämmade över alla bräddar. Som ett exempel på pornografi från denna tid kan nämnas *Gamiani – Kvinnokärlek eller en orgie i två nätter* från 1830-talet, enligt uppgift skriven av Alfred de Musset, en av de mest kända franska romantikerna. Verket har ett visst intresse utöver det rent skabrösa. Det har nämligen gjorts gällande att bokens huvudperson, den erotiskt besatta tribaden grevinnan Gamiani, skall vara ett porträtt av författarinnan George Sand. Gamiani sägs vara en smädeskrift riktad mot Sand, skriven av en sur de Musset efter det att hon övergivit honom – Sands entusiasm för monogamin var nämligen högst behärskad: hon bytte ofta älskare och samlade också på berömda karlar; i hennes icke föraktliga samling ingick även Chopin och Liszt.

Bokens handling är, som alltid i den här typen av litteratur, skäligen enkel. Berättaren är Alcide, baron de M***, som hamnar på bal hos den firade grevinnan Gamiani. På natten gömmer han sig nyfiken i hennes sängkammare och blir då åsyna vittne till hur hon förför den femtonåriga Fanny. Han fylls med avsky och förakt för den liderliga grevinnan, men köttet tar tyvärr överhanden och Alcide kastar sig med liv och lust in i de två kvinnornas erotiska piruetterande. Resten av natten sitter de och berättar små pikanta historier ur sina tidigare liv, stundtals avbrutna av olika mer eller mindre ömma övningar. På morgonen flyr Alcide och Fanny tillsammans ur huset, där grevinnan ligger avdomnad, »otuktigt utsträckt i det oordnade rummet«. Erfarenheterna från denna enda natt har dock satt djupa spår hos den lilla Fanny, som mot sin vilja dras till Gamiani. Grevinnan kommer så på visit och schemat från bokens första del upprepas: Alcide spionerar, kvinnorna älskar på nytt, berättar nya historier, etcetera. Det hela slutar dock högst sorgligt då grevinnan – som ett led i ett något dunkelt erotiskt experiment – förgiftar både Fanny och sig själv, varvid båda avlider (grevinnan »ursinnig av lusta och av smärta«).

Gamiani är på många sätt typisk 1800-talspornografi. Där finns tidelag, där finns den obligatoriska flagellationen – »... utan blygsel blottade hon sig, föll på knä och spärrade ut låren mot gisslet«. Där finns få hänvisningar till omvärlden, allt utspelas i ett slags tomrum där inget förutom det sexuella har någon existens, där en möbel eller en matta bara finns med i sin egenskap av erotisk rekvisita. Där finns också det speciella tidsbegreppet: den pornografiska tiden är, som Marcus har påpekat, bara en matematisk abstraktion som mäts i det antal sexuella hopkopplingar man lyckas att ställa till med. Där finns givetvis penisen, denna den viktorianska manlighetens bazooka, alltid kolossal och mer ett verktyg för bestraffning av stygga flickor än ett instrument för njutning – »... mot mina lår slog någonting varmt och styvt, jag visste inte vad, det gled längre in och trängde plötsligt in i mig. I detta ögonblick trodde jag att min kropp skulle klyvas i två stycken. Jag utstötte ett skri av förfäran«. Där finns också den typiska antiklerikala färgningen. Romanens olika busar och slemma förförare är nästan utan undantag religiöst anstuckna, och berättelsen är rikt tryfferad med potenta munkar och kåta nunnor. Som ung blev Gamiani bland annat våldtagen av ett tjugotal munkar, »vilda som kannibaler«; hennes lesbiska böjelser har en gång väckts av en allt annat än from abbedissa, vilken inlett sin sexuella bana som tolvåring genom att kopulera med en orangutang och som i boken utför det akrobatiska konsttycket att bestiga en hängd mans stånd. (Den sistnämnda episoden slutar dock en aning snopet: kedjan som håller mannen uppe brister, hela ekipaget åker med ett brak i golvet, varvid abbedissan bryter benet och den till synes döde snabbt kvicknar till igen. Så kan det gå.)

Vissa drag i 1800-talets sexualsyn återfinns också i *Gamiani*, om än i skrattspegelns form. Dels finns där skräcken för onanin, som beskrivs som det som »slutgiltigt fördärvade« den eländiga grevinnan. Dels finns där myten om den asexuella kvinnan, vilket kan verka paradoxalt. Det som dock gör grevinnan så avskyvärd är just hennes sexuella kraft. Den unga Fanny blir också fördärvad av mötet med den orena sexualiteten – »hennes friskhet, hennes grace, hennes ungdom – allt detta hade nattens orgier besudlat, smutsat och släpat i dyn«. Men en kvinna som ger sig hän är förlorad, och därför måste både Gamiani och Fanny dö.

Nå – förutom floden av osedliga romaner, porrmagasin och erotiska verser fanns det också en myckenhet med kvasi-, pseudo- och krypto-pornografi. Somt gick under amatörvetenskapens täckmantel: det fanns gott om lärda herrar som tog alla anledningar till att publicera bukiga volymer fulla med mer eller mindre avklädda damer. Somt seglade under mytologins falska flagg: nu lyckligt glömda storheter som Leighton, Watts och Alma-Tadema gjorde både karriär och pengar på tavlor med mytisk-historiska motiv som nu mest framträder som ovanligt dyra och tillkrånglade masturbationsmotiv i olja.

Sanningen är den att om man bara noga följde den offentliga moralens intrikata etikett så var det få sexuella aktiviteter som en respektabel gentleman i medelklassen inte kunde hänge sig åt. Intressant nog verkar just den berömda dubbelmoralen i många fall ha fungerat som ett slags skydd för de transvestiter, sadomasochister och homosexuella som visste att »sköta det snyggt«. De som gick till det viktorianska Londons olika homosexuella bordeller och klubbar var visst en jagad minoritet; den allra mest hysteriska homofobin är dock, som Richard Davenport-Hines visat, en skapelse av senare märke.

Hur skall vi då förklara den viktorianska sexualitetens alla mörka paradoxer? Den våg av sexuellt förtryck som inleddes kring 1770 och nådde sin höjdpunkt på 1860-talet kom av allt att döma ur en känsla av social och politisk kris, en känsla som bara blev än mer akut i och med omvälvningarna 1789 och 1848 och i och med det otäcka proletariatets otäcka tillväxt. Den stränga moralen skall ses som en del i ett större projekt som syftade till att markera gränser i samhället och hålla de lägre klasserna på plats.

Det gäller också att komma ihåg att när vi talar om viktorianerna så talar vi främst om medelklassen. (Aristokratin och arbetarklassen var till en början nästan helt oberörda av deras pryda propåer; när man senare bland arbetarna började ta åt sig av denna moral, var det som ett led i deras försök att vinna respektabilitet och politisk vikt.) Den stränga sexualmoralen var på sätt och vis en direkt spegling av deras traditionella etos. Sådant som sparsamhet och blygsamma vanor hade översatts till kroppsliga termer och blivit till sexuell asketism och strikt självkontroll: viktorianismen var alltså en i grund ekonomisk etik som löpt amok på det personliga planet. Den viktorianska dubbelheten, med ett snyggt och rent pryderi hårt spänt över en underjord av fula och skrämmande lustar, är också till del en bild av samhället självt. Viktorianerna själva ville gärna tro att de levde i en industriell guldålder, medan de egentligen hade sin trygga och rena varelse ovanom den formliga avgrund av exploatering, smuts och brutal intighet som skapats av den tidiga kapitalismen.

Tre älskares bekännelser

DET ÄR SVÅRT att tänka sig en text utan en läsare, ett opus som skrivs för att ses av ingen annan än skribenten själv. Det finns dock en typ av verk som möjligen hör hemma i denna rara art av litteratur. Det är de hemliga dagböckerna och då i synnerhet de som rymmer en myckenhet med detaljer om skribentens allra mest intima könsliv. Hur skall vi i så fall förklara det? Kanske är det en särskilt manlig genre? Alla män skriver listor över sina erövringar, sägs det, och månne är den här typen av sexuellt explicita diarier en mer elaborerad variant av detta. Men det handlar nog om mer än bara manlig fåfänga (vilken som bekant är större än den kvinnliga dito, även om den understundom tar sig mer subtila och dolda former). Skrivandet verkar i dessa fall också ha varit ett sätt att dröja kvar vid olika erfarenheter, ett sätt att åter genomleva dem, igen och igen, i det oändliga. Den vanliga dagboken kan ses som ett försök att hejda tiden – dess funktion som trotsare av förgängligheten har i dag alltmer övertagits av fotografiet. Den erotiska dagboken är ett specialfall, nämligen en bank av samlade fantasier som man hela tiden kan vända åter till. Det finns nämligen en lite sorgsen paradox inbyggd i den manliga sexualiteten: på samma gång som en man hela tiden jagar fullbordan och förlösning är han också livrädd för densamma, just därför att detta står för ett slut på något han aldrig vill skall upphöra. I minnet finns den möjlighet till ständig och stadig upprepning som saknas i det verkliga livet – detta är förresten sannolikt en del av förklaringen till att pornografi skapad av män i regel är så enahanda och tjatig och därför också helt omöjlig som konst. Eller som Jacques de Seingalt – mer känd som Giacomo Casanova – skriver i början av sin kända och högst läsvärda självbiografi: »Vad de utomstående beträffar, kan jag inte hindra dem från att läsa mig, men det räcker för mig att veta att det inte är för dem som jag skriver. När jag minns alla de nöjen jag har haft, förnyar jag dem, jag upplever dem på nytt.«

Men oavsett vad syftet varit med dessa lönnliga journaler så är de helt ovärderliga för historikerna. Med hjälp av dem blir det nämligen möjligt att kasta en stråle av ljus över den del av förflutenhetens landskap där mörkret ligger som allra tätast. Kanske gör bristen på källmaterial det omöjligt att skriva Sexualitetens historia, möjligen måste vi nöja oss med att skriva sexualiteternas. Men låt oss ställa några av dessa minnesanteckningar invid varandra och se vad de har att säga oss om könsliv, moral och omoral genom tiderna. För att något underlätta en dylik jämförelse har jag valt tre dagböcker som alla är skrivna av män hemhöriga på de brittiska öarna, en från 1600-talet, en från 1700-talet och en från 1800-talet.

Den förste av våra hemliga journalskrivare är Samuel Pepys, född 1633, en duglig, energisk och lätt pompös karl som gjorde god karriär som ämbetsman i den engelska flottans tjänst. Psykoanalytiskt lagda skulle nog kalla honom för en anal karaktär: punktlig, gniden och strängt upptagen med att bringa ordning och reda i allt var han urtypen för en modern byråkrat. Under åren 1660–69 förde han en utförlig dagbok. Den var aldrig avsedd att läsas av någon annan än honom själv och skrevs på en mycket svårtydd stenografi – hans högst personliga upplaga av det så kallade Sheltonsystemet. (Pepys hör alltså inte till dem som sålt sitt psyke och sina lortiga kalsonger för att få lite uppmärksamhet.) När texten oblygt dechiffrerades i början av

1800-talet av en pastor John Smith var det givetvis ett nidings-dåd, men ett gott sådant som gav världen ett unikt historiskt dokument.

I dagboken skildras med säker hand ett England där revolution går över i restauration, kungen vänder åter, Cromwells ruttna kropp grävs upp och sätts i galgen, luften fylls av kanondån från anfallande holländska skepp och ett pesthärjat London går upp i rök. På ett storslaget enkelt vis förenas det privata och det allmänna och allt bärs upp av Pepys klara, lite kubistiska prosa och hans skarpa blick. Dagboken är rik på goda detaljer, och det är nog det som gör den så levande. Som till exempel då han den 5 maj 1668 på teatern noterade hur kungens älskarinna lady Castlemaine bad en kammarjungfru »att få en liten musch från hennes ansikte, och förde den till munnen och slickade på den och satte den sedan på sig själv, invid munnen, antagligen kände hon att hon höll på att få en finne där«. Eller då han under den stora branden den 2 september 1666 såg »att de eländiga duvorna ej ville lämna sina hus utan svävade kring fönstren och balkongerna, till dess att vissa av dem fick sina vingar brända och föll ned«. Dessa minnesanteckningar är en utsökt läsupplevelse.

I dagboken möter oss också den private Pepys. Sådant som annars är ytterligt svårt att få sikte på i historiska källor ligger här i öppen dager. Där finns noggranna anteckningar om vad han äter och vad han bär för kläder, musik han spelar och teaterstycken han ser; där beskrivs de egna lössen, fruns håravfall och hur han vaknar upp kall och nedspydd efter en ovanligt grundlig fylla; olika kroppsliga krämpor och hygieniska vanor redovisas också. För Pepys visar med en förödande uppriktighet fram allt: mutorna och fifflet på kontoret, sin feghet och fåfänga, sitt dåliga humör och sina attacker av svartsjuka, sina fobier och drömmar.

Läsaren får även ta del av hans erotiska liv och sexuella dagdrömmar. (Detta har alltid gett olika utgivare huvudvärk. De har generat mumlat om sjukdom och tidens oskick och sedan bryskt strukit olika partier som bedömts som otryckbara. Det är bara några år sedan som det kom ut en första fullständig upplaga i England. Den som sist gav ut en förkortad populär utgåva av Pepys dagbok, Robert Latham, lyckades också utan att darra på manschetten stryka nästan alla »känsliga« partier.) Pepys fantiserade livligt om andra kvinnor, och i dagboken noterar han med byråkratiskt nit var gång han runkar. Det händer också att han köper pornografiska verk som han onanerar sig igenom, varefter han raskt bränner dem. Det intima samlivet med hustrun Elizabeth lämnade periodvis en del övrigt att önska och frestelsen att vara henne otrogen kunde han inte motstå knappt en enda gång. Paniskt rädd för veneriska sjukdomar undvek han dock nästan all kontakt med horor. (Dagboken ger vid handen att kondomen vid denna tid var rätt okänd: man kände uppenbarligen inte till något enkelt sätt att skydda sig mot könssjukdomar och oönskade graviditeter.) I dagboken är det istället ett evinnerligt kladdande på tjänsteflickorna, han raggar ivrigt i kyrkan och följer efter okända kvinnor på gatan. Ibland får man ta del av scener som målar upp 1600-talskvinnornas sexuella betryck i hjärtskärande detaljer. Han aktar sig inte ens för att med lock och pock söka få olika underlydandes fruar och döttrar på rygg. Just det sistnämnda lyckades han med i en häpnadsväckande grad. Det var tveklöst så att vissa karlar medvetet tillät sina fruar inleda förhållanden med den kärlekskranke Pepys, enbart för att själva kunna utvinna olika karriärmässiga fördelar. Han såg inte särskilt bra ut: ovalt ansikte, lång näsa, fyllig mun och en lätt skelande blick. Under drygt tio år lyckades han ändock förföra ett femtiotal kvinnor. Flera av dem var i någon mån beroende av honom. Där var det utan tvekan frågan om ett rätt cyniskt utnyttjande. Andra var unga kvinnor han fann på olika krogar, fruns väninnor, affärsbekantas äkta hälfter och en och annan brådmogen och fnissande granndotter.

Detta till trots är det ändå svårt att inte fatta en viss medkänsla för honom. Han syns ha varit en öm och omtänksam älskare som hade lätt för att väcka gensvar hos de kvinnor han närmade sig. För honom var den kvinnliga lusten en självklarhet man måste respektera. Hans drift hade också få drag av öppen aggressivitet. Bäst av allt tyckte han om långa, utdragna möten med kyss och smek som inte med nödvändighet behövde mynna ut i samlag. (Avspeglar detta månne ett äldre sexuellt umgängesmönster i ett Europa där få goda preventivmedel stod att uppbringa?) Pepys är också rörande i all sin alltför mänskliga skröplighet. Gång på gång drabbas han av ruelse där han sitter på krogen eller vaknar upp i fel säng; gång på gång lovar han sig själv snar bot och bättring, men han är alltför sensuell och alltför karaktärssvag, och gång på gång misslyckas han med sina föresatser. Vid ett tillfälle ertappar hustrun honom. Han har tagit för vana att leka med tjänarinnornas bröst när de klär honom på mornarna eller löskar hans hår. En kväll efter aftonmålet kammade fruns unga sällskapsdam, Deb Willet, honom. Detta »orsakade den största sorg som jag nånsin känt i denna värld; för min fru, som kom upp utan förvarning, fann mig omfamnande flickan, med min hand under hennes klänning; och sannerligen, jag hade mina fingrar i hennes mus«. Detta ledde till en formlig storm av vrede och ursinne från den svartsjuka hustrun och Pepys ryggade snopen åter till den smala vägen.

Maj 1669, drygt ett halvår efter denna incident, slutar dagboken. Pepys syn sviktade och för att inte överanstränga ögonen slutade han föra sina dagliga anteckningar. Samma år dog till hans stora sorg Elizabeth. Pepys fortsatte dock att göra sin karriär, valdes bland annat in i parlamentet och dog slutligen 1703 som en frejdad man, väl belamrad med äretitlar och lovord för sitt intresse för vetenskap och litteratur.

Dagbokskrivare nummer två är James Boswell. Han föddes i Skottland 1740 som son till en lantjunkare. Numera är han mest känd som den berömde litteratören Samuel Johnsons följeslagare och levnadstecknare; hans *Samuel Johnsons liv* är med rätta känd som en alldeles strålande biografi. Hans porträtt visar upp en svartmuskig och lite fetlagd karl med runt ansikte, låg panna och utskjutande näsa. Boswell var glad, klipsk och ärlig, men melankoliskt lagd och mycket rädd för döden, starkt egoistisk och jagcentrerad. Det sistnämnda draget i hans karaktär gjorde att han fann allt om sig själv vara av allra yppersta intresse. Genom åren skrev han så ihop kopiösa mängder av dagböcker och minnesanteckningar, där nästan intet ansågs vara för litet eller för pinsamt att omnämna. I dessa möter oss en man som i mycket var fången i sin egen sexuella drift. Detta skapade tid efter annan stora besvär för honom, dels givetvis i hans äktenskap, dels även rent hälsomässigt – han hann med att genomlida minst 17 anfall av gonorré före sin död. (Under denna epok i motsats till den föregående fanns kondomer att tillgå, även om de var nog så svåra att få tag på; Boswell skaffade sig en dylik tingest som han kallade »min rustning«, men att bruka den fann han vara »blott en trist tillfredsställelse« och han slarvade därför gärna utan.)

Mellan hans tjugonde och tjugonionde år var han, som man säger, intim med en lång rad kvinnor. Tre var gifta högreståndskvinnor, fyra var skådespelerskor, en var Rousseaus gamla livsledsagarinna Thérèse Levasseur – han uppvaktade helst vad han kallade för »kultiverade kvinnor«, sådana som kunde förväntas ge ett gott utbyte både könsligt och intellektuellt. Ett sextiotal var horor som han köpte i England och under sina olika resor på kontinenten. (Det var främst de som försåg honom med gonorré.) En del andra kom från de lägre skikten i samhället. Ett sådant möte skedde då han befann sig på resa i Dresden, och en kvinna knackade på hans dörr för att sälja choklad: »Jag lekte med henne och såg då att hon var med barn. Åhå, ett säkert stycke. In i mitt rum. 'Habst du ein Mann?' 'Ja, in der Guards

bei Potsdam.' På en gång till sängen. På en minut – färdigt...
Förlåt mig, har jag nu begått äktenskapsbrott?... Släpp taget
om detta. Jag skall inte tänka mer på det. Gudomliga Väsen, för-
låt dessa felsteg begångna av en svag dödlig.«

Här framskymtar ännu ett av hans stora problem. En strängt
kalvinistisk uppfostran gjorde att han efter sina erotiska eskapa-
der ofta fylldes med helt överväldigande känslor av äckel, skam
och ånger. Liksom Pepys var han snar till orubbliga löften om
bot och bättring och precis lika snar att bryta dem. Det blev till
slut något av ett livsprojekt för honom att få till en dräglig balans
mellan denna inokulerade moralkänsla och hans egen hejdlösa
njutningslystnad. I det syftet sökte han 1764 upp Rousseau och
målade för honom upp något slags priapisk godsägarutopi; den
gick ut på att om han var rik kunde han ta åt sig hela koppel med
flickor: »Jag gör dem gravida, så gynnas förökningen. Jag ger
dem hemgift och gifter bort dem med goda bönder som är
mycket glada att få dem ... och jag, på min sida, har fått fördelen
att njuta en stor myckenhet kvinnor.« Rousseau var inte sådär
helt övertygad om värdet i detta erotiska frihjulsfilosoferande,
utan påpekade istället med viss skärpa att köttets lustar var intet
jämfört med de andliga dito. Styrkt i anden reste Boswell där-
ifrån och lyckades också leva efter denna vackra princip i den för
honom högst aktningsvärda tidsperioden av en hel månad.

Rousseaus lösligt grundade sublimering av sexualdriften var
givetvis inget för en person som James Boswell, som kunde
känna en så oskrymtad förtjusning över könslivet och, inte
minst, sin egen potens. I början av sin erotiska karriär lärde han
känna en 24-årig skådespelerska, Louisa Lewis. Efter en tids
uppvaktning var det så äntligt dags för den stora stunden (och
man märker av den något styltiga prosan att detta också var i
början av hans litterära karriär): »Jag gick försiktigt in i rummet,
och i ett ljuvt rus gled jag ned i sängen och omklamrades genast
av hennes snövita armar och trycktes till hennes snövita barm.

Himmel, huru vi gåvo oss hän åt kärleksleken! [- - -] På ett ögonblick kände jag mig eldad av kärlekens starkaste krafter, och mitt älskade föremåls godhet beredde mig det yppersta gästabud. Stolt över min gudalika kraft återupptog jag snart den ädla leken. Jag stod mitt uppe i hälsans högsta blomstring. Återhållsamheten i min livsföring hade bevarat mig från att förslappas och försvagas, och mitt sjudande blod slog högt och raskt signaler till anfall. En mer vällustrik natt har jag aldrig upplevat. Fem gånger sjönk jag ned alldeles bedövad av hänryckning. Louisa var vanvettigt betagen i mig; hon förklarade att jag var ett mirakel och frågade mig om icke detta överstege den mänskliga naturens förmåga. Jag sade att dubbelt så mycket var möjligt, men så var det ej, ehuru jag i mitt sinne var en smula stolt över vad jag uträttat.« Han skiner som en sol efter detta kraftprov. Den dagens anteckningar avslutas med ett nöjt utrop: »Förvisso kan jag nu kallas en stor älskare.«

Men denna tillfälliga eufori till trots framträder Boswell som en sorglig figur. Allt oftare förlorar han sig i långa pajaserier av hejdlöst superi, kortspel och spring efter billiga fnask, varefter han med grundligt infekterat organ alltid dryper hem till sin oändligt tålmodiga hustru, Margaret Montgomerie, berättar allt och ödmjukt ber om att bli förlåten – vilket han också alltid blir. Särskilt efter Margarets förtidiga död i tuberkulos 1789 glider han så in i en allt djupare misär och förnedring. Boswell blir till slut en ökänd figur där han rusig raglar fram på Londons mindre fina gator, solkig och som vanligt spejande med fylleskumma ögon efter något kvinnfolk som kanske skulle visa sig vara tillgängligt. Han dog i maj 1795. Den direkta dödsorsaken var cancer i urinblåsan.

Detta för oss fram till 1800-talet och den tredje mannen i vår samling lönnliga litteratörer. Han är anonym. Det vi vet om hans liv har vi via hans magnum opus, ett verk så extraordinärt, så osannolikt, att det ställer till och med Pepys och Boswells dagböcker i kalla skuggan. Han var född någon gång mellan 1820 och 1825 och kom från en välbärgad medelklassfamilj. Ett stort och påpassligt arv gjorde det vid 21 års ålder möjligt för honom att, till släktens pyramidala fasa, lämna den förutbestämda militära banan och istället ge sig in på det som kom att uppta honom större delen av hans återstående liv: skörlevnad på heltid. Vad som dock skiljer honom från de tätt packade brigader av unga överklasslättingar som under denna tid drog runt och levde det så kallade livet i Europa är att vår anonyme dagboksskrivare skrev ned allt. I detalj. Detta arbete har en betydligt mindre vikt än både Pepys och Boswells, både litterärt och historiskt. De två föregående bjuder ett bedövande rikt flöde av upplysningar om sin samtids liv både i stort och i smått, i helg och i söcken. Den anonyme viktorianen intresserar sig dock nästan bara för en enda sak: sex.

Mot slutet av sitt liv lät han i största hemlighet trycka ett tjugotal exemplar av vad som var en överarbetad upplaga av dessa digra anteckningar. Detta verk, som då fick namnet *My Secret Life*, är en högst voluminös pjäs på elva band. Den berättar med en utförlighet som är lika monoton som monoman om alla de sexuella erfarenheter han gjort från tidiga barnaår fram till ålderdomen. Dess kanske största värde ligger i att den är så ärlig och öppenhjärtig: han döljer inte sådant som ångest över formatet på sin penis, en ibland sviktande potens eller olika bittra misslyckanden. Att han trots kraftiga nedskärningar ändå lyckats klämma ur sig ett verk på hela 4 200 sidor har att göra med att han var fanatiskt promiskuös. Mot slutet av sitt liv kan han konstatera att summan av hans partners uppgick till runt 1 200. (Han skriver lite eller inget om eventuell avkomma; hans skrifter ger dock vid handen att olagliga aborter var rätt vanligt förekommande i det viktorianska England.) »När jag tittar igenom dagböcker och minnesanteckningar«, skriver han inte utan en viss stolthet, »finner jag att jag har haft kvinnor från trettiosju olika riken, kungadömen eller länder, och av åttio eller flera olika nationaliteter, inklusive varenda en av de i Europa förekommande förutom den lapska.« De elva volymerna är alltså en katalogaria, där det förutom en myckenhet med beskrivningar av de allra mest banala heterosexuella akterna också förekommer en hel del könsliga originaliteter som flagellantism, kiss och bajs, trekanter och annat smått och gott. *Nil novi sub sole.*

Detta något imposanta antal erövringar får dock inte förleda någon att tro att vi har att göra med Don Juan i en senare inkarnation. För det mesta handlar det om köpt sex. Den anonyme viktorianen var nämligen en horkarl av närmast bibliska proportioner. Under tiden som han samlar ihop sitt sexuella herbarium gör han av med, inte en, inte två, utan *tre* smärre förmögenheter. (Noga noterar han också hela tiden hur mycket den och den horan kostat och då och då förekommer lite gnäll över hur *dyrt* allt har blivit.) Dock räddas han alltid från det celibat de svage kallar monogami genom nya arv, som opåkallat faller ned i hans alltid lika tacksamma knä. Så bär det av igen med chapeau-claquen käckt på svaj och andan i halsen: omkring på Londons gator, runt i England, ut på kontinenten. (Hans berättelse från dessa resor är, som Steven Marcus skriver i sin insiktsfulla analys, »Europa skådat genom ögat på en penis«.) När han inte hyr prostituerade på mörka och urindoftande smågator drar han runt och försöker ragga upp förbipasserande flickor med hjälp av pekuniära argument. Vid ett tillfälle är han ute och går på landet när han ser två arbetande kvinnor, »långa, bastanta och dammiga«, båda i mörkblå klänning och svart kapott. Skakande av en som vanligt snabbt uppflammande attack av kättja antastar han dem. Han bjuder pengar mot samlag. Efter ett visst schackrande får han sin vilja igenom. En av kvinnorna följer honom in bland gravstenarna på en näraliggande kyrkogård: »Jag tog av mig min rock, gjorde den till ett knyte, och lade ned för henne att lägga huvudet på. 'Såja – såja' sa jag och drog ned henne. Hon gjorde inget motstånd. Jag såg vita lår och en vit mage, svart hår på hennes sköte; och nästa minut så kom jag inne i henne.« Strax efteråt bestiger han även kvinna nummer två, varefter han betalar dem och de skils åt.

Scenen är typisk. Dels visar den upp en sexualitet som är nästan helt anonym och känslolös, förkrympt till ett ting, förfallen till en vara. Dels finns där frågan om klass och makt. De kvinnor han köper och förför kommer nästan alla från samhällets lägsta skikt. De är de underlydande, de underdåniga, de underkastade; han är gentlemannen i bonjour som dras till dem och föraktar dem på samma gång och som använder sina klassmässiga privilegier till att utnyttja dem. All hans skörlevnad och yviga sexuella laborerande är den klassiska kapitalismens tankar om laisser-faire och egendomens totala rätt tillämpad på kalsongnivå. Han jagar enbart sin egen njutning och söker aggressivt sina »erfarenheter«, kosta vad det kosta vill. Därför innehåller dessa erotiska memoarer också en hel del svinerier, som skulle ha renderat honom högst kännbar näpst om han levat i en annan tid eller annan klass. Karln begår ett antal våldtäkter, bland annat på en tonårig flicka – därtill tubbad av sin kusin som anser att det är något av en given rätt för traktens godsägare; vid ett annat tillfälle köper han och brukar en tio år gammal flicka – att deflorera oskulder ansågs som känt vara en särskilt pikant njutning under denna tid.

Tre män, på intet sätt ordinära eller genomsnittliga – och när det gäller mänsklig sexualitet finns det gudskelov inget som kan kallas för genomsnittligt. Tillsammans speglar de delar av den europeiska sexualitetens historia under 300 år. Hos Pepys skymtar vi det fördomsfria 1600-talet, där öppenheten kring sexuella ting var rätt stor, en värld av »raka gester, skamlöst tal, öppna överträdelser, framvisade och lätt åtkomliga kroppsformer«, som Michel Foucault skriver. (När Pepys visar upp sexuell ångest springer den främst ur den konkreta situationen – skräck över att förlora hustrun, över att missköta sitt arbete, etcetera – än ur ett formlöst överjags tunga predikningar. Det är väl därför vissa finner honom »barnslig«.) Boswell ger oss 1700-talet, som i sin fördragsamhet med skörlevnad i mycket påminner om 1600-talet och som på vissa punkter även går lite längre. (De gonorrébesvär som med gökurets envishet gång på gång uppenbarar sig på dagbokssidorna är också ett eko av de allmänna problem man hade med könssjukdomar under denna epok.) I Boswells svåra kamp att förlika sin kroppsliga lust med ett från barnsben inplantat dåligt samvete anar vi dock den fortgående civiliseringen, som förde fram mot en mer behärskad, tuktad, disciplinerad och mindre frimodig människotyp. Hos vår anonyme viktorian går det, hur märkligt det än låter, att se hur detta förlopp nått något av sin fullbordan. Vad han illustrerar är hur 1800-talets svårt skambelastade moral fått sexualiteten att gå under jorden, för att där spricka ut i nya fula och förvridna former. Den öppenhet som går att se hos Pepys och Boswell har gett vika för bigotteri, fiffel och dunkelt bakgatsfusk. Och den kvinnliga lust som var en självklarhet för en man på 1600-talet har i viktoriansk tid blivit till något man måste argumentera för, i trots mot en pryd officiell kultur som säger att den inte finns.

Hur svårt, för att inte säga ogörligt det ändock är att dra vittgående slutsatser utifrån tre enskilda fall bör givetvis betonas. Freud skriver i en av sina sexualteoretiska essäer om skillnaden mellan antikens erotiska liv och det han kunde se i sin samtid: »De antika lade tyngdpunkten på själva instinkten, medan vi betonar dess objekt.« Freud menade att under antiken hyllade man instinkten och att man därför var benägen att slösa den även på ringa objekt, medan en modern människa har ett slags förakt för sexualiteten i dess instinktiva form och bara erkänner den i den mån objektet är »rätt«. Prövar man denna utmärkta tanke på de tre dagboksskrivarna visar sig ingenting stämma. Tidsföljden är helt omkastad. Vår anonyma viktorian när en sexualitet som är helt uppenbart inriktad på instinkten. Vilka kvinnor han ligger med är egalt: han söker bara utlevelse för sin egen aggressiva drift. Pepys som levde drygt 200 år före honom är mycket mer fixerad vid just objektet: han säger sig själv vara besatt av kvinnlig skönhet, för honom duger verkligen inte vem som helst.

Till sist. Även om det i dessa tre små tunna spegelskärvor går att ana stora och viktiga omstöpningar i sexualmoralen bör det emellertid understrykas att allt inte förändrades. På vissa punkter flyter nämligen 1600-, 1700- och 1800-talen ihop och blir intill förblandning lika varandra. För oavsett om vi läser Pepys, Boswell eller *My Secret Life* är det uppenbart att vi i alla fallen står inför en värld styrd av den manliga driften, där den kvinnliga sexualiteten är satt på undantag och där dubbelmoralen sänder sin jästa stank in i livets alla prång och gömmen.

Litteratur

DETTA ÄR inte att se som en litteraturförteckning i egentlig mening,
det vill säga en uttömmande lista över alla de verk författaren har
gjort bruk av i sitt skrivande – denna bok är ju blott en handfull es-
säer och icke ett akademiskt specimen. Här omnämnes bara de skrif-
ter jag funnit särskilt värdefulla och som jag dessutom tror att någon
som lockats att veta mera möjligen kan finna nöje i att läsa.

Myten om fältherren. Alfred Vagts *A History of Militarism* (New York
1959) är en klassiker, skriven på trettiotalet men är ändå förvånans-
värt aktuell. Om man vill vinna insikter i det militära tänkandets
historia är Alf W. Johanssons *Europas krig* (Sthlm 1988) av stort
värde. I den kände krigshistorikern John Keegans *The Mask of Com-
mand* (London 1988) diskuteras det militära ledarskapets anatomi ge-
nom porträtt av fyra kända fältherrar – Alexander, Wellington, Grant
och Hitler. En snabbkurs i krigshistoria får man i J.F.C. Fullers *The
Decisive Battles of the Western World* (London 1975) – nu i nedkortad
nyutgåva: som i alla verk av det slaget samsas lysande kommentarer
med trista och schablonmässiga uppräkningar av betydelselösa
drabbningar. En svensk motsvarighet som också är högst ojämn är
antologin *Det svenska svärdet – tolv avgörande händelser i Sveriges historia*
(Sthlm 1948, red. Nils F. Holm), som börjar med Brunkeberg 1471
och slutar med Sveaborg 1808. Diktraderna på s. 26 är Gunnar
Ekelöfs.

Slaget vid Svensksund. Det senast utgivna verket om denna händelse är Stig Jägerskiölds rikt illustrerade *Svensksund – Gustav III:s krig och skärgårdsflottan* 1788–1790 (Keuru 1990). Till den äldre litteraturen hör Axel Munthes läsvärda *Svenska sjöhjältar*, band 6–7 (Sthlm 1911–1923), den digra *Svenska flottans historia*, band 2 (Sthlm 1943) och *Svensksund* 1790–1940 – *En minnesbok* av Försvarsstabens Krigshistoriska avdelning (Sthlm 1940). Gustav III skildras av Erik Lönnroth i hans helt lysande bok *Den stora rollen – Kung Gustaf III spelad av honom själv* (Sthlm 1986). För den som är intresserad av den gode kungen kan även läsning av Sven Delblancs doktorsavhandling, *Ära och minne – Studier kring ett motivkomplex i* 1700-*talets litteratur* (Sthlm 1965), anbefallas. Diktraderna på s. 41 är Dantes och på s. 47 ur Aischylos *Perserna*.

Tankar kring ett nyligen timat krig. Neil Sheehans *A Bright Shining Lie – John Paul Vann and America in Vietnam* (London 1990) är en av de mest fascinerande biografier jag nånsin läst: författaren lyckas att bruka Vann som ett mikrokosmos i vilket både USA:s och Vietnams historia speglas. Visserligen var jag en smula aktiv i en FNL-grupp vid mitten av 70-talet, men det var inte förrän jag läste denna bok som jag begrep vad Vietnamkriget egentligen handlade om och hur djupt orättfärdigt USA:s engagemang därstädes var. Den grasserande militära inkompetens som avslöjas så obarmhärtigt i Sheehans bok är föremål för en historisk exposé i Geoffrey Regans *Someone had Blundered* (London 1987), som trots en hel del metodiska tillkortakommanden och en rätt irriterande ytlighet ändå går att läsa med behållning. (Regan är rätt beroende av ett annat snarlikt verk som heter *On the Psychology of Military Incompetence* och är skrivet av Norman Dixon, London 1976.) Två nyligen skrivna böcker som båda behandlar nyligen utkämpade krig och som rymmer talrika exempel på militärt önsketänkande och självbedrägeri är Dilip Hiros *The Longest War – The Iran-Iraq Military Conflict* (London 1990) och Max Hastings och Simon Jenkins *The Battle for the Falklands* (London 1983).

Om ett besök i Poltava. Det citerade stycket står att återfinna i Trevelyans *Clio – en av muserna och andra essäer* (Sthlm 1955). Den i texten nämnda boken redigerad av David Chandler (London 1965) ger god vägledning för den som vill ta sig till olika gamla valplatser, men ger tyvärr liten hjälp när man väl anlänt till stället.

På slagfältet vid Verdun. Alistair Hornes *The Price of Glory – Verdun 1916* (London 1978) är som sagt den bästa historiken över detta slag och kanske är det också en av de allra förnämligaste böcker som skrivits om första världskriget, just därför han så väl lyckas med att förena de stora svepande dragen med ett inkännande underifrånperspektiv. (En annan viktig bok om detta krig är Paul Fussells med rätta lovprisade *The Great War and Modern Memory*, som bland annat handlar om hur denna händelse blev till litteratur och hur den litteraturen i sin tur påverkat världen.) En god skildring på svenska om drabbningen står att finna i Jan Olov Olssons *Den okände soldaten* (Sthlm 1965). För den som vill veta mer om den värld som födde den stora katastrofen är Eric Hobsbawms nyligen utkomna *Imperiernas tidsålder* (Sthlm 1989) oundgänglig; han spänner sin historia från politik och vetenskap till konst och vardagsliv och lyckas med konststycket att fläta in Rilke, velocipeden, bh:n och Arbetarnas kaninuppfödarklubb i Wien i sin skildring på ett sådant vis att dessa detaljer inte blir till lustig kuriosa utan står fram som delar i en större helhet. Det finns ett antal guideböcker för den som skulle vilja uppsöka slagfälten från åren 1914–1918. Här skulle jag vilja nämna *Before Endeavours fade – A Guide to the Battlefields of the First World War* (London 1990) skriven av Rose Coombs, om inte annat så för att den är så rikt illustrerad; texten är dock som alltid i dessa verk nästan outhärdligt komprimerad så den kräver en ej obetydlig fond av extrakunskap för att bli verkligt användbar. Diktcitatet i början är skrivet av Guillaume Apollinaire, fransk futurist och deltagare i första världskriget tillika.

Bröderna Marx i Petrograd. Det går att finna en upplysande om än något överslätande diskussion av förspelet till debaclet i Hamburg i band 2 av Isaac Deutschers stora biografi över Trotskij, *Den avväpnade profeten* (Mölndal 1972). Den bör dock helst balanseras mot beskrivningen i den första delen av Fernando Claudins förtjänstfulla *Krisen i den kommunistiska rörelsen* (Sthlm 1980). Skildringar av själva revolten går att återfinna bland annat i Eckart Klessmanns stora *Geschichte der Stadt Hamburg* från 1981 och i Richard A. Comforts *Revolutionary Hamburg – Labor Politics in the Early Weimar Republic* (Stanford 1966). En detaljerad men mycket tendensiös deskription av vad som hände står också att läsa i det märkliga alstret *Det väpnade upproret* (Köthen 1971) som för första gången gavs ut i slutet av 20-talet av en grupp inom Komintern som dolde sig under det fiktiva författarnamnet A. Neuberg – i gruppen ingick bland annat den sedermera utrensade marskalken Tuchatjevskij och en då okänd vietnames vid namn Ho Chi Minh. Den var avsedd att vara ett slags revolutionär kokbok och diskuterar utifrån en rad konkreta fall med stort allvar och icke utan visst raffinemang det väpnade upprorets teori och praktik. (Den gavs ut i svensk översättning under det glada vänsteruppsvingets dagar på 70-talet.) Hanna Arendts *On Revolution* (London 1990) är en modern klassiker som gavs ut 1964 och som bara har blivit än mer aktuell i sin diskussion av revolutionens alla problem och motsägelser. Vad om-välvningarna i Ryssland 1917 anbelangar finns det en ny översikt av Edward Acton, *Rethinking the Russian Revolution* (London 1990) där många gamla myter om denna händelse ställs på huvudet. När det sedan kommer till Trotskij är problemet att det som skrivits om ho-nom antingen härrör från hans fanatiska beundrare (som bara tindrar förtjust med ögonen inför nästan allt han gör) eller hans likaledes fanatiska motståndare (som bara rapar gammal stalinistisk hatpropaganda). En av de få som gör en någorlunda rättvisande bedömning av honom är Irwing Howe i hans *Trotsky* (London 1978). Den skarpaste analysen av Trotskijs tänkande återfinns enligt min åsikt i Leszek Kolakowskis kända storverk *Main Currents of Marxism*, del tre: *The Breakdown*.

Karl XII:s död och andra mord. Det var i *Carl XII:s död* (Sthlm 1940) som Albert Sandklef et al. först lanserade sin fantasieggande kulknappsteori. Det verkets djärvhet men även dess uppenbara brister eggade mer etablerade forskare som Nils Ahnlund och andra att avlossa ett skarpt genmäle i form av arbetet *Sanning och sägen om Karl XII:s död* (Sthlm 1941). Där söker de bemöta kulknappsentusiasterna på punkt efter punkt, och de lyckades också göra rätt grundligt kål på den ovan nämnda teorin. Det senaste och måhända sista ordet i denna fråga är givetvis Gunnar Grenanders uppsats *Karl XII:s död – Ett ögonvittnes berättelse bekräftas*, som publicerades i Meddelande XXXXVIII från Armémuseum (Sthlm 1988).

Varför brändes Malin Matsdotter? Om man bara skall läsa ett enda verk om häxeriet bör det enligt min uppfattning vara *Häxornas Europa 1400–1700* – en alldeles utmärkt samling med uppsatser skrivna av häxforskare från Europas alla hörn (Sthlm 1987). Bokens redaktörer Bengt Ankarloo och Gustav Henningsen är värda stort beröm. Jag närmar mig alltid samlingsverk med en viss bävan då de ofta brukar vara dåligt sammankokta alster som bara läsare begåvade med ett generöst mått sittfläsk brukar kunna ta sig igenom. Icke så här. Bengt Ankarloos *Att stilla herrevrede – Trolldomsdåden på Vegeholm 1653–54* (Malmö 1988) är som sagt en fängslande studie av ett enskilt fall. Boken har tyvärr fått alldeles för lite uppmärksamhet. Om Benandanti-sekten kan man läsa i Carlo Ginzburgs *Benandanti –»De goda häxmästarna«* (Sthlm 1991), ett opus som visserligen inte är i klass med Ginzburgs senare verk men som ändå är värt att läsa för den som är intresserad av ämnet. Två äldre skrifter som ännu står sig rätt bra är Hugh Trevor-Ropers *The European Witch-Craze of the 16th and 17th Centuries* (London 1988) och Bror Gadelius *Tro och övertro i gångna tider* (Sthlm 1912–13). Gunnar Heinsohn och Otto Steigers polemiska skrift är betitlad *Häxor – Om häxförföljelse, sexualitet och människoproduktion* (Göteborg 1987).

Om tidens historia. Lennart Lundmarks *Tidens gång och tidens värde* (Sthlm 1989) är, trots en viss textmässig träighet, det bästa svenska verk som skrivits om tidens historia. David Landes *Revolution in time* (Harvard 1983) är ett av de främsta utländska verken. I Häften för kritiska studier nr 2 1986 går det att återfinna en utmärkt uppsats med titeln »Tiden som kulturhistoriskt problem« skriven av den likaledes utmärkte sovjetiska historikern Aron Gurevitj – eller varför inte gå direkt till hans mästerliga *Das Weltbild des mittelalterlichen Menschen* (München 1982). Diktcitatet på slutet är hämtat ur Siegfried Sassoons poem *Attack*.

Om kokta sovmöss och god smak. Henry Notakers två alster *Gastronomi – Till bords med historien* (Sthlm 1987) och *All världens kokböcker* (Sthlm 1990) är späckade av vetande om mat i förflutenheten. Ett äldre verk som också berör mathållning förr är band fem i Troels-Lunds monumentala *Dagligt liv i Norden* (Köpenhamn 1903). Den franske historikern Jean-Louis Flandrin har skrivit flera viktiga bidrag om just smakens historia; ett återfinnes i volym 3, *Passions of the Renaissance*, av den alldeles utmärkta *A History of Private Life* (London 1989), ett annat står att läsa i den franska historiska tidskriften Annales nummer 2/1983: »Le goût et la nécessité: sur l'usage des graisses dans les cuisines d'Europe occidentale (XIVe–XVIIIe siècle)«. Apicius kokbok finns utgiven på svenska under titeln *En gammal romersk kokbok* (Södertälje 1990).

Om den vackra naturens historia. Fast den främst sysselsätter sig med England är Keith Thomas *Människan och naturen* (Sthlm 1988) något av ett standardverk. *Paradiset och vildmarken – Studier kring synen på naturen och naturresurserna* (Sthlm 1984) är redigerad av Tore Frängsmyr och rymmer flera inspirerade uppsatser. Den citerade skriften av Schering Rosenhane, *Oeconomia*, finns publicerad i Lychnos-biblioteket nummer åtta (Uppsala 1944).

Om stank och smuts. Georges Vigarellos bok *Concepts of Cleanliness – Changing Attitudes in France since the Middle Ages* (Cambridge 1988) är inte så omfångsrik, men är ändå ett av de mest värdefulla bidragen till hygienens historia. (Gunnar Tilanders *Stång i vägg och hemlighus – Kulturhistoriska glimtar från mänsklighetens bakgårdar* (Karlshamn 1968) innehåller vissa roande brottstycken ur denna historia, men är i regel alldeles för osorterad och studentikos för att vara av något mer bestående värde.) *Hemmet – Boende och trivsel sett i historiens ljus* av Witold Rybczynski (Sthlm 1988) är fylld till brädden av fina iakttagelser som berör en rad aspekter av den lilla historien, däribland detta med lukt och smuts. Roches uppsats om vattnet är betitlad »Le temps de l'eau rare du Moyen Age à l'epoque moderne« och står att läsa i Annales nummer 2/1984.

Om fattigdomens historia. Ett helt centralt arbete i detta ämne är Bronislaw Geremeks *Den europeiska fattigdomens betydelse* (Sthlm 1991). Boken bjuder upplysande och nyttig läsning men är förvånansvärt konventionell för att vara skriven av en man med en sådan reputation som polacken Geremek – förutom en god historiker har han varit en av de drivande i Solidaritet. Men även om hans opus icke är någon populärvetenskaplig liten maräng, behöver en möjlig läsare ändå icke förskräckas; författaren brukar sina siffror och djuplodande exempel på ett skickligt vis och lyckas till och med med att göra något så trist som prishistoria spännande. Lars Levanders *Fattigt folk och tiggare* (Östervåla 1974) lider av både sin ålder och sitt etnologiska perspektiv, men ger ändock läsaren skakande inblickar i den svenska fattigdomens historia. Giovanni Riccis rön står att läsa i en uppsats som heter »Naissance de pauvre honteux: entre l'histoire des idées et l'histoire sociale« vilken återfinns i Annales nummer 1/1983.

Barnet med segerhuvan. Philippe Ariès i texten omnämnda verk *Barndomens historia* (Avesta 1982) kan sägas vara något av startpunkten för denna forskningsinriktning. Hans opus har blivit kritiserat på en lång rad punkter men är ändå omöjligt att ignorera för den som vill veta mer om ämnet. Två skrifter som ger goda inblickar i skolningens och uppfostrans historia i Norden är Anderséns *Adelig Opfostring* – Adelsborns opdragelse i Danmark 1536–1660 (Köpenhamn 1971) och Landqvists *Pedagogikens historia* (Lund 1941). Essän i denna bok stod ursprungligen att läsa i det rikt illustrerade verket *Kungliga barn i tid och rum*, som rymmer en rad uppsatser på detta tema (Sthlm 1989).

Om missnöje och andra historiska känslor. Problemet med det missnöjda samhället har den alltid lika virtuosa Agnes Heller tagit upp i flera av sina arbeten, bland annat i *A theory of history* (London 1982) och i *The Power of Shame* (London 1985). Se gärna även Joanne Finkelsteins *Dining out – A Sociology of Modern Manners* (Oxford 1989): Finkelstein är en sådan där god forskare som griper tag i ett till synes litet och obetydligt ämne och sedan utvinner något stort och viktigt ur det – det är ju som bekant ofta precis tvärtom i den lärda världen. En viktig pusselbit för den som vill få sig en bild av hur den moderne lönearbetaren blev till är Anders Floréns doktorsavhandling *Disciplinering och konflikt – Den sociala organiseringen av arbetet. Jäders bruk 1640–1750* (Uppsala 1987).

Om ensamhetens historia. Många insikter om de skiftande relationerna mellan grupp och individ står att finna i Norbert Elias fina studie över hovsamhällets kultur och ideologi, *The Court Society* (Oxford 1983). Det samma gäller för Johan Huizingas *Ur medeltidens höst* (Sthlm 1986), ett strålande mästerverk som jag själv ständigt återvänder till med samma oskrymtade glädje. De skiftande attityderna till ensamhet diskuteras i den tidigare nämnda *A History of Private Life*, volym 3.

Om mörker och ljus. I det ovannämnda verket av Troels-Lund, *Dagligt liv i Norden*, återfinns det i band 6 en fin diskussion av de olika belysningsmetoderna och deras följder för liv och tänkande. Ett mer modernt verk som också tar upp denna fråga är etnologen Jan Garnerts *Ljus och kraft – Historien om Hälsinglands elektrifiering* (Malmö 1989), en skrift som är betydligt mer intressant än titeln vill antyda.

Om skräckens historia. Av de olika utländska skrifter som tar upp denna egenartade materia framstår Jean Delumeaus magistrala *Angst im Abendland – Die Geschichte kollektiver Ängste im Europa des 14. bis 18. Jahrhunderts* (Hamburg 1989) som den allra viktigaste. Ett svenskt bidrag är Jochum Stattins *Från gastkramning till gatuvåld – En etnologisk studie av svenska rädslor* (Helsingborg 1990).

Om gråtens historia. Gråten i den tidigmoderna epoken berörs i Paul Hazards *The European Mind* 1680–1715 (London 1973), en förstklassig skildring av den tidiga upplysningens tänkande. Förändringen av tårarnas roll under 1800-talet har som sagt utretts av Anne Vincent-Buffault i uppsatsen »Constitution des rôles masculins et féminins au XIXe siècle: La voie des larmes«, tryckt i Annales nummer 4/1987.

Flickan och ostronen. Sexualitetens historia har traditionellt varit ett område som främst intresserat psykologer och läkare; under de senaste 10 åren har dock detta ändrats och allt fler professionella historiker har börjat närma sig detta svåra och undflyende ämne. En äldre studie som trots allt har åldrats med ett visst behag är G. Rattray Taylors *Sex in History* (New York 1954), som söker ge en bild av de skiftande attityderna till sex i Europa från medeltiden och framåt. En betydligt mer aktuell bok med liknande ambitioner är Reay Tannahills *Sex in History* (London 1990). Författaren är visserligen ibland något för svepande i sin brett upplagda exposé från Homo erectus till Aids, men boken duger gott som en introduktion. Ett verk som trots sina ojämnheter redan blivit något av ett standardverk är Michel Foucaults märkliga *Sexualitetens historia* i tre band (Stockholm 1980–87). En alldeles ny skrift, som visar på vitaliteten och spännvidden men även på problemen i detta nya forskningsfält, är antologin *From Sappho to de Sade*, redigerad av Jan Bremmer (London 1991), som förutom en rad spännande uppsatser också innehåller en alldeles utmärkt bibliografi.

Den viktorianska sexualiteten. Trots sin stundtals fatala brist på koncentration är Ronald Pearsalls tjocka och välmatade *The Worm in the Bud – The World of Victorian Sexuality*, en omistlig studie i detta ämne. (Pearsall är underhållande och skriver dessutom påfallande väl.) Richard Davenport-Hines *Sex, Death and Punishment – Attitudes to Sex and Sexuality in Britain since the Renaissance* (London 1990) handlar främst om behandlingen av bögar och könssjuka. På svenska finns Karin Johannissons uppsats »Den farliga sexualiteten« som står att läsa i hennes innehållsrika bok *Medicinens öga* (Sthlm 1990). För den som är intresserad av den viktorianska epoken över huvud taget rymmer Lytton Stracheys kända *Tre gestalter* (Sthlm 1932) mycket av intresse. Det samma gäller Asa Briggs utmärkta trilogi *Victorian Cities, Victorian People* och *Victorian Things* (London 1988). (I rättvisans namn bör det nämnas att en del forskare på sistone rest invändningar mot den bild av den viktorianska sexualiteten som ges i den ovan nämnda litteraturen. Se fr. a. Peter Gays briljanta flerbandsverk *The Bourgeois Experience* samt Michael Masons nyutkomna *The Making of Victorian Sexuality.*)

Tre älskares bekännelser. Robert Lathams nya urval har publicerats under titeln *The Shorter Pepys* (London 1986), en god utgåva om än som sagt rätt hårt censurerad. På svenska finns ett gott litet urval utgivet i Forum-biblioteket (Uddevalla 1971). Vad gäller James Boswells minnesanteckningar finns också vissa av dem publicerade på svenska (*Dagbok i London* 1762–1763, Sthlm 1951). Lawrence Stones *The Family, Sex and Marriage in England* 1500–1800 (London 1977) rymmer insiktsfulla granskningar av både Pepys och Boswell och ett antal andra hemliga dagböcker. I boken *The Other Victorians – A Study of Sexuality and Pornography in Mid-Nineteenth-Century England*

(London 1971) utför Steven Marcus en alldeles lysande analys av bland annat *My Secret Life*: freudianskt anstrukna undersökningar syns lätt haverera i lösa antaganden och obevisbarheter, men hans försök i denna svåra genre är faktiskt ovanligt lyckat.

Register